Collection *l'Histoire en Mémoires*

dirigée par

Emmanuel de Waresquiel

DANS LA COLLECTION
« L'HISTOIRE EN MÉMOIRES »

GÉNÉRAL DE CAULAINCOURT, duc de Vicence, Grand Écuyer de l'Empereur. *Mémoires.* La campagne de Russie. L'agonie de Fontainebleau. Présentation et choix des textes par André Castelot.

BONI DE CASTELLANE. *Mémoires. Comment j'ai découvert l'Amérique. L'art d'être pauvre.* Introduction et notes d'Emmanuel de Waresquiel.

MADAME DE CHASTENAY. *Mémoires sur l'Ancien Régime, la Révolution, le Consulat, l'Empire et la Restauration (1771-1815).* Introduction et notes de Guy Chaussinand-Nogaret.

BARON DE FRÉNILLY. *Mémoires 1768-1848. Souvenirs d'un ultraroyaliste.* Introduction et notes de Frédéric d'Agay.

DUCHESSE DE MAILLÉ. *Souvenirs sur la monarchie de Juillet et la révolution de 1848 (1832-1851).* Introduction et notes de Frédéric d'Agay. Texte inédit.

À PARAÎTRE

DUFORT DE CHEVERNY. *Mémoires sur le règne de Louis XV.* Introduction, notes et nouvel établissement du texte de J. P. Guiccardi.

LES CAHIERS
de
MADAME DE CHATEAUBRIAND

Présentation et notes
de
JEAN-PAUL CLÉMENT

Perrin
8, rue Garancière
PARIS

ISBN 2-262-00586-9
ISSN 0981-6283

Présentation

Il est malaisé et bien ingrat d'être la femme d'un homme de génie, infiniment célèbre, passionnément controversé, et dont l'illustration amoureuse compose et couronne l'œuvre littéraire. Céleste de Chateaubriand a-t-elle eu le sort d'une femme sans ombre, ou bien le destin tragique et caricatural d'une Élise Jouhandeau?

« Du thé, du thé », s'exclament les mouches mondaines[1] qui butinent inlassablement la belle vie du vicomte, que l'Enchanteur écarte et attire, repousse et recherche, se promettant le désert — la chaumine isolée au fond d'un vallon sauvage — et s'y tenant rarement de reste.

Chateaubriand n'est point fait pour l'hymen, mais, alors que René au début de son existence conjugale oubliera si allègrement sa femme, qui aurait cru que M. et Mme de Chateaubriand vieilliraient, côte à côte, avec pour seule famille les arbres et les oiseaux exotiques?

C'est par distraction, par faiblesse, par intérêt peut-être, qu'il se marie. Au moment où la guerre civile se profile, en janvier 1792, toute sa famille s'est mise du complot : la mère, les sœurs, et surtout l'aînée d'entre elles, la compagne de jeunesse, l'héroïne des songes, la visionnaire, Lucile, qui s'était prise d'affection pour Céleste : « [elle] aimait Mlle de Lavigne et voyait dans ce mariage l'indépendance et la fortune », avoue Chateaubriand dans les *Mémoires d'Outre-Tombe*.

Fille d'un directeur de la Compagnie des Indes, orpheline, elle avait été élevée par son grand-père, Jacques Buisson, ancien gouverneur de Lorient, chevalier de Saint-Louis, fraîchement anobli par le roi en 1776. Ainsi que le remarque G. Painter : « Épouser le jeune Chateaubriand qui, tout ruiné qu'il fût, et en pleine Révolution, appartenait à la noblesse héréditaire, serait pour sa petite-fille, pensait le traditionaliste Buisson, s'élever dans l'échelle sociale[2]. » M. Buisson connaissait bien sa pupille : lorsque sous la Restauration, Céleste pourra, en cachetant son courrier à la cire rouge, y apposer la couronne de vicomtesse, on ne peut imaginer délice plus ineffable, qui aide à surmonter bien des déceptions et des rancœurs !

Que de naïveté et de déraison, tout de même, dans ce projet ! « Nous n'avons de plus grand ennemi que notre imagination », écrira Céleste dûment édifiée, un an avant sa mort, en 1846. Certes, mais il dénote aussi l'espèce d'inconscience des nobles d'alors. Après trente ou quarante années d'afféteries sentimentales à la Rousseau, on ne croit pas vraiment à la violence, en dépit de maints signes annoncés ou inscrits dans les faits dès 1789. Songeons aux têtes de MM. Foulon et Bertier, promenées au bout d'une pique, deux jours avant la prise de la Bastille; ce « festin de cannibales », auquel il avait assisté, changea les dispositions du jeune Chateaubriand, qui dès lors songea à quitter la France pour un pays lointain.

Tout cela ne l'empêche pourtant pas de se jeter tête baissée dans ce complot romanesque à la Florian au moment où l'on décrète la « Patrie en danger », alors que la Législative s'apprête à adopter « la machine sépulcrale, sans laquelle les jugements de la Terreur n'auraient pu être exécutés[3] » : la guillotine.

Cet acte grave qui engage sa vie est monté avec une légèreté invraisemblable. L'argent de la dot servira à équiper le jeune chevalier; ainsi fera-t-il bonne figure à l'armée des Princes ! Première inconséquence.

La future est noble et mineure (dix-sept ans). Or, selon la coutume de Bretagne, encore en vigueur, sa fortune doit être administrée par les hommes les plus vénérables de la famille, le grand-père et les oncles maternels : seconde inconséquence !

Qui plus est, on s'empresse de les marier contre l'aveu des oncles, et, circonstance aggravante, en faisant appel à un prêtre réfractaire. Lisons les *Mémoires d'Outre-Tombe*; les faits sont rapportés avec plus de justesse et de vérité qu'on ne le dit généralement. Contre l'avis de l'oncle maternel, M. de Vauvert, « grand démocrate », « On crut pouvoir passer outre [...] [il] le sut, et lâcha contre nous la magistrature, sous prétexte de rapt, de violation de la loi, et arguant de la prétendue enfance dans laquelle le grand-père, M. de Lavigne, était tombé. Mademoiselle de Lavigne, devenue madame de Chateaubriand, sans que j'eusse eu de communication avec elle, fut enlevée au nom de la justice et mise au couvent de la Victoire, en attendant l'arrêt des tribunaux. » « Il n'y avait, ajoute Chateaubriand, ni rapt, ni violation de la loi, ni aventure, ni amour dans tout cela; ce mariage n'avait que le mauvais côté du roman : la vérité [...] Le tribunal jugea l'union valide au civil. M. de Vauvert se désista de sa poursuite. Le curé constitutionnel, largement payé, ne réclama plus contre la première bénédiction nuptiale, et madame de Chateaubriand sortit du couvent, où Lucile s'était enfermée avec elle[4]. »

Mariage apparemment mal assorti, arrangé en une conjoncture exceptionnelle, qui, d'un lien de près de cinquante ans, risquait de faire un lien de ronces. « Pour une tracasserie d'une heure » c'était « me rendre esclave pour un siècle », avouera Chateaubriand, ambassadeur à Londres, en 1822. La condamnation sonne comme un glas.

Oh! certes, la jeune bretonne Céleste n'était pas sans grâce, lorsqu'elle se promenait sur le Sillon — promenade élégante de Saint-Malo — « avec sa pelisse rose, sa robe blanche et sa chevelure blonde enflée du vent »; mais pour un homme formé aux sylphides, Mme de Chateaubriand était bien bourgeoise, bien sage, bien provinciale. Qu'on se garde toutefois de la juger uniquement d'après le portrait, tardif, de Mlle Lorimier, montrant une Céleste âgée de soixante-cinq ans, peinte à l'imitation d'une tierçaire de l'ordre de Saint-Vincent-de-Paul, le bonnet à barbes remplaçant ici la cornette. La physionomie sévère et peu amène, l'allure guindée, semblent donner raison à Victor Hugo[5], qui, la portant peu dans son cœur, la décrit comme une femme acrimonieuse, dont la « bonté de façade officielle ne fai[sai]t aucun tort à la méchanceté domestique », enfermée dans les pratiques d'une dévotion étroite, « aigre, dure, médisante, amère ».

Lorsqu'en 1824, le jeune chevalier de Cussy, attaché d'ambassade à Berlin, se précipite à Paris chez son ancien patron, tout juste promu ministre des Affaires étrangères, l'accueil est glacial. Lui, est retenu aux Tuileries; elle, ne le connaît pas; de surcroît il est arrivé en avance[6] ! On le met au bout d'une table, personne ne lui adresse la parole, il « se replie dans sa coquille ». Le patron arrive : tout change ! Mme de Chateaubriand se fait un peu plus gracieuse. Péché véniel que tout cela, mais le chevalier ne pardonnera pas cette offense et en laissera le souvenir. A cet égard Chateaubriand lui-même est-il exempt de tout reproche? s'il peut être « bon garçon » un jour, il lui arrive de se montrer tout de raideur un autre. Laissons à chacun sa vérité d'alternance.

La correspondance de Mme de Chateaubriand — encore partiellement inédite — et l'opinion d'amis aussi perspicaces et délicats que Joubert, Clausel de Coussergues, Ballanche ou Hyde de Neuville, devraient la faire échapper à ce portrait caricatural, malicieusement colporté. Non que Mme de Chateaubriand n'ait ses duretés, ses injustices, un je-ne-sais-quoi qui manque de moelleux.

Point d'amour dans ce mariage, donc; du côté de René du moins. Fut-elle jolie? A coup sûr elle ne l'est plus. Gentille? Sans doute, mais d'un « commerce moins agréable » que le sien. Pieuse? bien sûr; mais le christianisme du *Génie*, apologie des valeurs fécondes, poétiques, civilisatrices, et universelles de la religion que balaye un souffle romantique et libéral, s'accorde-t-il avec la dévotion profonde mais étroite et « froncée » de son épouse?

Céleste n'offrait rien qui pût exalter la vérité de « chimère » de son mari. Ni l'origine — fort bourgeoise — ni la beauté, ni la profonde connaissance du monde et de ses ressorts, rien de tout cela ne semble l'apanage de Céleste.

Souvenons-nous de la chasse royale qui suit la présentation à Louis XVI du jeune chevalier de Chateaubriand. Il ne se sent à l'aise qu'au moment où il conçoit les choses « historiquement ». Alors il voit les comtesses de Chateaubriand, les Gabrielle d'Estrée, les La Vallière, les Montespan, chevauchant à ses côtés; il est heureux. Le présent ne vit vraiment que transfiguré par l'Histoire, élargi par le rêve, le nom, la beauté, le monde. Natalie de Noailles, Juliette Récamier, Cordélia de Castellane, Delphine de Custine, voilà les incarnations successives de la sylphide, voilà ce qu'aime Chateaubriand, sans préjudice d'autres intrigues, avec quelque nymphe buissonnière rencontrée au hasard d'une auberge, sur le bord d'un lac, ou chez les peuplades muscoculges d'Amérique.

Mme de Chateaubriand, en revanche, aime et admire le grand homme depuis toujours, bien qu'elle n'en pipe mot dans ses « mémoires ». Elle garde son quant-à-soi, une pudeur invincible. Rien de ses sentiments intimes n'est exprimé directement. Elle ne le juge, ni ne le critique, ne l'exalte point, mais à tout moment, ses convictions en fussent-elles froissées, elle épouse ses querelles, surtout lorsqu'elles sont politiques.

Il ne faudrait point chercher dans ses écrits, de révélations, des secrets d'intimité, de petits faits vrais qui tapissent une vie. Elle ne donne pas dans la littérature psychologique ou descriptive! C'est trop vulgaire!

Chateaubriand pas davantage, si l'on excepte la description de l'auberge de Waldmünchen, où il séjourna, attendant qu'un sauf-conduit de Metternich lui ouvrît les portes de l'empire d'Autriche. C'était en 1833, les modes littéraires avaient changé et il se sentait bien désœuvré!

Céleste laisse à d'autres, dévotieux mais indiscrets — tels Daniélo ou Pilorge, secrétaires de Chateaubriand — le soin de nous dire qu'elle affectionnait les perruches et les perroquets, et se moquait de la laideur de Mme de Duras.

Mais reportons-nous en 1792. La chronique nous dit que, après un bref séjour aux Chênes, à Paramé, propriété du grand-père de Céleste, puis à Bois-Février chez les Langeac, où elle se trouve plongée au cœur d'un réseau contre-révolutionnaire animé par le marquis de la Rouërie, la famille de Chateaubriand s'installe à Paris, 4, cul-de-sac Férou, dans le petit hôtel de la marquise de Villette (mai 1792). Après avoir consulté son mentor, le grand Malesherbes, dont son frère aîné avait épousé la petite-fille, le jeune chevalier décide d'émigrer, moins par conviction profonde que par « point d'honneur ». « Le 20 avril l'Assemblée législative déclara la guerre à François II [...] D'un côté les persécutions redoublèrent ; de l'autre, il ne fut plus permis aux royalistes de rester à leurs foyers sans être réputés poltrons », écrira-t-il. Les deux frères Jean-Baptiste et François-René quittent la France pour Bruxelles, le 15 juillet 1792.

A Paris, Céleste avait, dès avant son départ, fait l'apprentissage de la solitude. Son mari s'était hâté de retrouver la société littéraire qu'il avait connue chez sa sœur Julie de Farcy, à la veille de la Révolution : Ginguéné, Chamfort, Bernardin de Saint-Pierre, Lebrun-Pindare, etc. Le 19 juin, il s'est même rendu en pèlerinage à Ermenonville, au tombeau de Jean-Jacques, « dont les accents remuaient ma jeunesse », remarque-t-il dans les *Mémoires*. De tout cela, la trop provinciale épousée est absente. Absente aussi de l'émigration en Angleterre (1793-1800) où Chateaubriand, retiré à Beccles dans le Suffolk, ayant poussé trop loin l'idylle avec la gracieuse Charlotte Ives, n'échappera au risque fort réel d'un second mariage qu'en prenant la fuite ! (été 1796).

Après le départ des deux frères, Julie, Céleste et Lucile s'attardent à Paris, de plus en plus périlleux pour des parents d'émigrés. Surviennent les Massacres de Septembre : « Ginguéné[7] eut une connaissance anticipée des meurtres révolutionnaires. Madame Ginguené prévint mes sœurs et ma femme du massacre qui devait avoir lieu aux Carmes, et leur donna asile : elles demeuraient cul-de-sac Férou, dans le voisinage du lieu où l'on devait égorger[8]. » Retirées à Fougères elles seront arrêtées les 16 et 17 octobre 1793 comme femmes d'émigrés. Lucile partagera leur captivité : « Lorsque tu es parti pour la seconde fois de France, tu remis ta femme entre mes mains, tu me fis promettre de ne point m'en séparer. Fidèle à ce cher engagement, j'ai tendu volontairement ma main aux fers et je suis rentrée dans ces lieux destinés aux seules victimes vouées à la mort[9]. » Les prisonnières sont « jetées dans les cryptes révolutionnaires » de Rennes, le 26 octobre 1793. Les pétitions des deux autres sœurs restées libres, Bénigne et Marianne, véhémentes et argumentées, ne serviront de rien. Ce n'est finalement que le 6 octobre 1794, après la chute de Robespierre, que les trois femmes seront remises en liberté.

Chateaubriand ne retrouvera Céleste qu'en 1800, à son retour d'émigration et ne se réunira avec elle qu'en 1804, pour respecter la promesse faite à Pauline de Beaumont, morte à Rome dans ses bras.

Dès lors, se dessine la « politique » de Mme de Chateaubriand vis-à-vis de son mari.

Ne point discuter ce qu'on vous refuserait de toute manière, ne pas batailler contre les maîtresses apparemment invincibles dans leur précaire souveraineté[10], se garder de toute ingérence dans la vie d'un homme dont elle saisit certainement tout le génie, même si elle se refuse toujours au dithyrambe; elle n'est pas louangeuse, nous le savons. Le génie ne se divise pas : Natalie de Noailles ou Hortense Allart sont nécessaires à Chateaubriand, au même titre que la solitude, les voyages, les honneurs, ou l'enivrement des joutes politiques. Il lui sera fidèle comme il le sera à la Légitimité.

Son intelligence des êtres et des situations ne va pourtant pas jusqu'à l'abnégation et l'oubli de soi, tant s'en faut! Elle sait ce qu'elle vaut. A l'occasion, la *Chatte* se dégante et griffe les belles « madames », mais c'est affaire d'ironie et de correspondance privée : « Mon *Chat* n'est bon à rien, pas même à manger les souris, écrit-elle à Mme Joubert. Il devait aller hier réclamer le *Cerf* et le sommer de venir manger le plus excellent des foies de veau; point du tout : il est allé courir de madame en madame jusqu'à cinq heures, et ne s'est souvenu de sa commission qu'au moment où mes grandes fureurs ont éclaté contre lui et contre votre époux sans foi[11]. » Ou encore : « Voilà le *Chat*, qui, malgré ses rhumatismes, se *frisote* pour aller chez quelque madame du Lionfort; mais tout en faisant le beau, il me charge de vous dire qu'il vous aime, qu'il vous remercie de l'avoir lu avec plaisir[12]. »

Céleste, sera la « fée aux miettes[13] », pour reprendre l'expression plaisante que Chateaubriand lui décerne, l'amie de ses amies, leur lien. Elle se montrera digne de leur estime et de leur amitié par son esprit, par son talent primesautier, épigrammatique. Elle sera l'âme de petits cercles qu'on voit se former autour d'elle, se complaisant en la compagnie d'amis choisis, les Joubert (« Je vais vous dire une vérité, c'est que vous et tous les vôtres, vous êtes tout ce que nous aimons au fond, sincèrement et *inaltérablement*[14] »), la belle et bonne duchesse de Lévis, le joyeux abbé de Bonnevie, Clausel de Coussergues, son « cher ministre ».

D'eux seuls elle attend assistance et concours pour apaiser ses angoisses. En 1806, seule à Venise, n'ayant aucune nouvelle du pèlerin-voyageur cinglant vers Constantinople, elle touche au pathétique dans cette lettre à Joubert : « Que voulez-vous qu'il lui arrive? Hélas! ce qui arrive tous les jours, de mourir. Pour moi, je meurs de crainte, je meurs de désespoir, enfin je meurs de tout. »

De mille manières elle requiert leur compagnie, dans ce Paris, si poudreux en été, où elle se sent solitaire : « On va, on vient, sans rencontrer un chat de sa connaissance, et l'on courrait les rues du matin au soir, sans pouvoir trouver le moyen d'y être écrasé une pauvre fois. » Au pieux Clausel, elle demande : « Est-ce glorieux, pour faire son salut de se retirer dans la solitude? On devient " un saint à couronne de diamants " à bon marché! Où est le grand mérite... quand on n'a personne à haïr? Venez donc à Paris. » En effet, son « mari est bien souvent en campagne », pour reprendre son expression ; une escapade amoureuse, une ambassade, ou un voyage : « [...] Je m'ennuie à mourir dans ma chère solitude [La Vallée-aux-Loups] », écrit-elle à Joubert, un jour de 1814, « je n'y ai d'autre occupation que de m'inquiéter et d'avoir peur, occupation dont au surplus je m'acquitte à merveille. Si vous étiez une personne comme une autre, c'est-à-dire comme une autre meilleure que vous, vous, madame Joubert [...], vous viendriez me voir dimanche [...]; c'est le jour que le *Chat* revient du sabbat[15] ». Pour le bon Le Moine, son homme d'affaires, ce sont les pièges de la gourmandise qu'elle tend devant lui : « [...] des pieds de veau, en voulez-vous? [...] Un melon, une charlotte et une carpe, tout cela à votre service, mais venez! » Et parmi d'autres billets à Joubert, celui-ci : « Venez chez moi. Le *Cerf* couchera dans la bibliothèque, vous dans la chambre du *Chat*, et votre bonne sur l'escalier [...] Ne serait-il pas raisonnable de saisir l'occasion de passer quelques jours ensemble? Voici qui va peut-être décider Mme Joubert : je lui ferai manger tous les jours des gelées ou des soufflés à l'ananas; j'en ai les moyens sans que mon avarice en souffre trop. » (13 octobre 1822.)

Des affres de la solitude et de la jalousie vaillamment combattues, dût-elle en porter le masque, la « mandragore » Céleste semble être sortie victorieuse, s'établissant avec son mari sur le pied d'une amitié sage, rassise et assez tendre, dont témoigne leur correspondance des années 1830-1845.

D'une visite dans le Midi où il est allé ranimer l'ardeur des légitimistes, Chateaubriand écrit à sa femme, le 26 juillet 1838 : « Je radote de la rue du Bac. Arrange-la le mieux possible; ne crains pas la dépense. Un mémoire que je publierai peut-être sur Aigues-Mortes, payera tout cela. Nous serons aussi bien que Mme Récamier, il faut jouter [...] Tu me parles de Michetto [le chat du pape], laisse la vénérable bête au désert. Il nous a déjà oubliés, je lui ferai une bonne pension et il sera parfaitement heureux. Tu ne m'as rien dit de Jacquot [...][16]. »

Le 28 juillet 1838 : « Chère amie je t'écris du point le plus lointain de mon voyage. J'ai voulu voir Cannes à cause de ton grand ami Napoléon. Dans quelques jours je tournerai enfin le visage vers toi[17]. » Et Mme de Chateaubriand à son mari, le 7 juin 1845 : « Tu es arrivé à Turin, comme un papillon; mais prends garde, cher ami, à cette fatigue dont tu te plains. Va doucement, sans avoir égard à mes ennuis, qui passent à la vue d'une lettre [...] »

C'est de cette femme que Chateaubriand dira : « Elle a rendu ma vie plus grave, plus noble, plus honorable, en m'inspirant toujours le respect, sinon toujours la force des devoirs. »

Mais dans le même temps, l'*incompréhensible cœur* de René laissait échapper de sa plume les feuillets extraordinaires de *la Confession délirante* (1829 et 1834), qui jettent une lueur tragique sur ses passions toujours inassouvies :

« Objet charmant, je t'adore, mais je ne t'accepte pas. Va chercher le jeune homme dont les bras peuvent s'entrelacer aux tiens avec grâce; mais ne me le dis pas [...] Va chercher un amant digne de toi. Je pleure des larmes de fiel de te perdre. Je voudrais dévorer celui qui possédera ce trésor. Mais fuis environnée de mes désirs, de ma jalousie, et laisse-moi me débattre avec l'horreur de mes années et le chaos de ma nature où le ciel et l'enfer, la haine et l'amour, l'indifférence et la passion se mêlent dans une confusion effroyable[18]. »

Un nom illustre est passé dans la correspondance qu'on vient de lire, celui de la Belle des Belles, de la Dame des *Mémoires d'Outre-Tombe*, Mme Récamier. « [...] Il me semble, écrit Chateaubriand, que tout ce que j'ai aimé, je l'ai aimé dans Juliette : qu'elle est la source cachée de toutes mes tendresses, qu'amours véritables ou folies, ce n'était qu'elle que j'aimais » (manuscrit de 1832 des *Mémoires*).

Mme de Chateaubriand n'a jamais cherché à rivaliser avec Juliette. L'Abbaye-aux-Bois n'est pas son domaine. Si la pente de son esprit l'incline encore vers le XVIIIe siècle dont elle apprécie les charmes surannés en la personne d'une Mme de Coislin qu'elle accompagnera aux eaux de Vichy, si elle a le goût des cercles et de l'amitié, si elle écrit bien et d'abondance, elle ne prétendra jamais « tenir salon ». La gloire du poète chrétien y eût prêté, mais le cœur et le savoir-faire manquent; des hommes de lettres envieux et perfides, des muses poitrinaires, des aventurières cosmopolites, des dandys extravagants, il ne saurait en être question. Elle ne fraye point avec la haute noblesse qui se moquerait peut-être de cette novice voulant jouer les dames de qualité, ne sort guère, et n'accompagne son mari, ni à Berlin en 1820, ni à Londres en 1822, pour des raisons de santé qui ne convainquent pas, mais dont le mari se contente, visiblement soulagé.

Mme Récamier au contraire s'est assimilée, par sa beauté, la distinction native de ses manières, et la perfection de son savoir-vivre, à cette noblesse qui l'admet, l'encense, l'aime, se garde bien de la critiquer. Dans son salon, elle réunit la fleur des pois de l'Empire et de l'Ancien Régime, les libéraux et tous ceux que distinguent le talent et l'esprit, écrivains confirmés ou naissants, musiciens, peintres, qui se souviendront toujours d'avoir, dans leur jeunesse, été ondoyés dans le salon baptismal de l'Abbaye-aux-Bois.

Resserrée ainsi dans les voies étroites, un peu bourgeoises et provinciales de sa vie, sans l'apanage de la beauté, sans les prétentions et le goût des mondanités littéraires et politiques, Céleste n'a qu'une chose en commun avec Juliette, une même dévotion pour René. Celui-ci aurait certainement souhaité les voir vivre en bonne intelligence. Pour ce faire il ménage, louvoie, souffre des souffrances qu'il cause, tout en continuant à les causer. « Vos jugements sont bien sévères sur la rue du Bac, écrit-il à Juliette, mais songez aux différences d'attitudes. Si vous jugez comme des niaiseries ce qui occupe de ce côté-là, on juge aussi comme niaiseries ce qui vous occupe de votre côté : il ne faut que changer de point de vue[19]. »

Mais Mme de Chateaubriand, en dépit de l'ingéniosité sentimentale qui inspire à son mari cette délicate balance, en a le cœur brisé, même si tous ces êtres, trop polis, trop policés, n'en laissent rien paraître. On échange des billets, on voyage ensemble ; Juliette conseille un chapeau, s'entremet pour que Gérard peigne la *Sainte Thérèse* qui ornera la chapelle de l'Infirmerie. Il arrive parfois que l'instinct, la passion, la jalousie, l'emportent sur la raison. Mais Céleste s'en repent aussitôt : « Je n'ai jamais su trop bien exprimer mes sentiments à moins qu'ils ne soient aigres », écrit-elle à Mlle Amey, « comme vous avez pu vous en apercevoir un certain jour surtout, à l'égard de Mme Récamier. Hélas ! c'est un péché que je n'ai pas porté loin ; savez-vous comment cette chère dame s'est vengée de mes injures ? en m'envoyant mille francs pour commencer la souscription que je vais faire afin d'avoir le moyen de loger Mlle Lemonnier à l'hospice ». (7 août 1845.)

Mme de Chateaubriand ne fut jamais une familière de l'Abbaye-aux-Bois où l'on célébrait le culte monothéiste de son mari. Par contre Mme Récamier viendra au logis de la « fée aux miettes ». Dans les derniers mois où elle vécut, comme René ne pouvait plus marcher, elle supporta que Mme Récamier transportât rue du Bac sa personne et les familiers de l'Abbaye. Les méchants y virent sa revanche après cinquante ans de délaissement. Marie-Jeanne Durry[20] estime, au contraire, que « Mme Récamier, par sa simple apparition, faisait d'elle une étrangère dans sa propre maison ». Avec sa politesse enjouée, la vicomtesse, déplacée dans ce cercle habitué à se passer de sa visite, « semblait en visite », remarque Mme Lenormant, nièce adoptive de Mme Récamier. Présente mais évincée : on est un peu héroïque quand on a consenti à pareil sacrifice.

Une seule fois, Mme de Chateaubriand déroge à cette abnégation faiblement récompensée, ce fut en 1824. Un an auparavant déjà, Mme Récamier l'avait précédée dans ce genre de résolution : Chateaubriand était alors un ministre idolâtré, encensé, environné d'un essaim de jolies femmes d'où se détachaient Cordélia de Castellane et Fortunée Hamelin. Juliette, quelque peu délaissée, avait alors fait retraite à Rome, suivie des fidèles de sa cour.

L'année suivante il n'est plus ministre. Mme de Chateaubriand enrage — ses *Cahiers* en font foi — et presse son époux de fuir Paris, « Babylone moderne », et de secouer sur la tête des royalistes, par un exil volontaire et retentissant, la poussière de ses sandales. Or Chateaubriand, bien au contraire, brûle d'en découdre avec Villèle. Sa disgrâce n'a pas fait de lui un retraité en puissance mais un stratège en action. Excédée, celle-ci tente un « coup d'État »; dans les premiers jours de juin, elle part, et loue une « cabane » au bord du lac de Neufchâtel[21]. A peine partie, son mari court après elle et l'objurgue de rentrer au foyer. La vicomtesse s'opiniâtre : « Je sais à combien de tourments et d'inquiétudes je me livre; mais je ne dois attendre la paix que lorsqu'on voudra bien me permettre d'arranger ma vie comme bon me semblera; et la sienne aussi, car je m'y entends mieux que lui[22] ! » Ne pouvant triompher de tant de fureurs, Chateaubriand se résigne à aller s'ennuyer tout l'été à Neufchâtel. Mais la nouvelle de la maladie de Louis XVIII lui fournit l'opportunité de repartir pour Paris où il inaugure le règne de Charles X par une brochure qui fait sensation *Le roi est mort, vive le roi* ; puis il repart en quête de sa femme, moins que rassuré sur le succès de sa démarche. Mais le 8 octobre 1824, il envoie à Le Moine ce bulletin triomphal : « [...] nous avons vaincu ! Ma femme revient [...] Pressez le tapissier et que tout soit fini pour mon arrivée [...] » En signe de concorde, Mme de Chateaubriand a voulu tracer elle-même l'adresse du billet ; elle avait beaucoup d'esprit !

Cette anecdote témoigne de toute l'attention que Chateaubriand portait à son épouse. En voici d'autres : « Vers huit heures et après ses premières toilettes, écrit Daniélo, M. de Chateaubriand entrait dans la chambre de madame pour y prendre avec elle la petite tasse de chocolat [...] après la messe, elle entrait dans le cabinet de M. de Chateaubriand. Comme j'étais sûr qu'elle ne manquerait pas de nous dire quelque chose de gai et d'original, de spirituel, d'amusant, j'attendais ce moment avec impatience [...] Dès qu'[il] l'apercevait, il lui disait avec un gracieux sourire et de sa voix la plus douce : Venez, venez. »

Politesse exquise, petits gestes d'amitié courtoise, égards, caractérisent le comportement habituel de M. de Chateaubriand envers son épouse. Quand celle-ci est malade il se surpasse : c'est alors un mari modèle. Mme de Chateaubriand en goûte tout le suc ; elle accueille ces démonstrations de tendresse avec une grande fraîcheur d'impression, sans se départir toutefois de l'ironie d'une femme qui n'est point dupe : « [...] j'ai peur de le voir s'envoler vers le ciel, car en vérité il est trop parfait pour habiter cette mauvaise terre et trop pur pour être atteint par la mort », confie-t-elle à Joubert. « Quels soins il m'a prodigués pendant ma maladie ! Quelle patience ! Quelle douceur[23] ! » Et de se réjouir que le fastueux ambassadeur à Londres, qui traite à sa table les Grands du royaume et converse de pair à compagnon avec le roi George IV, ait songé à lui envoyer « des robettes charmantes ». « Faites-lui votre cour, il vous en enverra aussi », lance-t-elle victorieusement à Mme Joubert.

Mme de Chateaubriand est une Sévigné bourgeoise qui, à la fin de sa vie (après 1838), conserve comme un air du temps des Précieuses. Elle passe une grande partie de ses matinées dans son lit, et tient son petit lever : « Éveillée comme une hermine, blanche de même, avec son peignoir blanc au milieu du lit blanc, se mettant sur son séant, dans un petit négligé de très bon goût, à se faire apporter ses livres de piété, ses livres de prières, ses livres d'agrément, ses journaux, son chapelet [...], ses plumes, son papier, son petit pupitre ou quelques boîtes qu'elle plaçait sur ses genoux et sur quoi elle écrivait sa correspondance, sans cesser pour cela de parler à ses gens et de leur donner des ordres[24]. » Mais voilà, Benserade, Voiture et Godeau sont remplacés en ce lieu par Daniélo, le secrétaire particulier du vicomte, François, le valet de chambre-philosophe, et Oudot, le pieux Oudot, « autorité de la maison » et qui fait le chocolat de main de maître!

Céleste tient bien le dé d'une conversation, toute en pointes de malice, en reparties véloces et un peu sèches, mais justes et aiguës; elle étonne même, par son esprit et sa véhémence, un Chateaubriand un peu condescendant, mais amusé. Alors qu'on débattait un peu trop longuement de lycées et de collèges, elle lance, paraphrasant Houdar de La Motte : « L'ennui naquit un jour de l'Université. »

Daniélo rapporte cet autre échantillon de conversation où elle ferraille de bon cœur :

« – Oui, monsieur, [...] je paie des impôts fous, et j'en enrage.

« – Patience, ma chère, disait parfois M. de Chateaubriand, tu en payeras encore davantage : nous n'en sommes qu'à un milliard et demi, et ces messieurs disent que la France peut payer deux milliards; elle les payera.

« – Non! je ne payerai pas, s'exclamait l'ardente vicomtesse. Non! je refuserai l'impôt, dût-on vendre mes nippes sur la place. [...]

« – [...] Ah! si j'étais député, moi! Les hommes sont lâches, ils se laisseraient peler comme une pomme avec un couteau de bois. Dès qu'ils ont fait quelques gros discours, c'est assez. Ils ne sauraient jouer du poing.

« – Non, mon amie, on ne joue plus que du gobelet.
« – *Gobe-les* tant que tu voudras, je ne les *gobe* pas, moi[25]. »
Daniélo, en dépit de sa vénération pour Mme de Chateaubriand, reconnaît qu'elle avait l'humeur « bretonne », vive et capricieuse, qu'elle se laissait aller souvent à des jugements sévères et qu'elle n'arrêtait ses critiques que devant Dieu et ses saints. « Encore ne sais-je, dit-il, s'il n'y avait pas quelques saints qui avaient eu bien du bonheur d'être canonisés. »

Elle n'était dépaysée sur aucun terrain : « Lorsqu'elle venait à entrer dans le cabinet de M. de Chateaubriand au moment où nous débattions des sujets les plus graves, écrit Daniélo, elle ne s'effrayait point et ne manquait jamais d'y prendre part et d'y placer, en guise de plaisanteries, des observations [...] d'un sens très profond. Lorsque rien n'était en discussion [...] elle se jetait sur une bergère où sa petite personne maigre, mince et courte, disparaissait presque tout entière. Du fond de ce meuble et avec sa petite voix grêle, elle rompait le silence [...] et se livrait à toutes les originalités de son caractère, à tous les spirituels, les mordants, espiègles et gentils propos d'une femme du monde. »
« Impossible, quand elle le voulait bien d'entendre rien de plus piquant, de plus gracieux, c'était la gaze... c'était un carillon... c'était un prisme », rapporte encore Daniélo, admiratif et subjugué. Elle a des « arsenaux que nous ne connaissons pas et des lectures spéciales », affirme Chateaubriand, prêt à capituler devant chacune des railleries de sa femme ou des raisonnements affûtés plus ou moins spécieux qu'elle avance dans la conversation. « Elle était en général plus gaie que triste, plus affable que fière, plus susceptible qu'orgueilleuse. Elle eût nargué une duchesse et causé familièrement avec une portière. Elle se vantait peut-être, ne croyant pas en avoir besoin », reconnaît Chateaubriand.

Si elle prétend n'avoir jamais lu deux lignes de son mari, elle ment à l'évidence, et c'est sans doute pour lui qu'elle a rédigé à la vanvole, d'une manière parfois un peu bâclée, ses *Cahiers*, mettant à leur rédaction, le même esprit, la même vigueur, déployant les trésors d'une mémoire exceptionnelle dans laquelle Chateaubriand puisera à maintes reprises pour animer sa propre épopée. On a parfois l'impression, à lire les *Cahiers*, d'un journal à quatre mains : là se crée, se tisse, se développe, une intimité profonde, s'affirme une concordance de vues étonnante. Le lien de ronces fleurit et porte des fruits, tardifs certes, mais savoureux.

Dans la première partie du *Cahier rouge*, elle se montre gaie, vive, grapillant les framboises de Montanvert et se gorgeant de miel de montagne. C'est l'époque de l'excursion au Mont-Blanc; elle vient de retrouver son mari, elle dépasse à peine la trentaine. Lui et elle n'ont pas leurs pareils pour déceler les ridicules et s'en moquer; l'indulgence n'est pas leur fort. Il souffle sur ces années qui vont de 1805 à 1814, entrecoupées de nombreux séjours à Paris et dans les châteaux, comme un air de grandes vacances, une douce brise de vert paradis pour une Mme de Fleurville sans petites filles modèles, mais entourée d'amis chers qu'on adorne de sobriquets de société — elle sera la « Chatte », lui, le « Chat »; Joubert, le « Cerf »; Mme Joubert, le « Loup »; Fontanes, le « Sanglier »; Chênedollé, le « Corbeau »... On est gai et bon garçon, on rit, on cueille des oronges à Villeneuve, chez les Joubert, Chateaubriand et Molé se lancent des seaux d'eau à la tête sur la Butte-aux-Lapins. Mme de Chateaubriand en gardera la nostalgie lorsque, dans une lettre à Joubert, de 1821, elle écrira : « [...] avec les douze mille francs de pair, cela nous donne le moyen d'avoir une voiture qui sera au service du *Cerf*? Revenez donc, nous irons nous promener, faire des campagnes, dîner au cabaret, etc.[26] ».

Puis la politique submerge tout. Certes, Chateaubriand, ambassadeur et ministre, avait une haute opinion de sa valeur d'homme d'État, et l'aurait placée volontiers au-dessus de sa renommée d'écrivain. Mais comment imaginer que Mme de Chateaubriand ferait de la politique l'objet quasi exclusif de ses « mémoires », et la traiterait avec cette frénésie!

Ce fait inouï n'a pas, semble-t-il, été suffisamment remarqué au début de ce siècle, par ses annotateurs, l'abbé Pailhès, J. Ladreit de Lacharrière ou Joseph Le Gras. L'amour-passion avec ses exaltations, ses revers, ses partis-pris, ses haines, s'investit tout entier dans la chose publique.

« On meurt de la politique, écrit-elle à Joubert en 1817, et l'on ne peut vivre sans elle. On en parle sans cesse, non pas moi, mais malheureusement j'ai des oreilles qui entendent et quelquefois une langue qui répond[27] ».

Mme de Chateaubriand cultive avec la Restauration des relations traversées et passionnelles : elle voit beaucoup par les yeux de son mari. Ses remarques sont informées, nourries aux meilleures sources, et souvent pertinentes, bien que noircies par une sorte de misanthropie latente; elle tire ainsi à bout portant sur tous les hommes au pouvoir, qu'ils soient « impériaux », ultras ou « constitutionnels ». Quel jeu de massacre! Cet excès de verve nous invite à nous moquer un instant de la railleuse, en nous demandant quel eût été le gouvernement idéal selon Mme de Chateaubriand. A coup sûr Chateaubriand, président du Conseil, ministre des Affaires étrangères et cumulant pour faire bonne mesure les portefeuilles de l'Intérieur et des Finances; puis — sous toute réserve — à l'Instruction publique, Fontanes; aux Affaires ecclésiastiques, Clausel de Coussergues; à la Guerre, le maréchal Victor; à la Maison du Roi, le duc de Lévis. Faute, pour les souverains, d'avoir eu le bon esprit de faire leur une telle combinaison ministérielle, Céleste rassemble toutes ses fureurs pour fondre sur les intrigants, renégats, corrompus ou apostats. « Pour moi qui ne puise ma politique que dans l'Écriture sainte, je sais, affirme-t-elle à Joubert, que nous avons les vices des derniers temps, c'est-à-dire les vices qui finissent les empires[28]. »

De son air le plus gai elle dit les choses les plus sombres, énonce des prédictions que son mari ne désavouerait pas, moins le faste du style : « Il ne peut sortir que des maux de la boîte de Pandore; ils envahiront la terre, ils accableront les hommes; la terre n'en produira pas moins des feuilles et des fruits, comme les pauvres femmes n'en feront pas moins des filles et garçons : le monde est ce qu'il a été et ce qu'il sera jusqu'à la fin des temps... l'Antéchrist, lui-même, ne lui fera pas changer d'allure [...][29]. »

En dehors de l'Écriture sainte qui donne à ses jugements un joli fond de nuées prophétiques — « Ma toute chère, tu as le don de seconde vue, tu parles et tu prophétises comme les grandes druidesses de l'île de Sein, dont la voix soulevait la mer et appelait les tempêtes [...] », ironise l'écrivain —, Mme de Chateaubriand a lu l'*Histoire de la Restauration* de Lacretelle Jeune, dévore les feuilles politiques, écoute et questionne son mari, dont elle suit passionnément la carrière, brillante et chaotique. Une expérience domine toutes les autres, les Cent-Jours où elle accompagne son mari à Gand. C'est pour Céleste une sorte d'exploration initiatique du monde politique qui la marquera profondément; sur ce petit théâtre où l'on respecte tant bien que mal la règle des trois unités, se joue le destin des peuples, le tragique frôle le dérisoire, l'histoire balbutie ; les passions, les convoitises et les petitesses se montrent à nu. Grâce à son mari, appelé à rejoindre le roi pour assurer l'intérim du ministre de l'Intérieur (mais s'il n'y a plus d'« intérieur! »), elle assiste au spectacle, à ce « jeu de grandes marionnettes » — le mot est d'elle — sur les banquettes de la scène; peu d'intrigues lui échappent, car Gand est une caisse de résonance où le moindre bruit, vrai ou faux, se propage avec la rapidité de l'éclair; cette fine lame y cueille là une foule d'observations, nous donne une cocasse galerie de portraits d'où se détache l'ombre maléficieuse de Talleyrand. Elle en tire une philosophie de la politique qui procède de la farce et de *l'orgie noire* d'un cœur outragé. Elle s'en lamente et s'en délecte. La voilà prête à jouer le rôle d'une femme d'influence, du moins dans son intérieur!

Alors que Mme de Duras et Mme Récamier mobilisent leur crédit pour arracher aux puissants du jour, en de glorieuses escarmouches, l'ambassade ou le ministère que poursuit le grand homme, Mme de Chateaubriand, tout aussi ambitieuse, opiniâtre, et convaincue de la supériorité de son mari, tient dans la coulisse le rôle difficile de conseiller et de critique. N'est-elle pas la maîtresse du foyer? Certes, son salon peuplé de prêtres, de missionnaires et de dames d'œuvre faisait « bâiller d'ennui » le noble vicomte, mais la conversation de Céleste, à fond et à motifs politiques, exprimée sur un ton piquant, enjoué, qu'éclairent constamment les lueurs de la raillerie, a pesé sans nul doute sur le jugement de Chateaubriand.

Il ne faut donc pas sous-estimer ce pouvoir d'influence qui se tisse au fil des jours, à cette « chanson de l'âtre » à laquelle le sublime volage n'échappe point, surtout lorsqu'on sait être spirituel et vrai. Les royalistes de la Restauration, la Cour, et les hommes du juste-milieu sous Louis-Philippe en feront cruellement les frais. Mais Napoléon y gagnera. Du virulent *De Buonaparte et des Bourbons* (1814) à l'*Essai sur la littérature pamphlet anglaise*, publié en 1836, où Chateaubriand évoque cet « homme d'une réalité si puissante [qui] s'est évaporé à la manière d'un songe, et [dont] la vie qui appartenait à l'histoire, s'est exhalée dans la poésie de sa mort », on mesurera le chemin parcouru. Mme de Chateaubriand n'est pas totalement étrangère à cette évolution. Le très malveillant nonce Mgr Lambruschini, *zelante* et absolutiste fieffé, prétendait que Mme de Chateaubriand « dominait complètement l'esprit de son mari », ajoutant même qu'il dépendait d'elle « presque comme un enfant de sa mère[30] ». Propos excessif.

Contre Villèle, Damas, Blacas, l'animosité de M. de Chateaubriand se mue en haine. Ils peuplent l'enfer des *Cahiers*; point de rédemption. La mort n'efface rien, mais bien au contraire fixe les damnés dans une éternité d'opprobre : « Voilà donc M. de Blacas mort. Dix ans plus tôt, la perte de cette fatale et stupide influence aurait été le bonheur pour les aspirants à la Restauration; mais le mal est fait, et il est sans remède. Je ne sais jusqu'à quel point on aime ce qui est; mais je sais qu'on déteste et redoute plus que jamais ce qui était », mande-t-elle à son cher Clausel, le 27 novembre 1839[31]. De nombreux témoignages l'attestent, elle a sans aucun doute contribué à aigrir les inimitiés de René. Elle « tenait son mari dans un perpétuel état d'exaspération contre tout le monde », affirme Vitrolles, témoin à charge, il est vrai. Cussy estime de même « qu'en l'excitant à plusieurs reprises par ses idées exagérées, il a pris des résolutions que, de lui-même, il n'eût probablement pas adoptées ».

Mais, lorsque la pieuse Céleste qui a placé l'Infirmerie sous l'invocation de la duchesse d'Angoulême, après avoir parcouru la *Quotidienne*, s'adonne avec délectation à la lecture du *Charivari* et du *National* — journal devenu républicain sous la conduite d'Armand Carrel –, fait-elle autre chose que de suivre la ligne politique de son mari, qui se proclamait « Bourbonniste par honneur, monarchiste par raison, et républicain par goût »? Elle en est la vivante illustration, sans qu'il y ait jamais de sa part allégeance ou mimétisme.

En matière de religion, Daniélo note justement que Mme de Chateaubriand relevait trop uniquement d'elle-même pour être d'aucun ordre religieux. Mais lorsqu'elle attaque la Congrégation, elle ne fait que reprendre à son compte l'offensive dont le *Journal des débats* s'était fait l'organe, et dans lequel Chateaubriand répondait, en 1825, au comte de Montlosier, anti-jésuite notoire : « Je veux la religion comme vous; je hais comme vous la Congrégation et ses associations d'hypocrites qui transforment les domestiques en espions et qui ne cherchent à l'autel que le pouvoir[32]. » Elle consacre à la Congrégation d'importants développements dans les *Cahiers*; sa science de la question, fort supérieure à celle de ses contemporains, ne la met pourtant pas à l'abri des confusions et des poncifs. Mme de Chateaubriand voue aux gémonies avec une parfaite équanimité, le régicide Fouché et les Pères de la Foi. Y aurait-il place pour la juste-milieu? oui, pour le mépris.

Deux grands thèmes sillonnent les *Cahiers* de Mme de Chateaubriand : l'ingratitude des Bourbons à l'égard de son mari, l'exécration de tous les opportunismes.

Chateaubriand seul, estime-t-elle, aurait pu sauver la monarchie par une politique qui consistait à marier les mœurs nouvelles et les principes antiques, associer au char de l'État le citoyen Scipion et le chevalier Bayard, faire flotter la bannière des lis tout en faisant prévaloir les idéaux de liberté, de tolérance et de lumières. A l'ombre d'une dynastie antique, les Français auraient fait l'apprentissage de la liberté. Aux hommes de son temps, Chateaubriand proposait un système – le régime représentatif –, et une politique – un conservatisme éclairé –, l'un et l'autre placés sous l'arbitrage de l'opinion, promue au rang de puissance souveraine. « J'étais l'homme de la Restauration possible, de la Restauration avec toutes les libertés. Cette Restauration m'a pris pour ennemi; elle s'est perdue », écrira Chateaubriand en 1831. La méfiance des rois, la jalousie des ministres, l'hostilité des « veneurs, douairières, inquisiteurs de Saint-Germain et de Fontainebleau », tout concourra à l'écarter des affaires. Entre les anciens « impériaux », qui s'accrochent à leurs portefeuilles plus qu'à leurs idées, et les royalistes « purs » assoiffés de revanche, maladroits, étrangers à leur siècle, et dont les maladresses suscitent contre les Bourbons une hostilité factice, mais dont les effets seront bien réels — la déchéance de la branche aînée des Bourbons —, la voie est bien étroite. Mme de Chateaubriand, privilégiant le « nez de Cléopâtre » sur les grands mouvements de civilisation, tend à tout expliquer par l'amour des places, des charges et des pensions, par cette union sacrée de l'incapacité, du mensonge et du lucre, qui fermerait le pouvoir aux hommes intègres et compétents: comprenez son mari. Les *Cahiers* surabondent d'exemples accablants que Mme de Chateaubriand se plaît constamment à rameuter à sa mémoire, avec une délectation amère.

Elle reste en cela dans la même veine imprécatrice que le jeune Chateaubriand qui, dans l'« exemplaire confidentiel » de l'*Essai sur les Révolutions*, publié en 1797 écrivait en marge : *« qu'est-ce qu'un royaliste? un sot dévoré par un... »* et dont la verve satirique ne se démentira jamais jusqu'aux dernières pages des *Mémoires d'Outre-Tombe*.

Et pourtant, quelle dette de reconnaissance les Bourbons n'ont-ils pas envers l'écrivain! En publiant *De Buonaparte et des Bourbons* (1814) il avait œuvré utilement pour la cause monarchique — Louis XVIII aurait dit en confidence que la brochure lui avait plus profité qu'une armée de cent mille hommes — en rappelant aux Français l'existence des Bourbons, alors aussi méconnus par les nouvelles générations que « les fils de l'empereur de Chine », remarque-t-il plaisamment. En 1815, Chateaubriand avait proposé un plan de défense de Paris contre Napoléon qui séduisit un instant le roi impotent par sa *grandeur louis-quatorzienne*. Mais la fuite était déjà projetée. Il avait alors rejoint le roi à Gand. Tout cela — fidélité et talent — pour obtenir, si l'on excepte l'année où il fut ministre des Affaires étrangères, les quelques miettes que le zèle infatigable de Mme Récamier et de la duchesse de Duras ont pu arracher à l'indestructible méfiance, et des ministres et des rois. Décidément l'Enchanteur était mauvais courtisan; il laissait trop percer sa supériorité naturelle et savait mal dissimuler ses mépris. Sainte-Beuve remarque, non sans une once de vérité, que « le royalisme de M. de Chateaubriand est d'une espèce singulière, et il a fallu que les rois eussent l'esprit bien fait pour s'en accommoder. Il ne se donne pour royaliste et pour fidèle qu'afin de se mieux donner par moments le droit d'insulter et d'injurier ceux auxquels il se voue. Après tout, dit-il de la branche aînée, c'est une monarchie tombée et il en tombera bien d'autres. Nous ne lui devions que notre fidélité : elle l'a. Et là-dessus, ajoute Sainte-Beuve, il redouble ses duretés. Je crois voir une femme de mauvais caractère qui, sous prétexte qu'elle est femme d'honneur et fidèle, s'en autorise pour dire à son mari sur tous les tons qu'elle ne l'aime pas et pour le traiter comme un nègre. C'est ainsi que M. de Chateaubriand traite les rois » *(Chateaubriand et son groupe littéraire sous l'Empire)*. Le propos, injuste à force d'excès, pourrait, il faut le reconnaître, s'appliquer fort bien à la gracieuse épouse, et même davantage.

Deuxième leitmotiv des *Cahiers*, l'horreur de tous les arrivismes, de tous ceux qui, avec beaucoup moins de talent et infiniment plus de savoir-faire, de ruse, de dissimulation, d'opportunisme, se maintiennent et prospèrent, la haine de girouettes qui savent et connaissent le vent, et en tirent avantage. C'est vrai de Pasquier, de Pastoret, de Talleyrand, et d'anciens amis comme Molé. Tous sont enveloppés dans le même mépris, car tous convoitent le pouvoir, tous recherchent les places, tous sont des courtisans de l'instant, attachés à leurs portefeuilles par des liens indestructibles. Le propos peu amène, le jugement à l'emporte-pièce, le sarcasme au bout de la langue, tout cela est contemporain des violentes brochures de 1831-1832, de Chateaubriand, contre le régime pansu du juste-milieu. Il y a comme un air de famille !

Céleste n'a pas le grand style qui immortalise tout, mais elle assène — de bon cœur et avec une sorte de fureur tonique — une volée de bois vert à quiconque passe à portée de sa lorgnette. Elle y mêle une sorte de dolorisme, qui se résume en moralités légendaires, concises et fort simples : plus on est fidèle et bon, plus on est trahi. A service rendu, noire ingratitude. Le sacrifice appelle le sacrifice.

Dans *Chateaubriand et son temps*, le comte de Marcellus qui fut premier secrétaire à l'ambassade de Londres sous Chateaubriand et qui devait se lier d'amitié avec son « patron », se souvient qu'un jour, M. de Chateaubriand dit à sa femme en souriant :

« — Je vous reconnais toutes les vertus, même celle d'être bonapartiste; convenez que cela ne vous a pas menée loin.

« — Et vous? reprit-elle vivement, où en êtes-vous avec votre imbécile fidélité doublée d'une probité plus sotte encore? Ah! grand écrivain, si vous aviez su tirer de votre ministère la moitié du profit que vous reprochez à certain évêque-ministre plus futé que vous, à l'heure qu'il est, j'aurais doré deux ou trois dômes à l'Infirmerie Marie-Thérèse. »

« Et le mari que fit-il? Il se prit à rire. »

Dans ce jour noir, sans horizon, où la méchanceté ordinaire répète inlassablement, implacablement, ses roueries et ses tours, la période de l'Empire apparaît, somme toute, comme une trêve et une parenthèse assez heureuse. Que la Légitimité paraissait belle sous l'Empire ! Le maître des Tuileries vous ménage, vous courtise parfois; les espérances lointaines de félicité vous bercent heureusement. On est aussi plus jeune. C'est l'époque élégiaque de la Vallée-aux-Loups, de cette maison que le courroux de Napoléon avait, en quelque sorte, donnée à Chateaubriand, et que l'ingratitude légendaire des Bourbons lui fera perdre, quand Chateaubriand aura croisé le fer avec le favori de Louis XVIII, Élie Decazes.

Mme de Chateaubriand sait gré à Napoléon d'avoir — si l'on peut dire — mis son remuant époux en exil intérieur avec elle. Oh! certes, elle dénonce l'assassinat du duc d'Enghien. Mais on n'y trouve ni sursaut de colère, ni indignation. C'est une étape dans le douloureux calvaire de son mari, au service d'une dynastie qui cajole les traîtres et punit les bons et loyaux serviteurs. Mme de Chateaubriand est bonapartiste par amour de l'ordre. Elle qui a connu les cachots de la Terreur, qui a vu les ruines et les morts, apprécie la grandeur de celui qui, selon les termes mêmes de son mari, a « fait renaître l'ordre du sein du chaos [...] relevé les autels [...] réduit de furieux démagogues ».

Contrairement à la Restauration où les royalistes s'opposent en d'inexpiables guerres de donjon, le règne de Napoléon apparaît à ses yeux comme une période relativement paisible : les émigrés rentrent, on restaure les châteaux, les salons rouvrent et se montrent accueillants pour tous les partis ; l'ancienne France fraye avec la nouvelle. Pour ces raisons — ordre, religion, urbanité —, Mme de Chateaubriand cultive une certaine nostalgie de l'Empire et semble prête, bien qu'elle ne l'avoue pas, à faire bon marché de la liberté de la presse ! En cela elle ne diffère guère de l'opinion moyenne des Français. En dépit de ses singularités et du voisinage des cimes, Mme de Chateaubriand est un bon baromètre du sentiment public dont elle suit les désaffections et les engouements. Ainsi, en 1840, au moment du retour des cendres de Napoléon[33], elle écrit aux pieux carliste Clausel de Coussergues, avec son admiration toujours voilée d'ironie : « Vous savez si j'ai dû regretter de ne pouvoir aller mardi rendre hommage aux *précieux restes* de celui que j'ai toujours aimé quand même[34] ».

Vive Napoléon, *quand même !* malgré les exécutions du duc d'Enghien et du cousin Armand de Chateaubriand.

Mais Vive les Bourbons, *quand même !*, tout aveugles et ingrats qu'ils sont, ils incarnent la légitimité et la tradition. Par dévouement marital, à soixante-dix ans bien sonnés, malade, ne courra-t-elle pas jusqu'aux confins de la Styrie, afin d'obtenir le pardon de la duchesse d'Angoulême, mécontente du dernier ouvrage de Chateaubriand, *le Congrès de Vérone*.

Et pourtant, elle serait prête à crier : Vive les républicains, *quand même !* Lorsqu'elle dénonce l'emprise politique de la Congrégation et se fait complice du mythe de la « main noire », n'est-elle pas leur alliée « objective » ? Son vieil atavisme frondeur joue à l'unisson. Du temps des rois, on n'aimait guère Versailles, à Saint-Malo ! Un jour, elle réplique à son mari : « Une république, veux-tu dire ? Pourquoi non ?

Je n'ai pas d'antécédents politiques, moi [...] D'ailleurs, Saint-Malo, ma patrie plus que la tienne, n'a-t-il pas toujours été une république sous la protection ou sans la protection de la France? Peut-être le sera-t-il encore, *qui qu'en grogne*[35]. » Voilà Mme de Chateaubriand !

Les témoignages de ses contemporains, de Daniélo en particulier, nous apportent des éclaircissements sur cette personnalité méconnue, point effacée, point ridicule, point fantoche, mais au contraire frondeuse et bien campée dans cette société du XIXe siècle.

A la Vallée-aux-Loups, rue d'Enfer ou rue du Bac, elle nous convie à entrer dans un « tableau de genre », dans une *conversation piece*, une image de haute civilisation. On a tort de ramener la vie des génies à des intrigues extérieures, en dépouillant leur vie de ce velouté qui tient à une civilisation. Mme de Chateaubriand appartient à une époque, à la sensibilité d'un temps auquel, par certains égards, on refusait encore tout récemment la dignité historique.

Le cadre? les barrières du Maine et de Montparnasse, les verts jardins de maraîchers, les taillis d'acacias, la *petite maison* de Lauzun, les moulins, les guinguettes, dans cette ville de Paris où la campagne est si proche, où les clochers des églises dominent la ville, où les routes ne sont encore que de « grands chemins ».

Les activités de Mme de Chateaubriand, quelles sont-elles? Le petit lever, la messe, les courses solitaires pour rechercher tel ou tel objet qui serait nécessaire à l'ameublement de ses pensionnaires, les visites aux châteaux qu'on rançonne pour la bonne cause, l'ornementation de la chapelle, la confection d'une effigie en cire de sainte Célestine, patronne de Mme de Chateaubriand, « parée de vêtements faits de drap d'argent et d'or, relevés de broderies portées par la fille de Louis XVI dans ses fêtes et incrustées de pierreries » (Daniélo).

L'Infirmerie de Marie-Thérèse[36], dont curieusement elle ne parle pas dans ses *Cahiers*, fut créée d'une manière qui reflète bien le caractère de sa fondatrice, attachée bec et ongles à son indépendance; elle seule gouverne et décide.

Gallicane à l'ancienne mode, elle se garde comme de la peste de la toute-puissante Congrégation, œuvre des Jésuites, née sous l'Empire à l'ombre tutélaire du Concordat, et qui connaît avec la Restauration son heure de gloire, s'étend et se ramifie, toujours irriguée par la faveur des princes qui, pense-t-elle, déversent sur elle les trésors de leurs cassettes et lui assurent d'illustres parrainages.

Comme pour la carrière de Chateaubriand, cette indépendance a son revers. La protection de l'« héroïne du Temple »[37] et de quelques grands seigneurs ne compensent point l'avantage d'appartenir à la société congréganiste, bien rentée, puissante, et qui a ses petites entrées à la Cour et dans les ministères. La prospérité de l'Infirmerie doit tout à sa fondatrice et à M. de Chateaubriand qui, dans la mesure de son impécuniosité, soutiendra et financera l'œuvre de sa femme, allant jusqu'à s'installer dans la propriété voisine, à partir d'août 1826. D'où quelques difficultés d'argent dont elle fait la confidence à Joubert : « Trente-trois personnes à nourrir, deux maisons à payer et pas un sou dans la caisse! On dit que la Providence viendra à mon secours et que c'est une grande preuve de prospérité dans les bonnes œuvres que de manquer de tout; j'entends bien cela, mais je doute de le faire entendre à mes malades qui ne veulent manquer ni du nécessaire ni du superflu[38]. »

L'objet de la fondation est clair et bien défini. Il est exposé de façon ferme dans le *Prospectus*, rédigé de la main même de Mme de Chateaubriand. Ce n'est pas un hôpital, mais, dit Daniélo, toujours porté à idéaliser la « patronne », « l'éden des invalides du service divin ». En voici un extrait : « Avant la révolution, la charité chrétienne n'avait à s'occuper que de la classe malheureusement toujours indigente de la Société; mais depuis une révolution, dont les effets se feront longtemps sentir, l'adversité ayant atteint les riches comme les pauvres, une nouvelle classe d'infortunés a réclamé les soins de la religion. De vieux prêtres malades ou infirmes, et souvent de jeunes ecclésiastiques, ne savaient où se retirer pendant leurs maladies; des femmes qui, par leur éducation et les habitudes de leur vie, ne pouvaient se résoudre à se faire soigner dans les hôpitaux communs, mouraient souvent faute de secours : une maison fut fondée rue d'Enfer, nº 86, le 8 octobre 1819. Cette maison prit le nom de Marie-Thérèse [...] »

L'article 6 précise : « Les personnes admises à l'infirmerie de Marie-Thérèse, accoutumées à des temps plus heureux, y sont traitées de manière à leur faire regretter le moins possible leurs meilleurs jours : la nourriture est saine et abondante, et le linge approprié à la délicatesse de leur position. »

Lorsqu'on consulte les registres d'entrées très soigneusement tenus par Mme de Chateaubriand, on constate que l'œuvre tient très étroitement au milieu de la petite noblesse provinciale, proche de ses origines familiales. La majeure partie des femmes recueillies, sur recommandation toujours, pour des soins, ou pour des séjours plus prolongés, étaient filles d'officiers, de procureurs, d'avocats, ruinés par la Révolution. « Il fallait, pour ces misères supérieures », précise Sylvain Caubert, « une charité spéciale, plus délicate, plus adroite où la politesse des égards se conciliât avec l'économie et la discipline indispensable dans les établissements charitables[39] ».

Trois sœurs de charité de l'ordre de Saint-Vincent-de-Paul sont installées le 15 octobre 1819; la bénédiction de la chapelle aura lieu le 8 décembre. Le 16 février 1820, deux corps de logis sur cinq arpents de terrain y attenant furent achevés, payés, et deviendront le noyau primitif de l'Infirmerie de Marie-Thérèse[40].

Bien que l'archevêque de Paris fut nommé supérieur et chef perpétuel de l'établissement[41], Mme de Chateaubriand est maîtresse chez elle, et veille très jalousement à son indépendance, si l'on se réfère au nombre de lettres du cardinal de Périgord, puis de son successeur Mgr de Quélen. C'est elle qui décide des entrées. Pour son œuvre, elle déploie des talents insoupçonnés de chef d'entreprise, elle se dépense sans compter pour mieux économiser, presse l'un, presse l'autre, court les marchands et les brocanteurs, discute avec eux, ne s'en laisse pas compter, fine connaisseuse et fine acheteuse[42]. Quand Mlle Amey – une amie de Genève – s'exclame : « Ma mie reine que vous êtes bonne ! », la vicomtesse lui tire un bout de langue : « Taisez-vous ma chère, ne voyez-vous pas là un puits d'iniquité? » Cela ne l'empêche pas de recevoir du pape Pie VII « huit indulgences plénières avec un autel privilégié! »

Pour faire vivre sa maison, elle crée même une fabrique de chocolat. Mme de Chateaubriand « s'en occupait si fort », écrit Daniélo, « elle y pensait tant, qu'au lieu de vicomtesse de Chateaubriand, on l'a vue signer dans une de ses lettres, vicomtesse de chocolat[43] ». Elle plante des cèdres provenant peut-être de la colonie de la Vallée-aux-Loups, orne la chapelle de bons tableaux, dont une *Vierge* de Guérin, une *Apothéose de Marie-Antoinette* par Mme Vigée-Lebrun et une *Sainte Thérèse*, œuvre de Gérard, le peintre de la fameuse *Corinne au cap Misène*, qui trône dans le salon de Mme Récamier.

Les chambres de la maison des prêtres sont bien parquetées, bien closes, bien tapissées, bien aérées, fort gaies. Elles sont meublées avec élégance et même presque avec richesse. Daniélo ajoute : « Entourées de hauts et flottants remparts d'arbres, elles ont tout un horizon de verdure et sont comme plongées dans un bain de lumière et d'air aromatique. » Pour perspectives, feuillage, gazon, fruits, et chalets d'abeilles. « On se croirait loin de Paris dans les jardins d'une forêt. C'est un petit paradis entre le boulevard et la rue d'Enfer [...] Il serait impossible aux infirmes et aux vieillards de se procurer chez eux ou ailleurs, même à haut prix, tant de jouissance, tant de douceur, tant de soins, tant de consolations, et de si bonne compagnie[44] », ajoute Daniélo décidément intarissable.

La fondation de la rue d'Enfer n'est pas la seule de son genre sous la Restauration. Ernest Renan rappelle, dans ses *Souvenirs*, que l'hôpital général de Tréguier, sous le premier Empire, servait d'asile aux vieilles demoiselles nobles les mieux élevées : « On les voyait rangées à la porte sur de pauvres chaises. Jamais on ne surprit chez elles un murmure; cependant, quand elles apercevaient venir au loin les acquéreurs des biens de leur famille, personnes relativement grossières et bourgeoises, roulant équipage et étalant leur luxe, elles rentraient et allaient prier à la chapelle, afin de ne pas les rencontrer[45]. »

Mais la réussite singulière de l'Infirmerie, fondée sur le respect de la dignité humaine, chose rare à l'époque, tient tout entière à la volonté et à l'énergie de Mme de Chateaubriand, femme de goût, de passion... et de foi. Ne peut-elle se glorifier de la conversion de deux protestantes hollandaises ?

Voilà qui tranche sur l'image convenue, effacée et maussade, que l'on se fait généralement d'elle[46]. Chateaubriand lui-même dut en convenir ; sa femme avait réussi ! Mi-surpris, mi-amusé, il consacre à l'Infirmerie, un chapitre entier des *Mémoires d'Outre-Tombe*, parmi les plus beaux, où il raconte avec une sorte de bonhomie son éveil au son de l'angélus, ce qu'il voit de sa fenêtre, les pigeons, les vaches, les poules, les « sœurs de charité en robe d'étamine noire et en cornette de basin blanc », les vieux ecclésiastiques errant parmi les lilas, les pompadouras et les rhododendrons du jardin, parmi les rosiers, les groseilliers, les framboisiers et les légumes du potager[47]. Tout respire la quiétude ; on se croirait à mille lieues de Paris.

Il est loin le temps où Chateaubriand confiait assez cruellement à Mme de Duras : « Je puis à volonté lui faire vomir du sang, une journée de suite. Beaucoup de maris seraient peut-être bien aise d'avoir une pareille ressource auprès de leur épouse. »

A mesure que le temps passe, René ménage sa femme sur les petites choses, et tient compte de ses avis pour les grandes.

En 1828 Céleste triomphe[48] ; bien que souffrante elle accompagnera son mari à Rome où il vient d'être nommé ambassadeur. Elle est aux anges quand les grands *recevimenti* se passent à merveille et qu'elle a tous les cardinaux de la terre à ses pieds. L'ambassadeur et l'ambassadrice avaient leur mardi où la foule donnait. « A l'ambassade une sorte de grand sac d'argent habituellement ouvert, où tout le monde puisait comme s'il était inépuisable » permettait à Céleste de « se passer ses fantaisies de dévotion[49] ». Toutefois, lorsqu'à l'avènement de M. de Polignac Chateaubriand démissionnera, elle ne fera rien pour l'en dissuader et rentrera courageusement dans la vie privée. Il lui en sait gré : « Madame de Chateaubriand avait la tête tournée d'être ambassadrice, et certes une femme l'aurait à moins! Mais dans les grandes circonstances, ma femme n'a jamais hésité à approuver ce qu'elle pensait propre à mettre de la consistance dans ma vie et à rehausser mon nom dans l'estime publique; elle accepte d'un esprit ferme mes disgrâces en les maudissant. »

Le temps passe. Céleste continue à souffrir de son catarrhe et de ses migraines[50] : « J'ai toujours mon catarrhe et des crachements de sang qui me fatiguent à mourir », écrit-elle à Clausel, le 11 avril 1837. Et le 3 octobre de la même année : « [...] Vous m'avez laissée malade et vous me retrouverez peut-être plus mal encore, car il m'est impossible de rien comprendre à une convalescence commencée il y a six semaines, qui me permet de manger et de dormir un peu, et qui est accompagnée d'une faiblesse telle que je ne puis sortir de mon fauteuil sans l'aide d'un bras; ma maigreur est effrayante [...] vous me prendriez pour un revenant. »

Dans les dernières années de sa vie, sa maigreur l'avait rendue diaphane. A peine si elle se nourrissait encore d'un peu de chocolat et moins de thé, quelques sirops, tisanes ou potages.

La mandragore s'éteint. Elle mourra pendant son sommeil.

Sur un petit calepin recouvert d'un cuir granuleux doublé de moire violette, elle griffonne des adresses, des indications de courses à faire, et quelques réflexions d'une « chatte prête à se déganter » : — « Donnez; mais ne prêtez jamais, car si en donnant il est rare qu'on se fasse un ami, en prêtant on est sûr de se faire un ennemi! » — « Après les dames sans bonnes œuvres, je ne connais rien de pire que les dames à bonnes œuvres. » — « Heureux ceux qui, dans leur jeunesse, ne s'attachent pas à ce qui ne doit, dans la vieillesse, que leur laisser des regrets. L'amour de Dieu seul nous est une aide dans tous les temps, et surtout à l'heure suprême où il nous faut quitter tout ce qui n'est que vanité. »

Hautes pensées mêlées aux préoccupations de tous les jours, toutes prosaïques : « 14, mercredi ce jour, envoyé à Mme Renard pour être blanchi :

Blouse blanche haute .... 1 m 25
Id. moins haute .... 1 m 8. »

Mme de Chateaubriand partit le 12 février 1847. René assista au service funèbre, et « revint en riant aux éclats » (Victor Hugo). Si ce rire est authentique, combien de nuances peut-on y entendre ! Il rappelle celui dont Chateaubriand se demandait s'il serait la seule réalité dérisoire qui doive survivre à l'imposture de l'univers. Chateaubriand ne se remaria pas avec Juliette Récamier. Ainsi qu'il l'avait annoncé à Hortense Allart, « il resta garçon ». Il mourut un peu plus d'un an après, le 4 juillet 1848. Alors que Céleste était ensevelie sous le maître-autel de la chapelle de l'Infirmerie Marie-Thérèse, la dépouille mortelle de l'Enchanteur partait pour le Grand Bey, îlot désert où poussait une herbe rare, mêlée de petites fleurs violettes et de grandes orties, entre le ciel et la mer.

RÉDACTION DES CAHIERS

Par modestie et peut-être aussi par préjugé aristocratique (elle était « pénétrée de cette idée que l'occupation d'écrire est indigne d'un gentilhomme », dit Cussy), Mme de Chateaubriand ne prétendait pas faire œuvre d'écrivain. On griffonne sur un petit pupitre ou sur quelque boîte, en se servant du premier papier qui tombe sous la main, on utilise de fort mauvaises plumes, sortes de trognons, véritables cure-dents. Sa correspondance s'adresse aux intimes; les *Cahiers*, à son mari; ses pensées, à elle-même. La vicomtesse fuit comme la peste la renommée – à ses yeux, un peu douteuse et pas très convenable – de l'écrivain qui vit de sa plume ! Ce qui explique ce mot, injuste, de son mari : elle était « adverse aux lettres ». Dans les *Cahiers* elle consigne, au fil de la plume et sans repentir, la relation de faits et d'événements advenus entre 1804 et 1843. Parfois même, des fragments de sa correspondance passent sans changement dans les *Cahiers*, leur conférant le caractère d'une chronique spontanée et sans apprêt. (*Cf. infra*, note 187.)

Dans cet atelier du souvenir, règne une humeur peu

pacifique. La passion politique, braise incandescente jamais refroidie, soude constamment le passé au présent.

Minces rivelets de feu destinés à alimenter le grand œuvre, la « grande épopée de notre temps », les *Mémoires d'Outre-Tombe*, les *Cahiers* ne forment pas un ensemble uni et homogène. Redécouverts par l'abbé Pailhès à la fin du siècle dernier, après que Maxime du Camp y eut fait allusion dans ses *Souvenirs*, les manuscrits sont de trois sortes : cahiers reliés, feuilles libres, notes sur des petits morceaux de papier. Parmi les cahiers, le plus important est relié en maroquin rouge, avec gardes de soie, fermoir d'argent; baptisé par l'abbé Pailhès, *Cahier rouge*, il comporte une centaine de feuillets renfermant les événements survenus de 1804 à 1815. Le second cahier, recouvert d'un cartonnage bleu, se rapporte à quelques autres événements des années 1804-1814, et à décembre 1822 et janvier 1823. Enfin, sur neuf feuillets libres on relève les dates de 1804-1812.

Le *Cahier rouge*, le plus élaboré des trois manuscrits, ne devait pas être définitif si l'on en croit une remarque du début qui porte « Première mise au net ». Quelques passages laissés en blanc, des portraits (celui de Fontanes), ou des récits (voyage au Mont-Blanc) annoncés, attestent du désir de l'auteur de remanier ou de compléter son travail. Ces trois versions forment la première partie du présent ouvrage. La seconde partie des « mémoires » comprend des notes, discontinues, écrites à la diable, soit sur un cahier relié d'un cartonnage vert, soit sur de petites feuilles de papier. Le *Cahier vert* correspond aux années 1827-1833, 1843 et 1844. En fait, il est vraisemblable que Mme de Chateaubriand continua à rédiger ses réflexions entre 1833 et 1843[51], mais les feuillets — une douzaine — ont été arrachés. S'appuyant sur une tradition orale, l'abbé Pailhès prétendait que cette mutilation s'expliquait par la raison d'État. Disons plus simplement que la virulence du ton a sans doute effarouché quelque héritier pusillanime et peu scrupuleux.

Le *Cahier rouge* fut rédigé de 1830 à 1833; on sent l'effort de l'auteur pour lui donner du liant et du suivi, pour classer les faits dans un ordre chronologique précis, où figurent les principales dates de l'Empire. Peu de phrases interrompues; nous avons affaire à un véritable récit, bien composé, même si l'auteur se promet de revenir sur tel ou tel passage. Promesse non tenue, sans doute parce que Chateaubriand y avait déjà pourvu. Chez elle, aucune prétention d'auteur! Contrairement au *Cahier vert* la rédaction du *Cahier rouge* n'est pas abandonnée à la fantaisie des souvenirs ou à la toute-puissance des ressentiments. Il est certain que Mme de Chateaubriand a voulu faire œuvre d'historien en tâchant de compléter son information pour donner à l'ensemble exactitude et cohérence. Un bon équilibre existe entre la narration et les commentaires. Mme de Chateaubriand se guinde pour se rendre digne de la mission qui lui a été dévolue : rassembler des matériaux susceptibles d'être utilisés par son mari.

Ce travail a d'autant plus d'importance lorsqu'on sait que le « corps intermédiaire » des *Mémoires d'Outre-Tombe*, c'est-à-dire les trente années de l'Empire et la Restauration, n'était, en 1833, que tracé par endroits, et ne « présentait pas une ligne ininterrompue et définitive » (Sainte-Beuve). Ce n'est qu'en 1836 que Chateaubriand entamera la rédaction des années 1800-1814. La troisième partie (de la seconde Restauration à la révolution de Juillet) — dont un certain nombre de chapitres avaient été écrits antérieurement — sera achevée dans ce même laps de temps allant de 1836 à 1839.

Dans la mine brute qu'est le *Cahier rouge*, il est visible que Chateaubriand a puisé d'abondance; on s'en rendra compte au fil de la lecture. Il n'hésite pas à reproduire fidèlement certains passages qu'il insère tels quels : l'installation à la Vallée-aux-Loups, l'affaire du manuscrit *De Buonaparte et des Bourbons* et certaines anecdotes du « voyage sentimental » à Gand, par exemple. Parfois, il reprend telle phrase ou telle formule heureuse et l'incorpore dans son récit, lui imprimant son sceau personnel. Maints épisodes, au demeurant fort menus, expédiés par Mme de Chateaubriand en quelques mots, se retrouvent dans les *Mémoires*, telles les pommes d'or d'Aladin; ils ont toutes les apparences de la vérité, le « rendu » coloré et charnu de faits cueillis au cœur de l'actualité, mais déjà ils tendent au symbole ou à l'allégorie, et s'évadent de l'histoire immédiate. Que l'on compare la relation de l'entrevue de Saint-Denis entre Louis XVIII et Chateaubriand, rapportée par Céleste comme un fait brut, encore tout encombrée de sa gangue de détails superflus, avec l'évocation qu'en donne l'écrivain, à la fois réaliste et prophétique, où le temps semble trembler sous le poids des mots.

Les portraits, les événements, les impressions fugitives, les minces accidents de l'histoire, Chateaubriand les avait-il gardés en mémoire, ou bien les *Cahiers* sont-ils venus opportunément soutenir les efforts du vieux « ramenteur », entreprenant de raconter des épisodes qui dataient de plus de trente ans ? La question vaut aussi pour Mme de Chateaubriand. On peut avancer, sans crainte de se tromper, qu'elle a dû noter sur des feuilles volantes, non parvenues jusqu'à nous, tel fait, tel propos, qu'elle réintègre dans le corps du récit avec une fraîcheur de vérité qui étonne. Tel est le mérite du *Cahier rouge*.

On ne peut en dire autant du *Cahier vert*. Certes, plusieurs fragments de ce cahier ont-ils été biffés ou annotés par l'écrivain, attestant ainsi de l'intérêt sourcilleux qu'il y portait. Mais ces légers redressements n'ont de valeur qu'en tant que plaidoyer *pro domo*. S'il arrivait que ces *Cahiers* passassent à la postérité il ne voulait laisser aucune approximation sur lui-même et sur sa conduite. Pour le reste, ce cahier relève moins du genre du mémoire que du journal ou de la chronique. Mme de Chateaubriand l'entame au moment où elle pressent que la France marche vers un coup d'État (fin 1829). Ses vieilles hantises se réveillent et se déploient. La Congrégation perd le roi, Martignac est un misérable, un valet de Villèle. Les ultras sont des Tartuffe, saints en façade, mais impies et perdus de mœurs; on court au despotisme dans l'hallucination, en confiant le pouvoir aux plus obscurs et aux plus incapables, *etc*. Mme de Chateaubriand juge, condamne, démystifie, et va même, dans sa fièvre iconoclaste, jusqu'à profaner les souvenirs les plus sacrés de la mémoire légitimiste : ainsi le grand La Rochejacquelein n'était-il à ses yeux qu'« un brouillon, un ambitieux, un homme sans talent et sans générosité »!

De cette vision sombre et sillonnée d'éclairs, qui rappelle le ciel de Tolède peint par le Greco, Chateaubriand s'est peu inspiré. Ce qu'il appréciait dans le *Cahier rouge*, c'étaient les anecdotes, les petits faits vrais. Lorsque le commentaire envahit tout, absorbe tout, que les personnages ne sont cités que pour être condamnés – « Corbière a porté le bonnet rouge » –, nous ne sommes plus dans le registre des *Mémoires d'Outre-Tombe*. Non que M. de Chateaubriand ne partage en son for intérieur les inimitiés et les colères de son épouse. Le *Cahier vert* a les couleurs un peu décomposées d'une fin de règne, et rend bien compte du désarroi de certains royalistes sincères à cette époque. Mais le projet des *Mémoires* n'est pas celui-ci, c'est l'épopée d'une époque. Chateaubriand le dit au moment de la récapitulation de sa vie : « Moi, bonheur ou fortune, après avoir campé sous la hutte de l'Iroquois et sous la tente de l'Arabe, après avoir revêtu la casaque du sauvage et le cafetan du Mamelouk, je me suis assis à la table des rois pour retomber dans l'indigence. Je me suis mêlé de paix et de guerre; j'ai signé des traités et des protocoles; j'ai assisté à des sièges, des congrès et des conclaves; à la réédification et à la démolition des trônes; j'ai fait de l'histoire et je la peux écrire [...] »

La présente édition des *Cahiers* s'appuie sur celle qu'avait établie J. Ladreit de Lacharrière en 1909, mais nous avons renouvelé totalement la présentation et l'appareil critique. Les notes, nombreuses et substantielles, permettront au lecteur de mieux comprendre l'importance de ce texte méconnu par rapport aux *Mémoires*, et, pour certaines périodes, (1805-1815), de lire les deux textes en juxtalinéaire, ou presque. Pour les personnages cités dans les *Cahiers*, très nombreux – tout le personnel politique de la Restauration y passe en bataillon serré –, les notes biographiques sont rendues plus vivantes par le rappel des opinions de Chateaubriand à leur endroit – qu'il les ait exprimées dans les *Mémoires* ou dans sa correspondance – et éclairées par les souvenirs des contemporains. Les événements, grands et petits, dont traite Mme de Chateaubriand, font l'objet de résumés précis ou d'élucidations, dans la mesure du possible, tant il est vrai que certains passages du *Cahier vert* portent sur des faits, intrigues ou scandales, si minces, que l'histoire ne les a pas conservés. Ils sont pourtant la vérité d'une époque, ce grain de la vie à la surface des choses. Les notes permettent d'éclaircir maints de ces rébus, démontrant l'excellence de l'information de Mme de Chateaubriand.

Ainsi se recréeront, entre Céleste et René de Chateaubriand, les linéaments d'une conversation brillante et profonde, sur lesquels se projettent, les puissantes ombres de l'histoire[52].

NOTES

1. Mme de Boigne, cette peste de beaucoup d'esprit, raille dans ses *Mémoires* ces pâmoisons mondaines, auxquelles l'Enchanteur n'était point insensible. Après une lecture du *Dernier Abencérage*, faite chez Mme de Ségur, on apporta du thé :

« — Monsieur de Chateaubriand, voulez-vous du thé?
« — Je vous en demanderai. »
« Aussitôt un écho se répandit dans le salon :
« — Ma chère il veut du thé.
« — Il va prendre du thé.
« — Donnez-lui du thé.
« — Il demande du thé!
« Et dix dames se mirent en mouvement pour servir l'idole.
C'était la première fois que j'assistais à un pareil spectacle...
Aussi quoique j'aie été dans des relations assez constantes avec lui, je n'ai point été enrôlée dans la compagnie de ses Madames, comme les appelait Mme de Chateaubriand, et je ne suis jamais arrivée à l'intimité, car il n'y admet que les véritables adoratrices. » (Mme de Boigne, *Mémoires : récits d'une tante*, t. I, Paris, 1907, p. 296.)

Mme de Chateaubriand ne s'en laisse pas davantage conter : « Le Chat dîne chez deux femmes d'un rare esprit, qui ne veulent pas qu'il mange autre chose que des feuilles de roses humectées de rosée; autrement il ne serait pas l'auteur de tant de beaux ouvrages pleins de sentiment et d'imagination, etc. » (P. de Raynal, *les Correspondants de Joseph Joubert*, Paris, 1862.)

2. G. Painter rapporte que le grand-père de Céleste avait, dans sa jeunesse, combattu les pirates sur la côte de Malabar, sauvé son capitaine du kriss, de quatre Malais ivres d'opium amok à Pondichéry, et fait la guerre de course contre les Anglais. (G. Painter, *Chateaubriand, une biographie : 1768-1793 : les orages désirés*, Gallimard, 1979, pp. 311 et suiv.)

Rappelons, à titre de parallèle, que le père de François-René avait été corsaire contre les Anglais. Quelques belles prises lui permirent de devenir armateur, prenant une part active au commerce « triangulaire ». Ce n'est qu'en 1761 qu'il acquit le château et la seigneurie de Combourg, d'un parent éloigné appartenant à la noblesse de cour, le duc de Duras.

3. *Mémoires d'Outre-Tombe**, livre IX, chap. 3, éd. de la Pléiade.
Le 1er janvier 1792, les émigrés, selon un décret pris par l'Assemblée législative, devaient être poursuivis comme suspects de conspiration contre la patrie, et passibles de confiscation de biens. « C'était dans ces rangs déjà proscrits que j'allais me placer », écrit Chateaubriand.
4. *M.O.T.*, livre IX, chap. 1, p. 288.
La seconde cérémonie de mariage sera célébrée le 19 mars 1792, par le curé constitutionnel Duhamel, en présence uniquement des parents de Céleste. Ce mariage ne résoudra pourtant pas les difficultés pécuniaires du ménage : l'épouse, en effet, ne pourrait jouir de sa fortune qu'en 1799, à sa majorité. En attendant, celle-ci serait administrée par deux de ses plus proches parents. De plus, la faible part dont Céleste pouvait disposer, de même que le reste de la fortune, se trouva réduite presque à néant, car disponible en assignats, monnaie déjà fort dépréciée en cette année 1792.
5. Voir Victor Hugo, *Choses vues*, t. II, années 1847 et 1848, éd. H. Juin.
6. Chevalier de Cussy, *Souvenirs*, Paris, 1909, pp. 313 et suiv.
7. Ginguené (1748-1816) écrivain d'origine bretonne, ami de Chamfort, cet idéologue que Chateaubriand avait connu à Paris à la veille de la Révolution, se montra fort critique à l'égard du *Génie du Christianisme*.
8. *M.O.T.*, livre IV, chap. 12.
9. Lettre de Lucile à l'écrivain *in M.O.T.*, livre XVII, chap. 6.
10. En laissant échapper des plaintes dont seuls quelques amis intimes sont les destinataires. A Joubert, le 12 juin 1812 : « Vous devriez bien m'écrire une lettre; il y a tantôt mille ans que je n'ai reçu un mot de vous. Les Madames n'en pourraient pas dire autant; cependant vous suez sang et eau pour leur tourner des phrases à leur manière, tandis qu'il ne vous en coûte pas la plus petite transpiration pour m'en faire à la mienne. » Au même : « Sortirez-vous ce matin? Si vous ne sortez pas, j'irai chez vous, car je suis vraiment à l'agonie. J'ai trois rages, l'une de la tête, l'autre d'estomac, et la troisième contre une méchante femme que je voudrais étrangler! » (P. de Raynal, *op. cit.,* p. 233.)
11. *Ibid.,* p. 235.
12. *Ibid.,* novembre 1819, p. 258.
13. « On la voyait entrouvrir la porte et venir doucement comme une ombre, courbée quelque peu, regardant de côté, portant elle-même sa chaufferette, ou une grande jatte en cuir, dans laquelle elle coupait du pain pour ses petits oiseaux; M. de Chateaubriand en prenait l'occasion de l'appeler "la fée aux miettes". Oui, disait-elle :

C'est moi, c'est moi, c'est moi!
Qui suis la mandragore!...
Et qui chante pour toi. »

M.O.T., t. XII, édit. Penaud, 1850, postface : « M. et Mme de Chateaubriand, quelques détails sur leur intérieur, leurs habitudes, leurs conversations. Recueillis par M. J. Daniélo, son secrétaire. »
14. *Les Correspondants de Joseph Joubert*, p. 231. Lettre datée du jeudi matin 1813.
15. *Ibid.,* p. 238.
16. Jako, le perroquet « dandy, goguenard et pique-assiette » — ainsi le décrit Daniélo — et Cathau, l'insupportable perruche, régnaient en tyrans dans « l'Icarie volante » de la rue du Bac, et se permettaient les plus grandes privautés avec leurs maîtres, tous deux faisant preuve d'une patience angélique.
17. M.-J. Durry, *la Vieillesse de Chateaubriand*, t. I, éd. Le Divan, 1933, pp. 332-333.

---

* L'édition des *Mémoires d'outre-tombe (M.O.T.)* à laquelle il est fait référence dans cet ouvrage, en dehors des exceptions mentionnées, est celle de la Pléiade.

18. *M.O.T.*, t. II, appendice, pp. 1134 et suiv.
19. Lettre de Chateaubriand à Mme Récamier, 12 juillet 1843.
20. *La Vieillesse de Chateaubriand*, t. I, p. 339.
21. Mme de Chateaubriand a toujours beaucoup aimé la Suisse; elle avait accompagné son mari en 1805 à Genève. Ils y retourneront après 1830. Dans une lettre du 30 août 1830 Céleste écrit à l'abbé de Bonnevie : « En vendant notre maison et nos vieilles magnificences, nous aurons en Suisse de quoi abriter nos têtes et mettre de temps en temps le pot-au-feu; avec cela, le repos et l'abbé de Bonnevie, nous pourrons encore nous dire des heureux de la terre [...] » (*In* G. Pailhès, *Madame de Chateaubriand*, 1888, p. 75.)
22. M. Levaillant, *Splendeurs et misères de M. de Chateaubriand*, Paris, 1922, chap. 14.
23. Lettre du 22 juillet 1818, *in* P. de Raynal, *op. cit.*, p. 246.
24. Daniélo, *op. cit.*, p. 304.
25. *Ibid.*, p. 334.
26. P. de Raynal, *op. cit.*, p. 263.
27. Novembre 1817, *ibid.*, p. 243.
28. Novembre 1819, *ibid.*, p. 257.
29. Lettre à Mlle Amey, 10 septembre 1840, *in* Bouchardy, *M. et Mme de Chateaubriand et les Genevois*, Genève, 1931, p. 91.
30. M.-J. Durry, *l'Ambassade romaine de Chateaubriand*, Paris, 1927.
31. G. Pailhès, *op. cit.*, p. 87.
32. *M.O.T.*, livre XXVIII, chap. 11, p. 131.
33. Le corps de Napoléon, transporté en France, arriva le 29 novembre 1840. Le cercueil fut déposé sous la coupole de l'église Saint-Louis de l'hôtel des Invalides, le 15 décembre 1840.
34. G. Pailhès, *Lettres à Clausel de Coussergues*, p. 91.
35. Daniélo, *op. cit.*, p. 333.
36. Aujourd'hui, 92, rue Denfert-Rochereau. L'infirmerie, propriété de l'archevêché de Paris, subsiste toujours. Il y reste les bâtiments destinés aux pensionnaires, les jardins et la chapelle où est enterrée Mme de Chateaubriand.
37. Protection assez lointaine en dépit de la dotation initiale si l'on en juge par cette lettre toute d'ironie contenue : « Notre cérémonie a été très belle; il n'y manquait que Madame, qui au surplus a témoigné de la manière la plus aimable le chagrin qu'elle avait de ne pouvoir y venir; mais elle est réellement d'une souffrance pénible, causée par un aphte qu'elle a à la gorge. Notre quête à été de près de neuf mille francs. Le bon abbé de Boulogne a été un peu long... Je ne l'ai point entendu, ne voulant pas prendre la place d'une payante. Madame la duchesse de Berry s'est un peu ennuyée au sermon, mais beaucoup divertie à parcourir l'infirmerie. Elle a trouvé toutes les malades de la grande salle jeunes et gentilles, bien qu'elles aient toutes ou à peu près quatre-vingts printemps. [...] Elle a fait valoir notre boutique, non de chocolat, mais de mille autres choses dont nous sommes marchands. » (À Joubert, 27 octobre 1822, *in* P. de Raynal, *op. cit.*)
38. 10 novembre 1821, *ibid.*, p. 264.
39. Sylvain Caubert, *Notice sur l'infirmerie Marie-Thérèse*, p. 10.
40. En 1821, un grand bâtiment pour les sœurs et pour la chapelle fut ajouté à ceux qui existaient. On les édifiait d'après les dessins et les conseils de M. Huvé. « Ce bâtiment est à deux étages : au second une grande pièce servant de garde-meubles, de dortoir des sœurs et quelques chambres de dames; au premier, d'un côté la grande salle commune, où quoi que ensemble, dix dames ont chacune leur cellule distincte et fermée par des cloisons et des rideaux à la hauteur de huit pieds; de l'autre côté les chambres ou appartements servant à une dame ou deux ensemble. Au rez-de-chaussée on trouve d'abord une belle chapelle avec deux sacristies et un salon de réception, la pharmacie, le laboratoire, la cuisine et ses dépendances. »
41. Pour la composition du conseil d'administration, Mme de Chateaubriand a

poussé très loin l'oubli de ses sentiments personnels, et choisi pour y siéger, les hommes les plus riches et les plus influents dans le parti royaliste. Mais ce n'est pas sans surprise qu'on y trouve le prince de Polignac, le vicomte de La Rochefoucauld et le comte de Brissac, tous trois figurant parmi les plus villipendés des *Cahiers*.

42. « Imaginez-vous tout ce que j'ai à faire aujourd'hui? A déjeuner d'abord, puis la messe; après cela, il faut que je coure aux quatre coins de Paris, pour des dons à toucher, que j'aille chez tous les marchands de guenilles pour acheter de quoi meubler la chambre d'un prêtre qui vient de nous arriver; ensuite mille lettres à écrire, cent ouvriers à gronder, une supérieure à apaiser, parce que depuis hier elle est en colère contre notre nouveau venu; enfin ma santé à soigner [...] » (A Joubert, 10 novembre 1821.)

43. Le R.P. Noël Richard rappelle, qu'ayant reçu un ballot de cacao expédié de Maison, elle s'avisa de fabriquer du chocolat et aménagea au rez-de-chaussée d'un petit pavillon, une chocolaterie qu'elle plaça sous la direction d'une religieuse, d'une servante, et d'un ouvrier. (R.P. N. Richard, *le Paradis de la rue d'Enfer*, Toulouse, 1985.)

Chateaubriand évoque avec humour l'activité de son épouse, promue au rang de « vicomtesse chocolat » : « La sœur supérieure prétend que de belles dames viennent à la messe dans l'espérance de me voir; économe industrieuse, elle met à contribution leur curiosité : en leur promettant de me montrer, elle les attire dans le laboratoire; une fois prises à ce trébuchet, elle leur cède, bon gré, mal gré, pour de l'argent, des drogues en sucre. Elle me fait servir à la vente du chocolat fabriqué au profit de ses malades [...] » *M.O.T.*, livre XXXVII, chap. 1, p. 623.

Le chocolat rapporta de 1822 à 1890, 23 090 F, soit l'équivalent du prix d'achat de la Vallée-aux-Loups. Cette modeste chocolaterie (« Mon usine » disait la patronne) ne cessa son activité qu'en 1925.

44. Daniélo, *op. cit.*, pp. 346 et suiv.

45. E. Renan, *Souvenirs d'enfance et de jeunesse*, édit. G-F, 1973, p. 58.

46. Fort active pour réunir les fonds nécessaires :

« Puisque M. le baron Hyde de Neuville le veut, j'ai l'honneur de lui envoyer la quittance des deux années échues de son abonnement à l'infirmerie Marie-Thérèse. La souscription date du 30 août 1820, et il a payé : le 30 août 1820 (pour la première année seulement) 50 F. Le 23 septembre 1824 (pour les années 1821 et 1822 à 30 F). Restent donc dues, les années 1823 et 1824, à 110 F. A compter du 30 août dernier. En outre de ses abonnements, M. Hyde de Neuville a encore donné à l'Infirmerie, en août 1820, une somme de 100 F. Je le prie de recevoir, pour ses dons présents et futurs, l'expression bien sincère de ma reconnaissance et mes meilleurs compliments » signé, la vicomtesse de Chateaubriand (fin 1824).

47. *M.O.T.*, livre XXXVII, chap. 1.

48. Même si les choses se gâtent à l'Infirmerie en l'absence de la « patronne ». Sœur Reine, l'incomparable est morte, sœur Sophie est retournée dans son couvent, et sœur Mathieu, que le brave Le Moine cherche à promouvoir, est écartée par Céleste « pour une réponse impertinente qu'elle ne lui pardonnera jamais ». C'est le « guignon », pour reprendre un des mots favoris de notre auteur. Entre-temps le pape est mort, Céleste recueillera son chat que le défunt pape faisait « jeûner car on ne connaissait au Vatican de mets plus recherchés que la morue et des haricots », écrit-elle.

49. Comte d'Haussonville, *Ma jeunesse. Souvenirs*, Paris, 1885, pp. 201-202.

50. Le docteur Récamier note en 1820, à propos de Mme de Chateaubriand, « très délicate, grandes fatigues morales et cependant un grand fond de force [...] dès trente-cinq ans on commence à cracher du sang, mais cela diminue, vers trente-neuf à quarante ans, cessation des migraines [...] puis étouffement, avec un malaise indicible qui se soutient pendant environ deux ans [...] on ne pouvait boire ou avaler sans les plus grands malaises et sans vomir. Vers quarante et un ans à quarante-deux ans, un catarrhe pulmonaire opiniâtre, vers quarante-trois ans ce grand catarrhe [...] – on

s'est fatigué, usé beaucoup depuis un an ou deux pour un établissement [l'infirmerie] en ne faisant qu'un repas à huit heures et un dîner à six heures – épuisement ».

Pour guérir ces maux, une seule médecine, souveraine, le lait d'ânesse! Vitrolles prétend qu'en 1816 déjà, le comte d'Artois avait fait remettre deux mille écus à Chateaubriand privé de la pension de ministre d'État, et qui assurait n'être même plus en mesure d'acheter une ânesse pour Mme de Chateaubriand. *Cf.* José Cabanis, « Chateaubriand et le docteur Récamier, un dossier médical inédit (1819-1844), *Bulletin de la Société Chateaubriand*, 1975.

51. Elle continue à suivre la politique avec beaucoup de passion... et de pertinence. Le 2 avril 1840, elle écrit à Clausel : « Vous devisez sans doute à Coussergues comme ici, sur le nouveau ministère, à la suite duquel beaucoup de gens croient voir marcher le règne de la terreur; pour moi j'y vois simplement un ministère succédant à vingt autres, où il se trouve un petit homme qui a trop d'esprit pour avoir l'idée de mettre en pratique les théories dont il serait l'une des premières victimes [...] On dit que le roi déteste son ministère; [...] il est vrai que, jusqu'à présent Philippe gouvernait et les ministres répondaient : tandis qu'à présent, il est à présumer que Thiers Ier comme l'appelle le *Charivari*, ne voudra répondre que de ses œuvres. » (G. Pailhès, *op. cit.*, p. 88.)

52. Je tiens à remercier ici M. Pierre Riberette, lecteur attentif et vigilant de cette préface, et le père Ploix qui, aux archives de l'archevêché de Paris, m'a grandement facilité l'accès aux documents relatifs à l'infirmerie Marie-Thérèse.

LES CAHIERS

Le Cahier rouge

CHAPITRE PREMIER

1804-1807

Année 1804[1]. *— Le duc d'Enghien.* — Lorsque M. de Chateaubriand revint de Rome, au mois de février 1804[2], nous prîmes un logement à l'hôtel de France, rue de Beaune. Il venait d'être nommé ministre dans le Valais et se préparait à partir, quand nous apprîmes l'assassinat du duc d'Enghien. Ce fut Clausel[3], un de nos amis, qui vint, à sept heures du matin, nous annoncer cette horrible nouvelle; le malheureux prince avait été fusillé le 21 mars, à quatre heures, dans les fossés de Vincennes[4].

Mon mari ne balança pas; il envoya de suite sa démission à M. de Talleyrand, ministre des Relations Extérieures*[5], qui, par bienveillance, la garda plusieurs jours avant d'en parler au Premier Consul. Mme Bacciochi[6], qui nous était fort attachée, jeta les hauts cris en apprenant ce qu'elle appelait une défection. Elle fit tout ce qu'elle put pour changer sa résolution, ne lui cachant pas les suites que pouvait avoir pour lui, et même pour ses amis, une démarche que le Consul prendrait pour une leçon*. Pour Fontanes[7], il devint fou de peur; il se voyait déjà fusillé de compagnie avec M. de Chateaubriand et, à leur suite, tous nos amis. J'allais le voir pour l'apaiser et le rassurer; il n'y eut pas moyen, il avait perdu la tête et finit par me faire partager ses craintes, non pas pour lui mais pour mon mari*. La

* Le *Cahier rouge* (manuscrit A) est complété par les notes renfermées dans un petit cahier recouvert d'un cartonnage bleu (manuscrit B) et dans neuf feuillets sur papier libre (manuscrit C) se rapportant aux années 1804-1815. Les ajouts substantiels, sont repris à leur date dans les « Notes et éclaircissements » (à partir de la page 167), les variantes ne présentant que des différences de rédaction sont regroupées dans la rubrique « Varia et addenda » (p. 163) et signalées dans le texte du *Cahier rouge* par un astérisque.

chose cependant se passa le plus tranquillement du monde et, lorsque M. de Talleyrand crut enfin devoir remettre la démission à Bonaparte, celui-ci se contenta de dire : « C'est bon » mais ses yeux étaient foudroyants*. Il en garda une rancune dont nous nous sommes ressentis depuis : il dit plus tard à sa sœur* : « Vous avez eu bien peur pour votre ami? » et il n'en fut plus question. Longtemps après, cependant, il en reparla à Fontanes et lui avoua que c'était une des choses qui lui avaient fait le plus de peine.

Nous avions reçu 12 000 francs pour frais d'établissement à Sion[8], et qui avaient été déjà employés en linge et argenterie; pour les rendre nous fûmes obligés de prendre cette somme sur les fonds que nous avions encore sur l'État : elle fut remise à qui de droit deux jours après la démission.

Avant la mort du duc d'Enghien, la bonne société de Paris était presque toute en guerre ouverte avec Bonaparte mais, aussitôt que le héros se fut changé en assassin, les royalistes se précipitèrent dans ses antichambres* et quelques mois après le 21 mars, on aurait pu croire qu'il n'y avait plus qu'une opinion en France, sans quelques quolibets que l'on se permettait encore, à huis clos dans quelques salons du faubourg Saint-Germain. Au surplus, la vanité causa encore plus de défections que la peur. Les personnes *tombées* prétendaient avoir été forcées et l'on ne forçait, disait-on, que celles qui avaient un grand nom ou une grande importance; et chacun, pour prouver son importance ou ses quartiers, obtenait d'être forcé à force de sollicitations[9].

1804. — Nous quittâmes la rue de Beaune au mois d'avril 1804 pour aller demeurer dans la rue de Miromesnil dans un petit hôtel que nous louâmes très bon marché*[10]. Là, il ne nous arriva rien que le bonheur de faire la connaissance de notre chère cousine de Roquefeuille et celle de la duchesse de Rohan[11]. Au mois de juin, nous fûmes à Villeneuve[12] où nous apprîmes la mort de la pauvre Mme de Caux[13]. À notre retour M. de Chateaubriand s'occupa beaucoup de ses *Martyrs*, ouvrage qu'il avait commencé à ...[14]

Le Premier Consul nommé empereur le 2 mai 1804, fut proclamé le ... de la même année*[15]. Fontanes nous fit la plus plaisante description du cortège dont il faisait partie comme président du Corps Législatif; je ne sais même si ce n'était pas lui qui portait la parole[16] : mais ce que je sais, c'est qu'il montait en bas de soie et culotte courte un cheval (qu'il appelait Fougueux) et qui pensa le jeter vingt fois dans la boue; il était furieux de cette cavalcade qui, disait-il, ne ressemblait pas mal à celle qui suit le bœuf gras.

Le Pape Pie VII arriva, à Paris, le ...[17] novembre 1804 et, le 2 décembre, il consacra l'usurpation dans l'église de Notre-

Dame[18]. Le discours de Pie VII, au Consistoire, pour annoncer qu'il va sacrer Bonaparte, est incroyable. Il l'appelle : « Ce puissant Prince... Notre bon et cher Fils... »[19]. L'impératrice Joséphine reçut l' *[mot illisible]* du Seigneur en même temps que l'Empereur? Le jour même ou quelques jours après la cérémonie, on donna un grand dîner aux Tuileries : le Pape ne fut point prévenu qu'il serait suivi d'un bal : c'était un tour qu'on voulait jouer à ce vénérable pontife; il vit qu'on avait voulu s'amuser de Sa Sainteté, il ne dit rien et se contenta de se retirer pour prier.

1805. — Les fêtes, en se succédant, achevèrent de tourner les têtes et ce fut au commencement de l'année 1805 qu'eurent lieu les plus grandes défections. Le Saint-Père avait posé les mains sur la tête de l'Empereur et ses victoires achevaient de le rendre irrésistible. Cette année, je pense, ou en 1806, Molé[20] et Pasquier[21] furent nommés auditeurs : ils jurèrent, de ce moment, fidélité à toutes les monarchies présentes et futures.

Le printemps de l'année 1805, nous prîmes un appartement sur la place Louis XV. Cette maison appartenait à Mme de Coislin[22], qui en occupait une partie; lorsque nous y fûmes installés, nous allâmes passer un mois à Méréville[23] chez M. de Laborde[24]. Cette magnifique habitation, bâtie par M. de Laborde, a été vendue et ensuite en partie démolie; elle sert, je crois, aujourd'hui de fabrique et les jardins sont entièrement dégradés.

En quittant Méréville, M. de Chateaubriand fut passer quelque temps à Champlatreux[25] et moi, par complaisance, je partis avec Mme de Coislin pour les eaux de Vichy.

Cette bonne dame était très aimable (mais très difficile à vivre) : son avarice surtout était insupportable[26]. Pendant le voyage, elle me faisait une guerre à mort sur ce que je mangeais, bien que ce ne fût pas à ses dépens : elle prétendait que c'était la plus sotte manière de dépenser son argent. Aussi, dans les auberges, se contentait-elle d'une livre de cerises[27] qu'on lui faisait payer en raison de ce que ses domestiques avaient mangé et ils se faisaient servir comme des princes; ils en étaient quittes pour une verte réprimande qu'ils préféraient à la diète. Pendant la route, la conversation roulait, en général, sur les dépenses de l'auberge que nous venions de quitter, ou sur la toilette de Mlle Lambert, sa femme de chambre; la pauvre fille était cependant fort mincement vêtue, mais elle était propre et changeait de linge, ce qui n'avait pas de sens commun : pour elle (Mme de Coislin), elle n'en changeait jamais, elle prétendait que c'était comme cela de son temps et qu'on avait à peine deux chemises.

Du reste, elle avait assez d'esprit pour rire la première de son avarice; elle convenait que, ne donnant pas ce qui était nécessaire à ses gens, ils étaient obligés de le prendre : « Mais que voulez-vous, mon cœur, me disait-elle, j'aime mieux qu'on me prenne que de donner. Je sais qu'au bout du mois c'est toujours moi qui paye. Tout cela est fort triste. » Mme de Coislin était ce qu'on appelle *illuminée*[28]. Elle croyait à toutes les rêveries de Saint-Martin[29] et ne trouvait rien au-dessus de ses ouvrages : il est vrai qu'elle n'en lisait guère d'autres, excepté la Bible, qu'elle commentait à sa manière, qui était un peu celle des Juifs; elle était du reste d'une complète ignorance, mais avec tant d'esprit et une si grande habitude du monde que, dans la conversation, on ne pouvait s'en apercevoir, et [elle] parlait de tout ce qu'au fond elle ne connaissait pas comme si elle avait été un puits d'érudition; elle m'avoua un jour qu'elle n'avait jamais lu Madame de Sévigné et que, dans ce moment, elle était bien en peine, parce qu'elle aimait beaucoup M. de Chateaubriand, elle se croyait obligée de lire le *Génie du Christianisme* « ce qui, mon cœur, ajouta-t-elle, m'ennuiera à mourir. » Elle ne savait pas un mot d'orthographe[30] et cependant elle parlait sa langue avec une pureté et un choix d'expressions remarquables. Personne ne racontait comme elle : on croyait voir toutes les personnes qu'elle mettait en scène.

Ses commentaires sur la Bible étaient semés de grec et de latin, dont elle ne savait pas un mot. Mais comme elle avait à cœur de prendre la traduction de l'Écriture en défaut, elle avait appelé à son aide un vieux juif, qui lui expliquait le texte comme un rabbin et la volait de même. Ce juif, nommé Noé, fut un jour arrêté pour avoir volé des perruques. Mme de Coislin, furieuse de l'insulte faite à son maître, fut trouver M. Pasquier, alors préfet de Police, qu'elle détestait de vieille date, et lui fit une scène horrible. Elle soutint que Noé n'avait point volé les perruques, mais qu'il les avait achetées; elle le prouva même en les payant; et l'affaire n'eut d'autre suite qu'une bonne rancune qu'elle garda à M. Pasquier, sur lequel depuis elle avait toujours quelque histoire à raconter.

C'était la personne du monde qui donnait le plus l'idée d'une grande dame de la cour de Louis XV[31]; elle en avait tous les défauts et toutes les qualités. Son frère, le marquis de Nesle, avait été un très mauvais sujet : il avait mangé sa fortune et se trouvait à la charge de sa sœur, qui le faisait tant soit peu jeûner; elle lui devait cependant une belle croix de diamants. Elle ne l'appelait que l'*étranglé*, parce qu'un jour qu'il avait battu son valet de chambre, celui-ci le prit à la gorge et le serra de si près qu'il lui en resta une extinction de voix.

Un matin elle me fit prier de passer dans sa chambre : « Je n'ai pu aller prendre mes eaux ce matin, me dit-elle, voyez comme je suis fatiguée. » Je lui demandai pourquoi. « Pourquoi? Savez-vous pourquoi Dieu a fait le Diable? — Ah! mon Dieu, Madame, lui dis-je, c'est bien pour ma plus grande peur. — Tenez, mon cœur, ajouta-t-elle, voilà ce que malgré moi j'ai été obligée d'écrire cette nuit, je vais vous le lire », et elle me lut un vrai volume de rêveries, mais si bien écrites, avec des phrases si bien arrondies, que bien que ce fût d'une folie complète, on trouvait un plaisir infini à l'entendre. « Cela est beau, me dit-elle, je puis le dire car ce n'est pas mon ouvrage; j'ai écrit ceci comme saint Jean écrivait l'Apocalypse. » Par avarice, elle écrivait sur des enveloppes de lettres[32] et tous les petits chiffons de papier qu'elle trouvait : aussi, à sa mort, n'a-t-on pu réunir une seule feuille entière de tous ses barbouillages.

M. de Chateaubriand vint nous rejoindre à Vichy : je dis adieu à Mme de Coislin et nous partîmes pour la Suisse. Avant d'arriver à Thiers, nous traversâmes la petite rivière de la Dore. Son nom donna à M. de Chateaubriand une rime qu'il n'avait jamais pu trouver pour un des couplets de sa romance des *Petits Émigrés*[33].

Ma sœur, te souvient-il encore
Du château que baignait la Dore...*

Entre Thiers et Roanne, nous fûmes obligés de coucher dans une auberge isolée dans la montagne; nous voulions continuer notre route, mais l'aubergiste, en même temps maître de poste, s'y opposa, prétendant que les chemins étaient impraticables la nuit. Une âme charitable, qui nous rencontra, nous promenant en attendant le souper, nous avertit de nous tenir sur nos gardes parce que l'auberge avait mauvaise réputation et que plusieurs voyageurs y avaient disparu. M. de Chateaubriand ne fit que rire de l'avis, mais je passai une nuit horrible, croyant voir à chaque instant la fatale trappe s'ouvrir pour donner passage à une demi-douzaine d'assassins. Il ne nous arriva cependant d'autres malheurs que celui de faire un très mauvais souper et de passer la nuit sans dormir. Nous partîmes sains et saufs; mais quelques mois après, nous apprîmes que l'aubergiste et sa femme avaient été arrêtés et exécutés après avoir été convaincus de plusieurs assassinats.

A Lyon, nous prîmes Ballanche[34] et nous continuâmes notre route. Arrivés à Genève, nous reçûmes la visite de Mme de Staël, qui nous fit promettre d'aller, à notre retour de Chamonix, passer quelques jours à Coppet. De Genève nous allâmes coucher à Sallanches, pour arriver le lendemain au pied du Mont-Blanc.

(Faire la description de la vallée de Chamonix[35].)

Le lendemain de notre arrivée, nous allâmes au Montanvert; nous étions montés sur des mulets et suivis de deux guides dont l'un s'appelait Jacques-les-Dames. Nous fîmes imprudemment assez de chemin sur la Mer de Glace[36], puis nous revînmes déjeuner dans la cabane de M. de Bourrit[37].

Au Montanvert nous quittâmes nos mules et descendîmes à pied par montagne à pic qui conduit à la chute de l'Arveron. Ce chemin est très pénible, à chaque instant nous étions obligés de nous asseoir; mais ces moments n'étaient pas perdus : des pâtres et des jeunes filles venaient nous offrir, à chaque station, du lait et des fraises; le lait dans des carafes très propres et les fraises dans des petits paniers artistement travaillés[38]. En traversant la vallée pour revenir au village, nous rencontrâmes deux pauvres crétins qui n'avaient presque rien d'humain; leur mère les suivait comme elle aurait fait de petits enfants et semblait fière de ces présents du ciel. Elle nous dit qu'ils n'étaient pas méchants, mais qu'on ne pouvait les quitter parce qu'ils ne connaissaient ni le feu ni l'eau. Le curé, qui était aussi avec eux, était un vieillard de la plus vénérable figure; il nous dit qu'il était pasteur à Chamonix depuis nombre d'années, qu'il s'y trouvait très heureux et n'en sortait jamais que pour les affaires de son troupeau.

De Chamonix, nous revînmes à Genève par le col de Balme. Nous descendîmes le beau bois de Trient, couvert de mélèzes d'une hauteur prodigieuse. Nous couchâmes à Martigny, d'où nous fûmes dîner à Bex. Nous fîmes un repas dont il faut toujours se rappeler, nous conseillons à tous les voyageurs cette excellente auberge qui, dit-on, n'a pas dégénéré. L'auberge de cette petite ville est la meilleure de la Suisse, les voyageurs s'y arrêtent ordinairement pour aller visiter les grottes de... qui renferment des mines de sel. De Bex nous allâmes coucher à Lausanne et le lendemain nous arrivâmes assez tard à Genève. Toutes les auberges étaient pleines; nous fûmes donc obligés, après un assez bon souper que nous fîmes dans l'une des salles de l'hôtel, de nous remettre de suite en route pour Paris.

Je ne sais ce qui nous empêcha de remplir la promesse que nous avions faite à Mme de Staël; elle en fut très mécontente et d'autant plus, qu'ayant compté sur notre visite, elle écrivit d'avance à Paris les conversations *présumées* qu'elle avait eues avec M. de Chateaubriand et dans lesquelles elle l'avait, disait-elle, *converti à ses opinions politiques*. On sut que nous n'avions point été à Coppet et que la noble châtelaine avait fait seulement un roman de plus[39].

Nous revînmes à Lyon avec notre fidèle Ballanche. Nous y fîmes la connaissance du bon Hyde de Neuville[40] qui, condamné à mort pour la vingtième fois, était dans ce moment caché à la campagne, à quelques lieues de la ville.

Il y avait dans ce temps-là, à Lyon, un certain M. Saget[41] qui habitait sur le coteau de Fourvière, la plus jolie maison du monde. Ce vieil original, riche comme un puits, dépensait la moitié de son argent en bonnes œuvres pour expier celles, assez mauvaises, auxquelles il consacrait, dit-on, l'autre partie de sa fortune. Il avait, pour faire les honneurs de sa maison, deux vieilles demoiselles qui avaient été, dit-on, fort belles dans leur temps, et, pour le servir, un essaim de jeunes paysannes jolies, lestes et très richement vêtues. Du reste ses dîners étaient excellents, ses vins les meilleurs du monde, et ses convives (la plupart), MM. du Chapitre de Saint-Jean de Lyon[42].

Nous ne restâmes que peu de jours à Lyon. Nous ne prîmes que le temps de faire remettre quelques clous à notre vieille voiture, ensuite, (toujours avec notre fidèle Ballanche), nous nous remîmes en route pour la Grande-Chartreuse. Nous couchâmes à Voreppe dans les lits les plus sales; nous montâmes à cheval pour aller visiter la pieuse retraite fondée par saint Bruno et le lendemain nous arrivâmes vers les dix heures au village de Saint-Laurent[43].

L'enclos de la Chartreuse, de plusieurs lieues d'étendue, est entouré par les montagnes [des] Alpes, ce qui lui donne la forme d'un cirque. Il n'a d'accès que par deux portes, l'une placée sur la hauteur du côté de Grenoble, l'autre à l'entrée du village de Saint-Laurent. Cette dernière (par où nous entrâmes) est suspendue sur un abîme d'une manière effrayante. Au milieu de l'enclos, riche des plus beaux pâturages, on trouve les bâtiments du monastère, assez vastes mais tout-à-fait irréguliers. La Chartreuse renferme encore de beaux arbres, la plus grande partie a déjà été abattue; cependant on a été obligé de respecter ces vieux pins que les pieux cénobites avaient été planter, au péril de leur vie, sur les cimes (à pic) des rochers, qui surplombent en plusieurs endroits, et sur lesquels ils avaient été obligés de faire hisser la terre dans des paniers.

Le petit chemin qui conduit de la porte d'enceinte à la première porte du couvent, est fort étroit et aujourd'hui assez dangereux, les garde-fous, si bien entretenus par les anciens propriétaires, étant maintenant tout à fait dégradés. En montant ce chemin, vous entendez le bruit d'un torrent qui, diminuant peu à peu, cesse au pied de la sainte demeure, image souvent trompeuse du passage d'une vie orageuse à la vie paisible, que la piété, le malheur ou le remords allaient chercher dans cette pieuse solitude.

Nous étions (sans nous en douter) attendus à la Grande-Chartreuse. Le préfet de Grenoble avait prévenu le régisseur actuel des domaines de saint Bruno de nous bien recevoir. Notre équipage, qui n'était pas brillant, ne permit pas au maître du lieu de nous prendre pour ces voyageurs de distinction. Il pensa que nous ferions comme notre devancier M...[44] qui, la veille, s'y était fait porter en palanquin et accompagner d'une longue suite. Lorsqu'on nous vit arriver, montés sur de mauvais chevaux et accompagnés d'un seul guide, on nous prit pour des voyageurs de peu de conséquence, de sorte que nous fûmes tout bonnement confiés à l'hospitalité de deux pauvres frères lais, qui avaient été laissés dans le couvent pour soigner un vieux chartreux fou, à qui on avait permis de mourir dans sa cellule; il était mort, en effet, depuis peu de jours; nous vîmes encore la terre fraîchement remuée sur sa tombe[45].

Les bons frères nous reçurent de leur mieux. Ils nous firent voir l'église, la salle où, à différentes époques, s'assemblaient les chapitres de l'Ordre pour la nomination des dignitaires; on voyait encore dans cette vaste pièce les portraits de tous les généraux de l'ordre des Chartreux depuis leur fondateur. Le portrait du dernier (à ce qu'on nous fit remarquer) s'était détaché et était tombé à terre. Nous vîmes ensuite le corps de logis destiné aux étrangers, la bibliothèque encore garnie de ses livres, enfin les cellules des moines composées de deux chambres fort propres et donnant sur un petit jardin, entouré d'un treillage, où le propriétaire de la cellule pouvait cultiver des fleurs.

A un quart de lieue environ du principal bâtiment, on trouve la chapelle de saint Bruno et la grotte où le saint allait souvent prier. De retour au monastère, les bons frères nous invitèrent à nous mettre à table; ils nous servirent une bonne soupe aux choux, des œufs et des truites excellentes, ils mangèrent avec nous. Pendant le dîner ils nous racontèrent plusieurs histoires des bons et mauvais jours de leur couvent et finirent par nous dire que ce qui avait empêché le régisseur de nous recevoir, c'est qu'il attendait (pour dîner) un grand personnage (M. de Chateaubriand). Nous ne dîmes rien, mais en partant nous priâmes nos charitables hôtes de le remercier du bon accueil qu'il nous avait procuré et de lui conseiller de manger le dîner qu'il avait préparé pour M. de Chateaubriand, qui avait trouvé excellent celui qui lui avait été donné dans sa cuisine.

En descendant la Grande-Chartreuse la chaleur était insupportable. En arrivant au village, le ciel était en feu et le tonnerre grondait déjà assez fort, mais à une demi-lieue environ, l'orage éclata d'une manière effrayante, et tel, nous dit-on ensuite, qu'on n'en avait jamais vu dans ces montagnes; les éclairs sillonnaient la nue sans aucun intervalle et la foudre qui tombait à chaque instant traçait dans les ténèbres de longues perpendiculaires de feu[46]. La pluie tombait par torrents : nos chevaux effrayés restaient immobiles et refusaient d'avancer. Pour moi, je me croyais à mon dernier moment et notre guide, qui n'était pas plus rassuré, me criait : « Madame, n'ayez pas peur! Recommandez votre âme à Dieu, au nom du Père, du Fils et du Saint-Esprit! » M. de Chateaubriand, qui ne comprend pas qu'il y ait un danger au monde, se tuait à nous dire que ce n'était rien, que c'était fini; il en appelait à témoin, pour fortifier des arguments renversés à coups de tonnerre, ce pauvre Ballanche, qui répondait qu'il ne savait trop que dire et que le mieux serait de nous mettre à l'abri*. Mais où en trouver? Nous n'apercevions pas une maison, et nos chevaux ne se disposaient point à marcher. A force de coups cependant, les pauvres bêtes firent quelques pas et, au bout d'un quart d'heure, nous aperçûmes (comme dans les contes de fées) une lumière; elle sortait d'une chaumière où nous reçûmes l'hospitalité. Les pauvres gens qui l'occupaient, se hâtèrent de nous faire du feu pour sécher nos vêtements trempés : nos toilettes étaient dans un tel état que les enfants de la maison, qui étaient dans leur lit et que le bruit éveilla, crurent voir arriver des loups-gris et se précipitèrent dans les jambes de leurs parents sans vouloir nous regarder*. Lorsque nous fûmes réchauffés et que l'orage fut un peu apaisé, nous nous remîmes en route, mais la pluie avait grossi les torrents de manière qu'en les traversant nos chevaux avaient de l'eau jusqu'au poitrail. Comme je ne craignais que le retour de l'orage, je devins vaillante contre les autres dangers, je mis donc ma vieille rosse au galop. Le guide, qui savait que ce n'était pas son allure, me criait d'arrêter, que j'allais tuer son cheval : « Monsieur, disait-il à mon mari, votre dame a fait la guerre! » Nous arrivâmes à Voreppe, mouillés et excédés de fatigue : nouvel accident! Le tonnerre était tombé en plusieurs endroits et notre auberge entre autres était à moitié brûlée. Ne sachant où coucher (il était minuit) nous prîmes le parti de demander des chevaux et de repartir de suite pour Lyon*[47].

De 1805 à 1806. — De retour à Paris, nous allâmes passer l'automne à Méréville*, puis nous revînmes à Paris où nous restâmes tout l'hiver, réunissant le soir à l'hôtel de Coislin quelques amis presque tous attachés à la cour de Bonaparte : de ce nombre était Fontanes, qui ne manquait guère au rendez-vous*[48].

Sous l'Empire, les personnes d'opinions contraires pouvaient se voir sans s'arracher les yeux, ce qui devint impossible sous les Bourbons et par la raison que les opinions tranchées se pardonnent et se respectent, au lieu que les nuances d'opinion se chicanent perpétuellement, chacune ayant la prétention d'arriver au même but avec des moyens différents. On voit, par exemple, un républicain et un royaliste vivre dans la meilleure intelligence, tandis qu'un royaliste d'une façon et un royaliste de l'autre se font une guerre à mort[49].

1806 et 1807. — Au mois de mai 1806, le voyage de Jérusalem fut décidé[50]; nous allâmes faire nos adieux à nos parents en Bretagne, (juin 1806 à Lascardais)*, dans un vieux château appartenant à une des sœurs de mon mari, la comtesse de Chateaubourg*[51], et en juillet 1806, M. de Chateaubriand se mit en route pour son grand voyage[52]. Je partis avec lui, devant l'accompagner jusqu'à Venise. En passant à Lyon, au moment ou nous traversions la place Bellecour, deux pistolets, qui se trouvaient bien imprudemment placés dans le cylindre de la voiture, partirent en même temps et mirent le feu à ce cylindre, dans lequel se trouvaient une boîte à poudre et un sac de louis. C'était plus qu'il n'en fallait pour nous faire sauter et, avec nous, une foule de monde, qui entourait la voiture; M. de Chateaubriand eut la présence d'esprit, après m'avoir jetée dans les bras du premier venu, de retirer le sac et la boîte et de descendre ensuite[53]. On répara le dommage et nous continuâmes notre route; en partant je fis promettre au bon Ballanche de venir me chercher à Venise où M. de Chateaubriand devait me quitter.

Nous trouvâmes à Venise M. de Lagarde, qui s'y trouvait comme commissaire-général de la Police. Son dévouement à Bonaparte ne l'empêcha pas de nous bien recevoir; il nous fit beaucoup de politesses; nous donna un très bon dîner (à moi) et nous fit toutes sortes d'offres de service. Certes, un préfet de Charles X n'aurait pas si bien reçu des gens en disgrâce. Mon mari fut également bien reçu à Constantinople par l'ambassadeur de France (M. Sébastiani)[54].

Ce fut à Venise que j'entendis pour la première fois un improvisateur, M. Armani[55]. C'était un juif converti; sa sœur, disait-il, était *moine* dans un couvent. Il vint nous voir à l'auberge et, sans nous connaître le moins du monde, il commença à improviser des vers auxquels je ne comprenais rien, mais que M. de Chateaubriand trouva assez bons. Il ne parla pas moins d'une heure et ne finit, je crois, que parce que nous lui dîmes que nous étions obligés de sortir. Ce poète était le meilleur homme du monde; il me prit en amitié et, après le départ de mon mari, me voyant triste et tourmentée, il venait tous les jours me chercher dans sa gondole[56], pour aller visiter toutes les curiosités de Venise. Il me fit faire la connaissance d'une vieille dame, qui avait été fort célèbre pour sa beauté et qui l'était encore par son esprit; elle réunissait chez elle tout ce qu'il y avait de mieux à Venise : je devrais certes me rappeler son nom, mais enfin je l'ai oublié. Je me rappelle, qu'en me voyant, elle fut fort étonnée que ma robe n'eût point de queue; quoiqu'il y eût assez longtemps qu'en France on n'en portait plus, la mode n'en était point encore passée à Venise. Mon cicerone me mena aussi chez une bonne famille juive dont j'ai de même oublié le nom; son palais était magnifique et meublé à la française. Cette famille était composée du père, de la mère et de cinq enfants, dont deux filles charmantes. Un an plus tard, je revis à Paris le père et un de ses fils, qui était venu pour assister au Sanhédrin[57]. M. de Chateaubriand quitta Venise le vendredi... août 1806[58] pour aller s'embarquer à Trieste. Je restais plusieurs jours attendant Ballanche, qui n'arrivait pas, je commençais à me désespérer, mourant d'ennui et du désir de me retrouver en France avec des amis auxquels je puisse confier mes inquiétudes. Il arriva enfin : c'était le soir; je lui fis une scène, je lui dis que j'allais le mener sur la place Saint-Marc et que c'était tout ce qu'il verrait de Venise parce que nous partirions le lendemain, à 5 heures du matin. — « Allons, me dit-il, puisque vous le voulez, je le veux bien; mais alors il faudra que je revienne. — Vous reviendrez sûrement, mon cher Ballanche, mais l'année prochaine. » Il comprit cela et, le lendemain à 5 heures, nous nous embarquâmes pour Fusina. Nous étions encore sur le Grand Canal quand nous aperçûmes le bon juif si riche et si magnifique, qui se hâtait pour nous rejoindre; il se fût agi de sa fortune qu'il n'aurait pas fait une plus grande diligence. Il nous dit, que la veille, il s'était rappelé qu'il avait fait une erreur dans une somme de un ou de deux mille francs, qu'il m'avait changés en différentes monnaies et cette erreur était peut-être de 3 francs à son préjudice; il fallut recompter le sac : ainsi cet homme millionnaire, faisant beaucoup de dépenses et ne regardant sûrement pas à jeter quelques pièces d'or par la fenêtre, ne pouvait supporter une perte de quelques francs dans une affaire de banque.

Nous allons à Florence — dispute avec les postillons — Ballanche les pérore en latin — ils nous mettent une dizaine de chevaux et de bœufs à notre voiture — à Florence, sincère augure de félicité. Nous quittons Florence, je laisse Ballanche à Lyon et reviens à Paris.

De retour à Paris, je partageais mon temps entre la ville et la campagne; je fais un voyage à Villeneuve; en partant ma malle est volée rue de Charenton[59]. Partout l'inquiétude me suivait : je fus onze mois sans nouvelles de mon mari*[60], et les premières que je reçus étaient datées d'Algésiras, port d'Espagne, où il était débarqué, il n'avait plus que l'Espagne à traverser. C'était après tant de tourments comme s'il avait été à Paris. Deux mois avant son arrivée, le bruit courut que le bâtiment sur lequel il s'était embarqué (de Tunis) avait péri; grande joie parmi les courtisans de l'Empereur, l'un d'eux (M. de T...) alla vite aux Tuileries raconter la nouvelle; Bonaparte n'en fut sûrement pas fâché, mais en homme d'esprit et qui n'aimait pas la platitude inutile*, [il] répondit : « Eh bien, est-ce que cela vous réjouit? C'est cependant de moins un homme qui faisait honneur à son pays (à la France) et que je regrette, moi qui suis le seul qui ait eu à s'en plaindre » et il ajouta : « Chateaubriand a sa femme ici, ce n'est pas la peine de la tourmenter peut-être inutilement : attendez que la chose soit sûre pour la faire mettre dans les journaux. » Je dois donc à Napoléon de n'avoir pas appris une chose qui m'aurait fait mourir, je n'aurai jamais eu une semblable obligation aux Bourbons*.

Bataille d'Iéna, le 14 octobre 1806.

Je crois que c'est ici qu'il faudrait placer le discours de Fontanes[61] lorsqu'on apporta les drapeaux d'Iéna, donnés en octobre 1806 aux Invalides. Il y avait un très beau morceau surtout celui où il peignait la douleur du vainqueur, pleurant dans sa tente en apprenant la mort du petit Napoléon (fils de Louis). — Continuation de la campagne de Pologne. — Bataille de Friedland.

M. de Chateaubriand arriva à Paris le... juin de l'année 1807[62].

1807. — Bataille d'Eylau, 8 février 1807. — Bataille de Dantzig, en hiver 1807.

CHAPITRE 2

1807-1812

1807. — Quelques mois après le retour de M. de Chateaubriand (mois de juin 1807) il fut exilé pour un article[63] dans lequel il faisait l'éloge de Mesdames de France, dont il avait vu le tombeau à Trieste. Lorsque cet article parut, Bonaparte n'était point à Paris[64]; le cardinal Fesch[65] lui envoya le journal dans lequel il se trouvait. Il revient et, toujours furieux contre M. de Chateaubriand, il allait donner l'ordre de le faire arrêter*, quand, frappé de la joie que cela causait à son oncle, il se contenta de l'exil à quelques lieues de Paris. Ce fut M. Pasquier (alors préfet de Police et avec lequel nous avions été extrêmement liés) qui fut chargé de nous annoncer notre bannissement. Comme il y voulut mettre des formes, il m'écrivit un petit billet, plié en corne, où il me priait de passer chez lui. Je lui répondis que si c'était le préfet de Police qui m'invitait à me rendre chez lui, j'étais à ses ordres, mais que si c'était M. Pasquier, comme l'indiquait le petit chiffon de papier, je l'attendais chez moi. Il ne vint point, je ne fus point chez lui et ce fut à mon mari qu'il transmit les ordres de son maître[66].

A cette époque, nous demeurions encore sur la place Louis XV; nous ne savions trop où aller : quitter Paris à l'approche de la mauvaise saison pour habiter quelque mauvais village, où nous n'aurions pas le temps de nous établir avant l'hiver! Enfin nous nous décidâmes à sacrifier à peu près la dernière somme qui nous restait, à acheter une chaumière pas trop loin de Paris; nous en trouvâmes une à trois lieues et aussi sauvage qu'on aurait pu l'avoir dans les montagnes d'Auvergne[67]. Cette maison, que nous achetâmes 24 000 francs, ce qui donne la mesure de sa beauté, est située à Aulnay, près de Sceaux et de Châtenay. C'était, quand nous en fîmes l'acquisition, une espèce de grange sans cour avec un verger planté de mauvais pommiers, avec un taillis et quelques mauvais arbres, un seul acacia excepté qui était fort beau*; mais ce verger, rempli de mouvements de terrain et environné (ainsi que la maison) de coteaux plantés, était susceptible de devenir un fort joli jardin. Cette sauvage propriété appelée alors la Vallée-aux-Loups et ensuite nommée par Fontanes, Val-de-Loup et enfin depuis simplement la Vallée*, avait jadis appartenu à un fort brasseur, très riche[68], de la rue Saint-Antoine, lequel au commencement de la Révolution avait rendu un assez grand service à la famille royale. En reconnaissance, la Reine lui fit dire un jour qu'elle irait visiter sa brasserie d'Aulnay. Le bonhomme ne trouvant pas sa chaumière assez belle pour recevoir sa souveraine fit, dit-on, construire en trois jours le petit pavillon qui se trouve sur un des coteaux du jardin et qui, à l'époque où nous achetâmes la Vallée, se trouvait être effectivement de trop magnifique fabrique pour le reste de l'habitation.

Comme, après la sentence d'exil prononcée, on n'en pressait pas l'exécution, cela nous donna le temps de faire faire les réparations les plus urgentes à la Vallée, avant d'aller en prendre possession, et nous prîmes, en attendant, un appartement dans un hôtel garni rue des Saints-Pères. Cet hôtel, où depuis longtemps nous avions coutume de loger quand nous n'avions pas d'appartement, était tenu par Lavalette, un ancien officier du gobelet de Louis XVI, coiffé à l'oiseau royal et royaliste enragé. Sa chère femme était une demoiselle de très bonne maison, veuve d'un marquis de Béville pour lequel elle conservait un souvenir d'orgueil, qui ne nuisait en rien à la tendresse qu'elle portait à son nouvel époux. Elle était sourde comme un pot* au point de ne rien entendre avec un cornet long d'une demi-aune et qui ne quittait jamais son oreille. M. de Lavalette (c'est ainsi qu'il s'appelait) était le meilleur homme du monde : il se serait mis au feu pour nous et même nous aurait donné sa bourse, si ce n'est qu'il prenait souvent la nôtre pour la sienne. Le pauvre homme, Dieu ait son âme, ne pouvait aimer quelqu'un sans se mettre de suite en communauté de bien avec lui; il était d'une obligeance extrême et, pour être plutôt prêt à se mettre en course pour rendre un service, il ne quittait jamais sa canne à pomme d'or*[69].

Vers la fin de novembre[70], voyant que les réparations de notre chaumière n'avançaient pas, nous prîmes le parti d'aller les surveiller nous-mêmes; nous arrivâmes le soir à la Vallée, par un temps épouvantable. Les chemins du côté d'Aulnay, très difficiles en tous temps, sont impraticables dans la mauvaise saison. Nous entrâmes par une grille, qui se trouve au bas du jardin et qui n'est pas l'entrée ordinaire; la terre des allées, fraîchement remuée et démolie par la pluie, empêchait les chevaux d'avancer et, par un effort qu'ils firent pour dégager les roues des ornières, la voiture versa. Nous ne nous fîmes aucun mal, mais Homère que je tenais dans mes bras passa par la portière et se cassa le cou, victime immolée au ressentiment de Bonaparte.

La maison, qui n'était guère plus en état que le jour que nous l'achetâmes, était encore pleine d'ouvriers qui riaient, chantaient et nous souhaitaient la bienvenue[71]. A leur tête était notre vieux cuisinier[72], que nous avions envoyé mettre le pot-au-feu. Il n'était pas plus ivre que de coutume, mais assez pour chanceler et ne pouvoir dire deux mots de suite. Cet état d'ivresse, où il était habituellement, ne l'empêchait pas de faire merveilleusement la cuisine, et au contraire si, à force de réprimandes et de menaces, on parvenait à l'empêcher de boire un jour, il ne savait plus ce qu'il faisait : un de ces jours néfastes par exemple, il nous mit au lieu de bœuf un pain de sucre dans la soupe. Les chambres sans fenêtres étaient chauffées avec force copeaux et éclairées avec un grand luxe de bouts de chandelles; l'odeur des côtelettes, qui rôtissaient, se mêlait à l'odeur de la fumée de tabac, car les bouteilles de notre frise-poulet ne lui faisaient pas oublier les côtelettes toujours cuites à point. Tout le monde était gai, nous le fûmes aussi et, charmés de trouver deux chambres qu'on nous avait assez bien arrangées, dans lesquelles on avait préparé le couvert, nous nous mîmes à table et mangeâmes de très bon appétit. Nous dormîmes bien et, le matin réveillés au bruit des marteaux et des chants joyeux de notre petite colonie, les pauvres exilés virent le soleil se lever avec moins de soucis que le maître des Tuileries qui, alors, l'était du monde entier[73].

Le jour même, nous nous mîmes à l'ouvrage et, en peu de temps, nous transformâmes notre verger en un jardin fort agréable et que les flatteurs appelaient un parc[74]. Il est vrai qu'à cause des mouvements de terrain et par la manière dont il était planté, il paraissait très considérable, quoiqu'il n'eût que 15 ou 16 arpents. Chacun de nous deux avait la prétention d'être le [jardinier] par excellence; les allées surtout étaient un sujet de querelles perpétuelles, mais je suis restée convaincue que j'étais beaucoup plus habile dans cette partie que M. de Chateaubriand. Pour les arbres, il les plantait à merveille, cependant il y avait encore discussion au sujet des groupes. Je voulais qu'on mît un ou deux arbres en avant pour former un enfoncement, ce qui donne de la grandeur au jardin; mais lui et maître Benjamin, le plus fripon des jardiniers, ne voulaient rien céder sur cet article. En outre de la collection presque entière de tous les arbres d'agrément, nous plantâmes des milliers d'arbres verts[75] (à peine hauts d'un pied). Ces pins, tirés des pépinières de Méréville et que nous devons à M. de Laborde, sont actuellement (1830) des arbres que les Alpes ne renieraient pas; les cèdres surtout sont d'une beauté remarquable[76]; plusieurs personnes eurent encore la bonté de nous donner des arbres rares : l'impératrice Joséphine, entre autres, nous fit présent de plusieurs arbustes et surtout d'un magnolia à fleurs pourpres, le seul qu'il y eût alors en France après celui qui lui restait à la Malmaison*.

Quand nous quittions le jardin, M. de Chateaubriand se mettait à travailler à ses *Martyrs* et à son *Itinéraire*, et nous passions ainsi très heureusement notre vie quand, au mois d'avril 1808 ou 1809, il fut atteint d'une petite fièvre lente[77] qui n'était que les avant-coureurs d'une grave maladie qu'il fit dans le courant de l'été. Cette habitation, créée pendant notre exil, faisait toute la joie de mon mari et suffisait à son bonheur; c'est là qu'il acheva les *Martyrs* et son *Voyage à Jérusalem*. Que de fois en nous promenant dans notre jardin entouré de charmants coteaux, il me disait : « Ah! quand nos B[ourbons] reviendront, je ne leur demanderai qu'une chose, c'est le moyen d'acheter ces coteaux pour les réunir à ma propriété[78]. » Je haussais les épaules, pensant bien qu'il lui arriverait ce qui lui est réellement arrivé quand ces chers Bourbons sont revenus[79]. C'est d'avoir le plaisir de voir tous ses sacrifices payés de la plus noire ingratitude et d'être obligé de vendre (pour vivre) cette chaumière qu'il avait pu se procurer pendant le règne de son ennemi[80]. Fontanes aimait beaucoup à m'entendre lui prédire sa future grandeur sous les Bourbons, qu'il craignait seulement parce qu'il avait servi Bonarparte. Molé et Pasquier n'étaient pas si simples; ils savaient bien que partout où il y a la majorité, on gagne. Pendant que M. Pasquier était préfet de Police (sous Bonaparte), il fit proposer 40 000 francs à qui arrêterait le duc de Berry; on tenta même de corrompre Du Plessis[81], alors gouverneur des îles Saint-Marcouf; à son retour, M. le duc de Berry ayant été instruit de ce fait disait plaisamment à son aide de camp, M. M[esnard][82] : « Tenez-vous bien, car si on me livre pour 40 000 francs, on vous donnera bien pour dix[83]. » Nous avons vu notre ami [Fontanes], grand-maître de l'Université, Pasquier garde des Sceaux et Molé, ministre, avant que M. de Chateaubriand ait pu obtenir la moindre faveur. Mais n'anticipons pas sur les événements*.

En 1808, arrivèrent les affaires d'Espagne; Joseph couronné roi d'Espagne en avril de cette année 1808. — Entrevue de Bonaparte et d'Alexandre en septembre 1808 — Entrée de l'abbé de Fanson (?)[84] au séminaire après avoir été chambellan; il vient nous voir à la Vallée; il veut convertir, dans le chemin, des paysans qui se moquent de lui et veulent le battre.

1808. – Vers le mois de juillet (ou juin), M. de Chateaubriand tomba tout à fait malade, nous revînmes à Paris loger à l'hôtel de Rivoli, place du Carrousel, où commençait la rue de Rivoli. Cette maladie fut longue et extrêmement douloureuse; ce fut quelque mois avant ou peu de temps après que Girodet fit le portrait en pied de mon mari; il avait encore le teint fort jaune, ce qui faisait croire que ce portrait, d'ailleurs si ressemblant, a poussé au noir, ce qui arrive aux tableaux de Girodet[85], et ce qui fit dire à Bonaparte, qui vit le portrait au Salon, qu'il (Chateaubriand) avait l'air d'un conspirateur qui descend dans la cheminée[86].

Aussitôt que mon mari se trouva mieux, nous regagnâmes notre retraite et nous y passâmes le reste de l'année. Nous achevâmes de planter notre jardin et nous fîmes quelques additions à notre chaumière. Nous l'embellîmes entre autres d'un portique avec deux belles colonnes de marbre noir pur et deux cariatides dont les torses sont antiques[87]. Nous avions encore beaucoup d'ouvriers, qui presque tous couchaient dans la maison, lorsqu'une nuit nous entendîmes des plaintes, qui semblaient venir des chambres des domestiques : je crus que c'était ma femme de chambre qui était malade; je montai chez elle et je la trouvai en effet décomposée; elle était assise sur son lit. Aussitôt qu'elle me vit, elle fit une grimace et jeta un cri qui me fit reculer et prendre la fuite, la croyant folle. Dans l'escalier[88], je rencontrai sa tante qui lui apportait des serviettes chaudes et qui me dit que ce n'était qu'une colique d'estomac. Un des peintres, qui couchait dans le même corridor et qui était accouru au bruit, lui disait : « Ce n'est rien, mademoiselle, ce n'est qu'une colique de peintre. C'est l'odeur qui vous aura fait mal. » La voyant plus tranquille et bien soignée, j'allais me remettre dans mon lit quand M. de Chateaubriand me cria de sa chambre : « Ah! voilà le poupon qui passe dans l'escalier, je l'entends crier. » En effet, j'ouvre la porte et j'aperçois Marianne (la tante) qui dégringolait l'escalier. Je la suis et, en arrivant après elle chez le jardinier, je vois dans le même lit le jardinier, sa femme, une négresse, cuisinière d'un de nos voisins, qui était venue de la ville et qui avait peur chez elle; enfin un bambino naissant, noir comme de l'encre et presque étranglé, et au pied du lit la pauvre Marianne plus morte que vive et pleurant à chaudes larmes. Je sortis, réservant ma morale pour le lendemain. On soigna la mère et l'enfant et, lorsque le marmot fut vêtu et baptisé, nous l'envoyâmes aux Enfants-Trouvés. Pendant que la jardinière faisait sa toilette, elle me disait : « Ah! c'est bien mal à Mlle Victoire; ce n'est pas, la pauvre chère demoiselle, qu'elle ait eu tort de faire un enfant, tout le monde en fait. C'est probablement avec son prétendu; moi, j'en avais deux quand j'ai épousé

Benjamin et j'ai toujours été une honnête femme, mais il fallait le dire à Madame et ne pas lui manquer ainsi; voilà une belle nuit que passe Madame! » Telle est, si l'on peut s'exprimer ainsi, la candeur du vice dans le peuple de Paris, surtout de celui de la campagne aux environs. Depuis bien longtemps on n'avait pas d'idée à Châtenay d'une fille qui le fût le jour de ses noces.

1809. — Le pape Pie VII fut enlevé du Vatican dans la nuit du 5 au 6 juillet 1809 et ensuite mené à Fontainebleau[89], où Bonaparte ne le vit pas avant le mois de janvier 1813. Il était accompagné de l'impératrice Marie-Louise.

A la fin de l'été [1808][90], M. de Chateaubriand, ayant achevé les *Martyrs*, voulut, pour en surveiller l'impression, passer l'hiver à Paris. Nous louâmes, pour trois mois, un appartement rue Saint-Honoré, au coin de la rue Saint-Florentin, chez une marchande de crème*. Ce fut dans cette maison, qu'un an auparavant, chez Mme de Las-Cases[91], je fis la connaissance de la duchesse de Duras[92].

1809. — Vers le mois de..., nous apprîmes que notre cousin Armand de Chateaubriand[93] avait été arrêté sur les côtes de Bretagne et qu'il était déjà depuis treize jours en prison à Paris; il revenait d'Angleterre, chargé des dépêches des princes. Malgré sa répugnance, mon mari demanda une audience à Fouché et se rendit chez lui avec Mme de Custine[94] qui le connaissait beaucoup. Fouché nia que notre cousin fut arrêté, qu'il n'y avait personne en prison portant le nom de Chateaubriand : il jouait sur les mots : Armand ayant été pris sous un autre nom[95]. Fouché le trompa aussi longtemps qu'il put* et plus tard, quand il fut obligé d'en convenir, il nous dit qu'il nous l'avait caché parce que lui-même n'était pas sûr que le détenu fût M. de Chateaubriand. Il n'était déjà plus temps de sauver ce malheureux jeune homme : il fut condamné. Mon mari écrivit à Bonaparte pour lui demander justice ou grâce pour son cousin[96]. Bonaparte balança; mais, comme quelques expressions de la lettre l'avaient, dit-on, choqué, il répondit : « Chateaubriand me demande justice, il l'aura » et, Fouché ayant fait presser l'exécution, il fut fusillé le lendemain, jour du Vendredi-Saint (à quatre heures du matin), dans la plaine de Grenelle. Son parent, M. de Gouyon de Saint-Loyal, périt avec lui. Ils avaient été arrêtés ensemble avec un monsieur de Boisé-Lucas qui obtint sa grâce on ne sait comment, car il était le plus coupable; il n'avait à Paris ni parents, ni amis, qui pussent plaider pour lui auprès de Bonaparte, il fut accusé d'avoir vendu ses camarades, mais la chose n'a pas été bien prouvée*. Pasquier vint nous voir le jeudi : il fut bien, nous devons lui rendre justice; il fit ce qu'il put, mais il ne put rien.

Mon mari fut averti du moment de l'exécution, mais à 5 heures seulement. Quand il arriva sur la place de Grenelle, son malheureux cousin avait déjà payé sa dette à la fidélité; il était encore palpitant et couvert du sang qu'il venait de répandre pour les Bourbons[97]. Déjà, un autre Chateaubriand, le frère de mon mari, le petit-fils de M. de Malesherbes, avait péri pour la même cause[98]. Tous les deux ont laissé des enfants, héritiers de leur dévouement à la Légitimité. Et, à la Restauration, ces enfants n'ont pu obtenir, je ne dirai pas une grâce, mais une justice d'une famille pour laquelle ils auraient donné et donneraient encore leur vie[99].

Le nom de Chateaubriand semble être odieux aux Bourbons; il est vrai qu'on n'a jamais eu un reproche réel à lui faire. Si un Chateaubriand eût coupé des têtes au lieu de porter la sienne sur l'échafaud, il eût trouvé, comme Fouché, honneur et grâces auprès de la royale famille. Jamais le comte Louis de Chateaubriand[100], fils du frère aîné de mon mari, n'a pu obtenir une place de simple gentilhomme de la Chambre, tandis qu'on jetait ces places au nez de tous les révolutionnaires les plus bas et les plus obscurs. Car n'allez pas croire que la Restauration allât chercher dans l'opposition ce qu'on appelle des hommes spéciaux [101]: Decazes[102], Cappelle[103], Pastoret[104], l'un favori du Roi, l'autre ministre et le troisième chancelier, étaient des hommes dont le nom n'était pas prononcé sous l'empire, hors la société congréganiste*. Les premiers révolutionnaires furent placés par les Bourbons, parce qu'ils se firent craindre, les derniers parce qu'ils se firent saints; ceux-ci furent les enfants de la Congrégation[105] dont le maréchal Soult[106] fut l'écolier le plus distingué.

Pendant le procès du malheureux Armand, l'impératrice Joséphine et la reine Hortense firent tout ce qu'elles purent pour le sauver et, en général, hors le cardinal Fesch, toute la famille fut admirable ainsi que presque toutes les personnes de l'opinion contraire à la nôtre[107]. Il n'en fut pas ainsi parmi ceux qui auraient dû être nos amis : peu furent bien, beaucoup furent abominables et, par une noblesse de sentiments toute particulière aux Français depuis la Révolution, aussitôt que les *Martyrs* parurent (et ce fut pendant le procès), les articles de critique plurent sur l'ouvrage. Dans ces critiques, on faisait ressortir autant que possible tout ce qui pouvait irriter le maître contre mon mari et, par conséquent, contre celui de sa famille qui gémissait encore en ce moment dans les fers*. Hoffmann[108], qui écrivait dans le *Journal de l'Empire* (aujourd'hui *[Journal] des Débats*[109]), fut un de ceux qui se montrèrent les plus hostiles et les plus atroces; notez qu'en lisant l'ouvrage, il convenait qu'il n'avait rien lu, selon lui, d'aussi beau. Mais il avait des ordres* et cette conduite, de la part d'un homme comme Hoffmann, ne devait pas surprendre; mais nous vîmes des gens, se disant royalistes, des prêtres même, sous le prétexte que les *Martyrs* n'étaient pas tout à fait exempts de censure ecclésiastique, qui se mirent à en dire pis que pendre; c'était une manière un peu hypocrite de faire sa cour. Le plus zélé détracteur du plus bel ouvrage de mon mari fut un nommé Rusan ou Baussé, libraire à Lyon[110], qui sous l'enveloppe de ses pamphlets contre M. de Chateaubriand, faisait passer ses pamphlets contre Bonaparte. Ensuite, je le dis à regret, M. l'abbé Hippolyte de Clausel, aujourd'hui évêque de Chartres[111], frère de notre meilleur ami : il était alors grand vicaire d'Amiens et il pensa, avec raison, que ses pieuses diatribes lui vaudraient la croix d'honneur : il reçut effectivement, quelque temps après, cette insigne faveur. Ce fut, je crois, dans le même temps ou M. l'abbé de Broglie (depuis évêque de Gand) refusa la même grâce à cause du serment qui y était attaché[112].

Pendant le temps du proccès de notre cousin, M. Michaud[113] (l'auteur du *Printemps d'un proscrit*), vint nous proposer ses bons offices auprès d'Hulin, commandant de Paris et l'un des assassins du duc d'Enghien[114]. Nous fûmes fort étonnés de ses rapports avec cet homme*, mais, par le genre de services qu'il pouvait nous rendre auprès de lui, il était clair qu'il était employé dans la Police que Bonaparte faisait faire à tous ceux qui le servaient : le commandant de Paris avait ses mouchards comme le préfet de Police. Après cela, il est à présumer que M. Michaud n'était pas de bonne foi dans le métier qu'il faisait et qu'il croyait, par cette ruse, servir son parti. Mais de toutes les manières de faire le bien, c'est la seule qu'un honnête homme ne devrait jamais employer.

Ce fut au mois de mai de cette année que je fis la connaissance de la duchesse de Lévis[115] et de la duchesse de Châtillon (depuis Mme de Bérenger[116]).

A la fin de mai, nous retournâmes à la campagne, où M. de Chateaubriand s'occupa de son *Itinéraire*. Nous voyons souvent à la Vallée la duchesse de Laval[117]. C'était une singulière femme; elle avait des jours où elle était presque imbécile et d'autres où elle était presque spirituelle; elle écrivait, du reste, d'une manière charmante. Nous avions chaque jour le plaisir d'apprendre que quelques-uns de nos amis avaient été grossir la cour de Bonaparte. Mme de Coislin elle-même se mit en tête de se faire nommer grande-maîtresse. Elle fit insinuer tant qu'elle put à l'Empereur de la forcer, mais il n'aimait pas les vieilles femmes, et elle fut obligée de rester dans l'opposition.

En quelle année Zélie[118] se marie-t-elle? On veut faire épouser à Louis, Mlle de Rohan et Mlle de Montmorency*. Dans le courant de l'été, nous fûmes comme de coutume passer quelques jours à Méréville, ensuite à Verneuil, chez Mme de Tocqueville[119], d'où nous allâmes au Mesnil chez M. de Rosanbo[120], à Champlatreux chez Molé, au Marais chez Mme de [la] Briche[121], et plus tard à Noyel (?), chez la duchesse de Lévis, avec laquelle, je suis restée si tendrement liée jusqu'à sa mort arrivée le 30 ou 31 octobre 1819*. Cette vie de château était fort agréable et fort à la mode sous Bonaparte, où une partie de la société, celle qui n'allait point à la nouvelle cour, passait neuf mois de l'année à la campagne. Sous l'Empire, les réunions étaient possibles : on pouvait être d'opinion contraire sans s'arracher les yeux, de sorte que nous sommes trouvés nombre de fois réunis, par exemple à Champlatreux et au Marais, avec ce qu'il y avait de plus bonapartiste. Sous la Restauration, il n'en a pas été de même : chacun avait la prétention d'être royaliste et surtout que son voisin ne le fût pas; de là des nuances sans fin, de la manière dont on devait servir le Roi. En général, ce furent les anciens bonapartistes et les révolutionnaires qui prirent la bonne et qui surent, en partageant la manie d'absolutisme des Bourbons, leur plaire et obtenir toutes les places[122]. Mais il en résultait des querelles sans fin dans les salons et un ultra ne pouvait pas se trouver avec ce qu'il appelait un libéral. Ce nom était donné à tout ce qui voulait qu'on tînt ce qu'on avait promis : M. de Chateaubriand, par exemple, et Fitz-James[123], et Hyde de Neuville, étaient des jacobins; mais Fouché, Decazes et Soult étaient des royalistes.

Pendant l'été de 1810 (nous étions absents), notre jardinier de la Vallée reçut une singulière visite. Voici ce qu'il nous raconta à notre retour : « Un monsieur (pas trop élégant) vint un jour me demander à voir la maison de Monsieur; il avait avec lui un autre monsieur, grand et beau et qui était bien mieux habillé. Cependant il n'était pas le maître et, pendant que le premier postillonnait dans le jardin, celui-ci ne s'approchait de lui que lorsqu'il l'appelait. Le petit homme allait si vite que nous ne pouvions pas le suivre. Quand il fut près de la tour, il se mit à croiser les bras et à regarder la belle vue. Monsieur, il n'en pouvait pas revenir, car il a dit à son camarade : " Chateaubriand n'est pas trop malheureux ; je me plairais fort ici*. Mais je ne sais pas s'il voudrait me faire les honneurs de son château. " Ensuite il monta dans la tour et il me dit que je pouvais m'en aller parce qu'il voulait se promener encore. Ils firent plusieurs fois le tour du jardin et, en sortant, me donnèrent cinq napoléons pour ma peine. Ma foi, monsieur, j'ai pensé que c'était Bonaparte[124]!

« Le soir, en allant fermer la tour, j'ai trouvé au bas une branche de laurier piquée dans un peu de terre fraîchement remuée; j'ai fouillé et j'ai trouvé un gant de peau jaune, tout neuf, que j'ai gardé. » Effectivement, Benjamin nous apporta ce gant que nous avons longtemps conservé.

1811. – Au mois de janvier 1811, nous revînmes à Paris où nous restâmes jusqu'au mois de mars seulement. Nous avions pris un logement dans la rue des Capucines[125].

Je ne me rappelle plus à quelle époque M. de Chateaubriand imprima son *Itinéraire*[126].

L'été de 1811 se passa comme les autres. Le matin, M. de Chateaubriand travaillait; moi je recevais tous les amis de Paris qui venaient nous faire de fréquentes visites; il était rare que nous n'eussions personne à dîner. La distance était trop petite pour qu'on ne vînt pas nous voir souvent et trop grande pour qu'on ne passât pas au moins la journée. Il n'y a rien de plus agréable, mais en même temps de plus dispendieux, qu'une campagne à deux lieues de Paris.

Au commencement de l'hiver, nous louâmes un appartement, appartenant à Alexandre Laborde, dans la rue de Rivoli[127]. Vers ce temps-là M. de Chateaubriand commença à se sentir fort souffrant de palpitations et de douleurs au cœur, ce que plusieurs médecins, qu'il consultait en secret, attribuèrent à un commencement d'anévrisme.

1812. – Nous restâmes à Paris jusqu'au mois de mai; de retour à la campagne, les palpitations de M. de Chateaubriand augmentèrent au point qu'il ne douta pas que ce fût vraiment un mal auquel il devait bientôt succomber. Comme il ne maigrissait pas et que son teint restait toujours le même, j'étais convaincue qu'il n'avait qu'une affection nerveuse. Cela ne m'empêchait pas d'être horriblement inquiète; je ne cessais de le supplier de voir le docteur Laënnec[128], le seul médecin en qui j'eusse de la confiance*. Enfin, un soir, Mme de Lévis, qui était venue passer la journée à la Vallée, le pressa tant qu'il consentit à profiter de sa voiture pour aller à Paris consulter Laënnec. Je le laissai partir, mais mon inquiétude était si grande, qu'il n'était pas à un quart de lieue que je partis de mon côté et j'arrivai quelques moments après lui. Je me cachai jusqu'au résultat de la consultation. Laënnec arriva : après une longue consultation, où il ne diminua pas ses maux, le docteur lui dit qu'il n'avait rien; M. de Chateaubriand eut beau lui faire l'énumération de ses souffrances, il n'en démordit pas et ne voulut jamais rien ordonner, sinon de prendre son chapeau et d'aller se promener.

— « Mais enfin, disait mon mari, si je mettais quelques sangsues? — Si cela peut vous faire plaisir, vous le pouvez, mais je vous conseille de n'en rien faire*. » Je ne puis dire ce que je souffris jusqu'à son départ. Je le guettai au passage et lui demandai ce qu'avait mon mari : « Rien du tout », me répondit-il et là-dessus il me souhaita le bonsoir et s'en alla. En effet, cinq minutes après, j'entendis le malade enchanté et guéri*, qui descendait l'escalier en chantant et se mit à rire de la cour que MM... et ... avaient voulu lui faire en l'enterrant tout vivant*; et quand il rentra vers 11 heures, il fut enchanté de me trouver là pour me raconter que Laënnec trouvait son mal si alarmant qu'il n'avait pas même voulu lui ordonner les sangsues; il n'avait qu'une petite douleur rhumatismale. M. ..., qu'il rencontrait chez Mme de Duras avait un anévrisme des plus caractérisés et, l'imagination s'en étant mêlée, une douleur, à laquelle M. de Chateaubriand n'aurait pas fait attention dans un autre moment, pensa lui causer une maladie réelle.

Naissance du Roi de Rome, le 20 mars.

Ce fut vers l'année 1812, je crois, que l'abbé Frayssinous[129] commença ses conférences à Saint-Sulpice, elles eurent beaucoup de succès, mais elles n'ont pas soutenu l'impression. L'abbé Frayssinous fut fait conseiller [ou] seulement inspecteur de l'Université et reçut la croix d'honneur. Seulement, à la rentrée du Roi, il donna sa démission d'inspecteur, ne trouvant pas sous les Bourbons assez convenable la place qu'il avait sollicitée sous l'Empire.

Ce fut, je crois, dans cette année (1812) que se forma ce qu'on a appelé depuis la Congrégation. Les Jésuites avaient reparu sous le titre de Pères de la Foi; leur supérieur était un vieil abbé de Clorivière[130] qui avait été longtemps curé de Paramé, près Saint-Malo. Il était oncle de Mmes Desiles et fut assez gravement compromis dans le procès de Mlle de Cicé[131] relatif à la Machine Infernale.

En général les sociétés secrètes sont composées de fanatiques, qui cherchent souvent dans l'Écriture même des exemples de persécutions, ou d'hypocrites qui prennent le chemin de la religion pour arriver à la puissance; peu veulent sûrement le bien*.

M. l'abbé Delpuits[132], de l'ordre des Jésuites, en posa la première pierre, et M. de Montmorency[133], de Noailles[134] (Alexis) et Rivière[135], en furent les premiers chefs. L'abbé Delpuits, homme éclairé, vraiment zélé pour le bien des âmes, point tripoteur (dit-on) et d'ailleurs fort vieux à cette époque, faisait chez lui des espèces de conférences qui attirèrent beaucoup de ces jeunes gens déjà à demi convertis par celles de l'abbé Frayssinous. Peu à peu ces jeunes gens en attirèrent d'autres* : ces discours se transformèrent en exhortations journalières qui attirèrent, en hommes (les femmes en étant exclues), un nombreux auditoire. Les uns venaient à ces sermons pour s'instruire et s'édifier, les autres par curiosité* et par esprit de critique; mais tous finirent par y trouver leur profit, les uns y voyaient un moyen de salut, les autres de se mettre sous une protection puissante, car celle des Pères de la Foi l'était déjà beaucoup, étant protégés par le cardinal Fesch[136]. Mais presque tous finirent par former sous le patronage des chefs déjà cités*, une association qui devait par la suite avoir un résultat bien funeste à la monarchie des Bourbons. Elle fit d'abord du bien parce qu'on n'y était conduit que par l'amour du bien; mais depuis, se trouvant sous les Bourbons un foyer de grâces et de faveurs à cause des hommes de cour qui la dirigeaient, elle devint l'entrepôt de tous les intrigants et de tous les hommes sans conscience, qui y voyaient un chemin facile et sûr pour arriver.

Cependant cette Congrégation[137] ne fut réellement jusqu'au retour des Bourbons, qu'une réunion pieuse où l'ambition ne faisait pas la principale base; ses chefs alors n'étaient pas puissants dans le gouvernement. A la mort de l'abbé Delpuits, le père Ronsin[138] lui succéda; comme son prédécesseur, il ne croit faire des prosélytes que pour la gloire de Dieu; mais il ne sait pas que partout où il y a société secrète, là peut se glisser tout ce qui craint le grand jour et que ce qui était bon sous Bonaparte, pour créer des hommes monarchiques et religieux, ne valait plus rien sous les Bourbons, qui laissaient aux prêtres toute liberté de prêcher dans leur paroisse, et ils n'avaient pas besoin de se cacher pour dire toutes les vérités qu'ils prétendaient n'être bien comprises que dans les souterrains des Missions-Étrangères[139]. Le plus grand mal, qui est résulté de cette Congrégation, est que tous ceux qui ne voulaient point en être, étaient signalés comme des impies et l'on s'opposait de toute la force du corps [pour] les empêcher d'occuper aucune place. Les honnêtes gens se contentaient de leur conscience et se soumettaient à une défaveur qu'ils n'avaient pas méritée, mais ceux qui avaient moins de délicatesse ou qui mouraient de faim, voyant qu'il n'y avait pas d'autre moyen d'arriver, se jetaient corps et âme dans la Congrégation. Il y en avait (et nous en avons connu) qui, sans croire en Dieu et volant sur les cheminées, communiaient tous les jours et passaient leurs matinées à l'église. Mais nous en reparlerons en temps et lieu.

Je ne me rappelle pas en quelle année Bonaparte permit la réunion des Pères de la Foi, ni à quelle occasion il les chassa. Le cardinal Fesch était leur plus zélé protecteur et il les soutint jusqu'à se brouiller presque avec son neveu pour eux. Mais ce fut je crois, avant leur chute qu'il s'établit à Amiens (en 18...)[140] ce couvent dit alors des Dames de la Foi. Les Pères de la Foi y avaient leur maison de Saint-Acheul[141]. Mme de Beaudemont[142], aujourd'hui prieure du couvent de Saint-Denis à Rome, en fut la première supérieure générale; mais le Père Barat[143], jésuite et supérieur de la maison, voulut* mettre sa cousine, Mlle Barat (vigneronne) à la tête de la communauté, sous le titre de supérieure générale (à vie[144]); mais c'était une personne de mérite et de tête, elle a, comme on le voit, conduit sa maison au plus haut point de prospérité et à l'aide, comme à l'exemple de ses pieux fondateurs, créé des communautés dans presque toutes les villes de France, dans plusieurs en Italie et jusqu'à la Nouvelle-Orléans. Mme de Beaudemont fut donc, sinon renvoyée, du moins abreuvée de tant de dégoûts qu'elle fut obligée de se retirer. Quelque temps après elle fut à Rome où elle établit le Monastère de Saint-Denis, qu'elle gouverne encore (1832) avec un zèle et une piété peu commune.

D'Amiens, les Dames de la Foi vinrent s'établir à Paris dans une grande maison rue de l'Arbalette où sont aujourd'hui les Dames Augustines[145], [et], où elles commencèrent par faire une dépense effroyable, inutile pour le peu de temps qu'elles y restèrent. Où prenaient-elles l'argent? Les Jésuitesses comme les Jésuites n'en ont jamais manqué. Leur couvent, dirigé par les bons Pères*, devint bientôt à la mode; elles caressaient alors le gouvernement impérial, comme elles ont flatté depuis le gouvernement royal*. Leur communauté, composée d'abord de personnes prises dans la plus basse classe, se recruta bientôt par des personnes de la société. Mlle Eugénie de Grammont[146] y prit le voile en 18... et, quelque temps après, sa mère la comtesse de Grammont et sa seconde fille la suivirent. Plus tard elles firent une excellente acquisition dans Mme de Marbeuf[147], riche, d'une grande naissance et fort intrigante. Leur couvent de la rue de l'Arbalète venait à peine d'être achevé qu'elles ne le trouvèrent plus digne d'elles et, après y avoir dépensé des sommes énormes, fruits des aumônes qui auraient suffi pour faire vivre une légion de pauvres et rétablir tant de pauvres couvents dont les vieilles religieuses mouraient de faim sur le pavé de Paris, mesdames de la Foi achetèrent le superbe hôtel de Biron, rue de Varennes[148] pour la somme de 35 000 francs. Cette acquisition ne fut faite, à ce que je crois, qu'à la rentrée des Bourbons et Louis XVIII en a payé une grande partie. Elles prirent alors le titre de Dames du Sacré-Cœur. Elles eurent un grand nombre de pensionnaires, payant d'énormes pensions et qui étaient, à la grande satisfaction des parents, élevées dans l'amour des richesses et des honneurs. La hauteur de ces petites filles est telle, que, à la mort de Louis XVIII, elles se battirent, parce que les filles de pairs prétendaient qu'elles seules avaient le droit de porter le deuil.

Les dépenses recommencèrent à l'hôtel de Biron, des sommes immenses furent employées à réparer et surtout à gâter les appartements : à de superbes boiseries qu'on trouva trop anciennes, on substitua des papiers et des tentures. La chapelle surtout fut un objet de luxe incomparable. Le Roi en fit presque [tous] les frais, pressé par Mme du Cayla[149] et Mme de Villèle[150], qui avaient leurs filles au Sacré-Cœur et qui protégeaient beaucoup ce couvent. On voulut aussi forcer M. de Chabrol[151], alors préfet de Paris, à payer (sur les fonds de la ville), quelque cent mille francs pour acquitter les dettes de la communauté. (C'est M. de Chabrol qui me l'a dit lui-même).

Le Sacré-Cœur ne s'est pas fondé comme presque tous les autres couvents dans la pauvreté et l'humiliation* et les filles du Père Barat, qui veulent, à l'exemple des filles de Saint-Vincent-de-Paul, avoir des maisons partout, n'élèveront jamais que des monuments à la vanité au lieu de ces pieux asiles ouverts à la charité et desservis par la charité même.

En 1828 Mesdames du Sacré-Cœur voulurent s'établir à Rome[152], elles y réussirent par une intrigue dont je vais parler, pour ne plus revenir sur une congrégation que, malgré la mode et la flatterie, je ne crois pas destinée à se fonder (?), parce que je suis convaincue qu'il n'y a que les associations élevées dans un esprit vraiment humble et religieux qui puissent élever des monuments durables à la religion*.

(Ici, deux pages blanches dans le manuscrit A; en haut de la seconde on lit :)

Ne pas oublier d'opposer au Sacré-Cœur les couvents des Dames de Saint-Thomas-de-Villeneuve, excellentes pour élever la jeunesse de tous les rangs; il n'y a que Mme la Dauphine qui ait eu le bon esprit de confier aux Dames de Saint-Thomas les trente jeunes filles des chevaliers de Saint-Louis qu'elle faisait élever à ses frais; la Congrégation, des Filles de l'Institut de Saint-Vincent-de-Paul et tant de vieilles et utiles institutions négligées pour cet ordre nouveau, qui est venu enlever toutes les aumônes qu'on aurait faites à des congrégations bien plus anciennes et bien plus utiles[153].

(Au bas de la page, on lit cette note :)

C'est dans un cahier à part que se trouve un petit travail sur quelques couvents mis en opposition avec celui du Sacré-Cœur.

Préparatifs de la guerre de Russie, mai 1812. — La conspiration de Malet[154] éclata le 23 novembre 1812. — Ma peur de la conscription. — L'armée est à cette époque de onze cent quatre-vingt-sept mille hommes. — L'Empereur part pour l'armée de Russie, le 9 mai 1812.

CHAPITRE 3

1812-1814

Nous passâmes à Paris l'hiver de 1813 dans l'appartement que nous avions loué dans la rue de Rivoli. Nos soirées étaient fort agréables, M. de Fontanes et M. de Humboldt[155] étaient nos deux plus fidèles habitués. Nous voyions aussi Pasquier et Molé, qui servaient bien Bonaparte en attendant les Bourbons, dont ils espéraient bonne récompense qu'ils n'ont pas manqué d'obtenir; pour Fontanes, rien n'était plus amusant que son amour (sincère) pour l'Empereur, combattu par ses bons sentiments pour les Bourbons; son envie d'être courtisan et son impossibilité de l'être. Sa loyauté dans la discussion, même quand elle était en opposition avec ses opinions politiques, le faisait aimer des plus antibonapartistes, comme par exemple M. de Chateaubriand, qui passait sa vie avec lui et qui n'a pas encore cessé de le regretter. Fontanes, l'homme qui ait eu peut-être le goût le plus sûr, était quelquefois d'une folie sans égale dans ses jugements littéraires[156] et cela arrivait quand il avait lu dans un auteur, quelque mauvais qu'il fût du reste, quelques lignes qui l'eussent charmé. Je l'ai vu, par exemple, mettre Picard fort au-dessus de Molière. Il plaidait la cause de son héros pendant une soirée entière et quelquefois, en s'en allant, il remontait l'escalier pour venir ajouter une preuve à l'appui de son opinion. Mais pendant qu'il s'enivrait de ses paroles, si quelqu'un venait à être de son avis, il riait et lui demandait ce qu'il trouvait de beau dans ce qu'il venait d'élever aux nues lui-même.

Comme je l'ai dit, sous Bonaparte, toutes les opinions se supportaient, nous vivions alors également bien, ou du moins avec la même bienveillance, avec les partisans du pouvoir impérial comme avec les partisans de la légitimité. Il n'en a pas été de même sous les Bourbons où l'on s'arrachait les yeux pour la plus petite nuance dans les opinions.

Bonaparte et les Bourbons aimaient également le despotisme; mais il était supportable chez l'un parce qu'il lui était naturel; il savait se faire obéir et imposer silence aux partis; tandis que chez les autres, ce n'était qu'une volonté sans puissance d'exécution*. L'Empereur disait : « Je veux la liberté » et il l'enchaînait; Charles X disait : « Il faut l'absolutisme » et il déchaînait la liberté : n'est pas despote qui veut.

Bonaparte avait en horreur les écrivains qui vantaient le pouvoir absolu : aussi traita-t-il de Marat[157], M. de Bonald[158] qui, visant à la place de gouverneur du Roi de Rome, s'avisa de proclamer son *dada* des trois pouvoirs[159]. Du reste j'avoue que, depuis ce moment, j'ai méprisé cet homme du reste de plein talent. Sous l'Empereur dont la volonté envoyait chaque année un million d'hommes à la mort et qui avait précipité le duc d'Enghien dans les fossés de Vincennes, il n'était pas permis de chanter le despotisme : ce n'était plus une opinion, ce n'était qu'une lâcheté.

Dès le mois d'avril, nous retournâmes dans notre chère Vallée où souvent Pasquier (alors préfet de Police) venait nous voir, honneur qu'il n'aurait pas osé faire à un exilé sous les Bourbons. Mais tout en visitant ses amis, il n'oubliait pas son métier de premier mouchard : ainsi, je le trouvai un jour, lisant un manuscrit de M. de Chateaubriand qu'il avait déniché sous un sopha[160] : c'était, je crois, *l'Itinéraire*.

Nous continuâmes à voir tous nos amis de l'un et de l'autre bord; quelquefois, cependant, nous trouvions insupportable d'entendre des préfets[161], des grands juges[162] et des chambellans de Bonaparte se traiter de monarchiques et appeler jacobin tout ce qui ne pliait pas sous la royauté corse.

Au surplus il en a été de même sous les Bourbons; M. Decazes et compagnie (voire même Fouché) traitaient de libéraux Monsieur[163] même et les siens, parce qu'ils étaient, disait-on, dans l'opposition et, plus tard, Monsieur, devenu Roi, et ses amis d'alors revendiquaient les mêmes épithètes pour les siens d'autrefois, qui n'étaient pas toujours de l'avis du moment et qui voulaient rester fidèles au serment qu'ils avaient prêté entre les mains de Charles X. Enfin, aujourd'hui, M. Thiers[164] et M. Guizot[165] de libérale mémoire, joints à M. Barthe[166] le carbonaro, traitent de carbonari[167] les ennemis de leur royauté citoyenne.

1813. — Nous revînmes à Paris au mois d'octobre. L'étoile de Bonaparte commençait à pâlir, aussi entendait-on déjà quelques murmures dans la Chambre des Députés, même dans celle des Pairs[168] et ces deux pouvoirs, muets pendant douze ans ou ne rompant le silence que pour applaudir aux volontés comme aux crimes du maître, se préparaient au courage, pour le combattre au moment de sa chute. Telle fut la conduite de la Chambre des Députés après les désastres de la Bérésina.

La bataille des 18 et 19 octobre en 1813, à Leipsick, décida de la campagne : pendant deux jours, cinq cent mille hommes s'égorgèrent avec une fureur qui n'a pas d'exemple.

Six semaines après, le bulletin du 3 décembre annonça les malheurs de la Bérésina.

1814. — Pendant que toutes ces scènes se passaient et au moment où la puissance de l'Empereur (fléau de Dieu)[169] allait expirer aux bornes de l'Asie, M. de Chateaubriand écrivait sa brochure : *De Buonaparte et des Bourbons*[170]. Si cette brochure avait été saisie, le jugement n'était pas douteux : la sentence était l'échafaud. Cependant l'auteur mettait une négligence incroyable à la cacher; souvent, quand il sortait, il l'oubliait sur sa table; sa prudence n'allait jamais au-delà de la mettre sous son oreiller, ce qu'il faisait devant son valet de chambre, garçon fort honnête, mais qui pouvait se laisser tenter. Pour moi, j'étais dans des transes mortelles; aussi, dès que M. de Chateaubriand était sorti, j'allais prendre le manuscrit et je le mettais sur moi. Un jour, en traversant les Tuileries, je m'aperçois que je ne l'ai plus et, bien sûre de l'avoir senti en sortant de chez moi, je ne doute plus de l'avoir perdu en route; je vois déjà le fatal écrit entre les mains de la police et M. de Chateaubriand arrêté; je tombe sans connaissance au milieu du jardin, de bonnes gens m'assistèrent, ensuite me reconduisirent à la maison dont j'étais peu éloignée. Quel supplice, lorsqu'en montant l'escalier, je flottais dans une crainte qui était presque une certitude et un léger espoir d'avoir oublié de prendre la brochure! En m'approchant de la chambre de mon mari, je me sentais de nouveau défaillir; j'entre enfin : rien sur la table, je m'avance vers le lit, je tâte d'abord l'oreiller, je ne sens rien, je le soulève, je vois le rouleau de papier : le cœur me bat chaque fois que j'y pense : je n'ai jamais éprouvé un tel moment de joie dans ma vie. Certes, je puis le dire avec vérité, il n'aurait pas été si grand si je m'étais vue délivrée au pied de l'échafaud, car enfin c'était quelqu'un qui m'était bien plus cher que moi-même que j'en voyais délivré[171].

1814. — Dans son exil, Bonaparte disait que cette brochure *De Buonaparte et des Bourbons* avait fait plus de bien aux Bourbons qu'une armée de cent mille hommes[172]. Qui croira donc qu'à la rentrée de ces mêmes Bourbons, elle fut un des prétextes dont on se servit pour payer, par la plus noire ingratitude, la fidélité de mon mari et les services qu'il venait de rendre à la Restauration[173]? Un mot[174] de cette brochure avait déplu à M. Pozzo di Borgo[175] et on lui sacrifiait l'auteur.

Mars 1814. — Cependant l'homme qui avait soumis le monde, qui avait, comme il le disait lui-même, des rois dans ses antichambres, celui qui, le 1er janvier 1814, disait encore au Sénat : « C'est moi qui suis le trône et la France », cet homme du destin, au 1er mars[176] 1814 n'avait plus de trône.

20 mars 1814[177]. — Enfin le 20 mars arriva. Ce jour devait être pour nous un jour de délivrance : ce fut celui d'un mécompte complet; il fut suivi de vexations, d'autant plus pénibles qu'elles faisaient autant la joie que l'étonnement des ennemis.

Aussitôt qu'on eut la certitude que le lion était enchaîné et que les souverains entraient à Paris, il n'y eut pas assez de cris pour maudire celui qu'on avait encensé; chacun, en allant au-devant des étrangers, semblait revenir de Coblentz. L'hôtel de Talleyrand[178] fut préparé pour recevoir l'empereur de Russie dont on composa la cour de MM. Pasquier, Molé et compagnie. Là fut le rendez-vous de tous les royalistes improvisés que le bon Empereur prit pour argent comptant : Pasquier, Pastoret, Molé étaient à l'avant-garde de toutes les parades du moment et chacun savait par eux que le prince de Bénévent, en changeant de maître, ne serait obligé de changer ni de rôle ni de langage; que l'ex-évêque d'Autun ne serait pas plus obligé à la messe sous les Bourbons que sous Bonaparte et qu'il serait aussi bon ministre sous la Restauration qu'il l'avait été sous l'Empire. Mme de Talleyrand[179] (femme divorcée de M. Grant) parcourait les rues dans une calèche découverte en chantant des hymnes à la louange de la pieuse famille des Bourbons; elle avait fait ainsi que les dames de sa suite autant de drapeaux de leurs mouchoirs qu'elles agitaient avec une grâce infinie. Cinquante calèches suivaient et imitaient le mouvement donné; de sorte que les Alliés, qui arrivaient en ce moment sur la place Vendôme, crurent qu'il y avait réellement autant de lys dans le cœur des Français que de drapeaux blancs en l'air. Presque toutes les dames de la cour de Bonaparte suivirent cet exemple, de sorte que ces bons Cosaques n'auraient jamais osé croire que les belles bourbonniennes du 30 mars étaient des enragées bonapartistes le 29 : il n'y a qu'en France qu'on sait si bien se retourner[180]. Voyant donc un enthousiasme qu'ils crurent général, les Alliés se décidèrent à faire proclamer les Bourbons. Ainsi, dans le vrai, Louis XVIII a dû à peu près sa couronne au parti de l'usurpation et, principalement, à ceux qui craignaient et avaient le plus de sujet de craindre la Restauration*.

Les royalistes accouraient aussi de leur côté, mais pas si vite que ceux qui [ne] croyaient pouvoir faire assez tôt l'hommage d'un dévouement dont on pouvait douter. Bientôt les cris de « Vive le Roi » se firent entendre de toutes parts, l'élan était donné; et en France surtout, on crierait : « A bas ma tête », si on l'entendait crier à ses voisins. On envahissait les maisons pour avoir des rubans et même des jupons blancs que l'on coupait pour faire des cocardes; les boutiques ne pouvaient y suffire. Le bleu et le rouge étaient foulés aux pieds, surtout par les bonapartistes, et tout ce qui restait des trois couleurs fut, dit-on, porté dans les cachettes du Luxembourg en attendant que leur tour revînt. Un de nos amis vint aussi me demander la permission de faire main-basse sur ma garde-robe; mais il me trouva peu disposée à chanter la victoire avant de connaître les résultats du combat et je gardai mes jupons, pensant alors à ce qui s'est vérifié depuis : c'est que la Restauration appuyée sur MM. de Talleyrand, Pasquier, Molé et compagnie, pouvait nous enlever jusqu'au toit que nous avait laissé Napoléon. C'est ce qui arriva trois ans plus tard[181].

Mais tout à coup voilà que nous entendons se mêler au cri de « Vive le Roi! » celui de « Vive Montmorency et les La Rochefoucauld! »; et nous apercevons Thibaud et Sosthène[182] qui se proclamaient eux-mêmes en revenant d'une glorieuse expédition. Ces messieurs, avec M. de Sémallé[183] et quelques autres braves, avaient attaqué la colonne de la place Vendôme, non avec la lance et l'épée, mais avec des cordes qu'ils avaient attachées au col de la statue de l'Empereur qu'ils ne purent ébranler[184]. On alla chercher des machines, et pour la première fois le héros courba la tête et tomba aux pieds de ces Français et de ces souverains qui, tant de fois s'étaient inclinés ou avaient reculé devant celui dont lâchement, en ce jour, ils laissaient insulter l'image et auquel, peu de jours avant, ils demandaient la paix à genoux[185].

La première chose que firent les souverains après la prise de Paris, ce fut de s'entendre avec tous les feus bonapartistes, voire même les révolutionnaires, joints à quelques gros bonnets de cette armée occulte de Commissaires du Roi[186] dont M. Ferrand[187], Sémallé, Royer-Collard[188] et Becquey[189] étaient les chefs. Pendant quinze ans, ces messieurs avaient exploité Paris à leur profit à venir; ils étaient les vrais espions de la société et faisaient aux princes exilés leurs rapports dans le sens qui leur plaisait, sans se soucier de la vérité. Il en résultait que les hommes qui ne leur plaisaient pas, étaient désignés à Hartwell[190] comme constitutionnels, car c'était le crime irrémissible et pour lequel on était mis à l'index. Pour les bonapartistes, on leur pardonnait en faveur de leur amour pour le despotisme, et les hommes de 1793 ne laissaient pas que d'avoir leur bon côté pour les Bourbons, qui aiment mieux avoir à pardonner la trahison qu'à récompenser la fidélité. Pour moucharder convenablement, il fallait être reçu dans tous les salons de Paris et plus encore dans ceux du Gouvernement que dans les nôtres, d'où MM. les Commissaires du Roi rapportaient des impressions qui n'étaient que le résultat de la manière dont ils avaient été traités, et comme messieurs les hommes du jour les traitaient bien, soit qu'ils sussent le rôle qu'ils jouaient, soit qu'ils les crussent de leur bord, les bonapartistes étaient à leur tour fort bien traités dans les rapports qui arrivaient à Hartwell. Aussi fut-on étonné de voir, lors de la Restauration, des gens qui avaient profité de tous les bénéfices de la cour impériale, se trouver encore les hommes désignés pour envahir toutes les places de la cour des Bourbons : ils furent appelés les défenseurs du trône parce qu'ils en usurpaient la faveur. Ce fut une chose hideuse que la manière dont furent traités, en 1814, les hommes qui avaient le plus souffert pour la cause des Bourbons. Ceux-là et quelques pauvres gens, qui avaient servi loyalement et par besoin l'Empereur, furent absolument mis de côté : les services des premiers pesaient; on croyait faire justice en ôtant le pain aux autres.

Cependant parmi les hommes du pouvoir, les plus absolutistes firent entendre à l'autocrate de Russie qu'il fallait une Charte pour satisfaire aux vœux de la partie des Français qui, n'ayant rien à craindre des libertés publiques et surtout de la liberté de la presse, voulaient une garantie de leurs droits[191]. Ce mot effrayait les vieux royalistes, qui croyaient bonnement que, la Charte une fois octroyée, il faudrait l'exécuter; mais les plus habiles et surtout les légitimistes de nouvelle date leur firent entendre que cette Charte ne serait pas l'Évangile et que l'on ne serait pas obligé de la suivre à la lettre, mais que ce serait un mot qui satisferait les constitutionnels sans engager les royalistes[192]. Aussi cette Charte étant faite sans bonne foi, on la rendit aussi démocratique que possible, croyant qu'avant un an elle ne serait bonne qu'à jeter au feu. Aussi, lorsque les architectes d'un si dangereux édifice[193] virent que les hommes de conscience voulaient marcher avec la Constitution à laquelle on leur avait fait jurer d'être fidèles, il n'y eut pas de leur part assez de menées pour les rendre odieux à la cour*. Ce fut à Saint-Ouen que cette Charte menteuse fut signée le [2 mai] 1814 par le bon roi*

Louis XVIII[194], qui l'aurait suivie, aurait régné paisiblement* sans les éternelles intrigues du pavillon de Marsan[195]. L'abbé de Montesquiou[196], M. Ferrand, de Blaire et notre bon Clausel[197] furent, dit-on, les principaux rédacteurs de cette Charte, qu'on pouvait ne pas donner mais qu'on devait suivre après l'avoir jurée.

Suite de 1814. — Ce fut le [12 avril] de l'année 1814 que Monsieur, qui avait précédé le Roi en France, fit son entrée dans Paris. Une foule immense fut à sa rencontre. De ce nombre était M. de Chateaubriand qui revint charmé, trompé par les paroles affectueuses du prince qui, avec beaucoup de grâce, jetait ce jour-là son cœur à tout venant. Cependant on pouvait s'apercevoir que les grandes démonstrations étaient pour les habits retournés et un certain nombre de ces intrigants, qui semblent surgir lorsqu'un gouvernement succède à un autre et qui se trouvent tout à coup et sans qu'on sache pourquoi des hommes importants parce qu'ils le disent, et nécessaires par les services qu'ils prétendent avoir rendus, services qui n'ont profité qu'à eux.

L'arrivée de Monsieur[198] fut célébrée par un banquet où assistaient tous les souverains et où les royalistes étaient représentés par MM. de Talleyrand, Pasquier, Molé et M. de Caulaincourt[199] qui fut admis à ce dîner sur la prière de l'empereur de Russie.

Monsieur, Lieutenant [Général] du Royaume.
Formation du ministère[200].

MM. DE TALLEYRAND, Affaires Étrangères.
[DE MONTESQUIOU], à l'Intérieur.
[LOUIS], aux Finances.
[MALOUET], à la Marine.
FERRAND, aux Postes.
DE BLACAS, à la Maison du Roi.

Dans ce nombre deux prêtres apostats, une âme damnée de Bonaparte, un de ces commissaires ambulants des Bourbons, un ... et un comte de Tuffières[201] qui, par son insolence et son ineptie, prépara le voyage de Gand.

La brochure de M. de Chateaubriand[202] venait de paraître, on sait le bien qu'elle fit; d'abord elle rallia par sa modération tous les bonapartistes au parti du Roi; les gens de bonne foi ne pouvaient trop louer la générosité de mon mari qui, persécuté pendant dix ans sous l'Empire, prêchait si éloquemment l'oubli du passé. Mais la cour profita de ses conseils sans lui en savoir gré; on combla tous les hommes qui avaient servi l'Empereur et on laissa de côté celui qui avait si puissamment contribué à sa chute morale, car il ne faut pas se le dissimuler : l'ouvrage de M. de Chateaubriand fit, comme l'a dit lui-même Bonaparte, plus de bien aux Bourbons qu'une armée de cent mille hommes. Mais les ultras d'alors, car il y en avait déjà, ne lui pardonnaient pas d'avoir manifesté dans sa brochure quelques sentiments de liberté publique que Louis XVIII fut obligé d'avoir l'air au moins de manifester à Saint-Ouen. Lorsqu'il jura la Charte qui, il faut en convenir, ne fut pas plus en 1815 la Charte *Vérité*[203] qu'elle ne l'est en 1833, il crut pouvoir tromper la France et il ne fit avec elle qu'une paix menteuse et boiteuse*.

(Une demi-page blanche dans le manuscrit A.)

Déjà les petites coteries se rassemblaient. À leur tête étaient M. de Damas[204], les Narbonne[205] et M. de Blacas, on nous choyait encore un peu dans l'espoir que M. de Chateaubriand changerait d'avis et mettrait en bon français les rêveries des revenants d'Hartwell, qui réellement arrivaient de l'autre monde. Je me rappelle que, tandis que la cour trouvait mon mari presque un libéral, le Roi de Prusse lui écrivait en partant, pour lui recommander la modération et la nécessité de se plier au temps. Tout ce qui avait été les esclaves de Bonaparte le craignait; tout ce qui voulait mettre la France en esclavage l'abhorrait. Un seul homme fut juste dans ces temps envers lui : Bonaparte, à Fontainebleau; il se fit lire la brochure *De Buonaparte et des Bourbons*; les maréchaux, pour lui faire encore une dernière cour, se récrièrent sur l'abomination de cet écrit; l'Empereur seul le discuta avec impartialité et ajouta : « Au surplus je n'ai rien à dire à Chateaubriand : il fait son métier, il m'a résisté pendant ma puissance, il a le droit de me frapper quand je suis vaincu, mais ce sont ces plats courtisans, ces Lacretelle[206] et ces... qui aujourd'hui s'avisent de parler! » Et il finit par ces mots : « Ah! si les Bourbons suivent les avis de cet homme, ils pourront régner, mais soyez tranquilles, Messieurs, dit-il en riant, ils ne le croiront pas et il sera plus persécuté sous leur règne que sous le mien. »

Voyant que toutes les places se donnaient, mon mari crut devoir demander s'il ne serait pas appelé à servir des maîtres auxquels il avait sacrifié fortune, honneur et repos. M. de Blacas refusa tout ce qu'on lui demanda pour lui et répondit à une personne qui lui disait : « Mais enfin il faudra donc que M. de Chateaubriand émigre quand les émigrés reviennent, car il n'a pas moyen de vivre noblement en France. — Qu'il parte » dit cet audacieux valet, et c'est cet homme, que nous avons toujours trouvé dans notre chemin, que mon mari a défendu à Gand, en Angleterre et à qui il a fait depuis l'honneur de le supposer aussi généreux envers les princes qui l'avaient comblé, que lui-même l'aurait été s'il l'avait pu envers des princes qui l'avaient abreuvé d'outrages.

Cependant Mme de D...[207] insista; elle fut trouver M. de Talleyrand, alors ministre des Affaires étrangères; toutes les ambassades étaient données, hors celles de Suède et de Constantinople. Il les mit toutes les deux à notre disposition, s'étonnant que mon mari fût obligé de s'adresser à lui : « Je croyais, dit-il à Mme de D[uras], que puisque M. de Chateaubriand n'avait rien, c'est qu'il n'avait rien voulu. Le premier jour à l'arrivée des princes on devait lui offrir tout, le second eût été bien tard et le troisième n'eût plus rien valu. » Nous choisîmes la Suède parce que mon mari, ayant assez mal parlé des Turcs dans son *Itinéraire*[208], craignait, comme M. de Choiseul[209], la prison des Sept Tours. Louis XVIII donna son approbation à cette nomination[210] avec un vrai plaisir et l'accompagna des paroles les plus obligeantes, car il avait un véritable penchant pour M. de Chateaubriand, étant au fond très raisonnable et même, quand il fut le remercier, il lui dit : « C'est une bague au doigt que je vous donne, mais ne partez que quand je vous le dirai : j'ai besoin à Paris de mes bons serviteurs*[211]. »

CHAPITRE 4

Les Cent-Jours

Le 1er mars (4 heures du soir), la flottille, qui ramenait Bonaparte en France, mouillait à Cannes. Lorsqu'on apprit cette nouvelle à Paris, les Tuileries furent dans la joie; les courtisans s'écriaient que la descente de Napoléon aurait le résultat le plus heureux, puisqu'il ferait connaître les vrais amis du Roi; il aurait été très aisé de les connaître avant, aussi se contenta-t-on de déclarer Bonaparte traître et rebelle et les ministres, imitant la sécurité de la Cour, laissèrent envahir les ministères par les amis de l'Empereur : M. Ferrand, entre autres, livra de bonne grâce quinze jours d'avance les postes à M. de La Valette[212].

18 ou 19 mars. — Le 18 mars, Monsieur et M. le duc d'Orléans[213] arrivèrent de Lyon où ils avaient été envoyés par le maréchal Macdonald[214] et le duc de Feltre[215], ils rapportèrent que Bonaparte était entré à Grenoble où Labédoyère[216] était allé le recevoir à la tête de son régiment; alors les jactances cessèrent au château et la terreur fut à son comble.

Malgré les belles paroles du Roi aux députés, lorsqu'il vint le 16 mars faire l'ouverture des Chambres, nous n'étions pas bien sûrs qu'environné comme il l'était, il voulût en effet attendre aux Tuileries l'arrivée de Bonaparte[217].

19 mars. — En conséquence M. de Chateaubriand se rendit au château pour savoir les nouvelles, il demanda à MM. de Duras[218] et de Blacas s'ils pensaient que le Roi dût partir, ils répondirent que non; cependant tout avait un air de désordre qui n'était pas rassurant. En sortant, mon mari rencontra M. de Richelieu[219] et se plaignit de ce qu'on lui faisait un mystère d'un départ dont il était à peu près sûr : « Prenez garde, lui dit-il, on nous trompe; pour moi je vais faire la garde aux Champs-Élysées, car je ne compte pas attendre, tout seul, l'Empereur aux Tuileries. »

Comme de mon côté j'étais très inquiète, j'avais prudemment fait préparer notre voiture et j'envoyai un de nos gens au Carrousel[220] avec ordre de ne revenir que lorsqu'on aurait la certitude que le Roi était parti, car j'étais bien sûre qu'il partirait malgré les belles protestations. A minuit environ, ne voyant pas revenir le domestique, nous prîmes le parti d'aller nous coucher : nous venions de nous mettre au lit quand un député de nos amis, vint nous prévenir que le Roi était parti et qu'il se dirigeait sur Lille; il tenait cette nouvelle du Chancelier qui lui avait demandé le secret avec la permission de le dire seulement à M. de Chateaubriand, qu'il savait fort en danger en restant à Paris et auquel le Roi avait chargé M. Dambray[221] de remettre 12 000 francs pour son voyage[222]. Le Chancelier remit aussi à Clausel une somme de... pour être distribuée le lendemain à MM. les principaux membres de la Chambre des Députés. Cependant mon mari, qui ne voulait pas absolument quitter Paris sans être sûr de la fuite du Roi, disputait encore et voulait attendre le jour, pour s'assurer par lui-même de la vérité, lorsque heureusement l'homme, que j'avais envoyé à la découverte, revint et nous donna, sur le départ des voitures du Roi, des détails qui ne nous laissaient aucun doute.

20 mars. — Après cela nous n'étions pas tentés d'attendre Bonaparte à Paris : il aurait fait passer de mauvais moments à mon mari et il l'aurait puni avec autant de raison que les Bourbons avaient mis d'ingratitude à ne pas le récompenser. Nous prîmes donc notre parti et, le 20 mars à une heure du matin, nous montâmes en voiture, avec un passeport qui nous avait été donné d'avance en blanc et que nous remplîmes avec le nom de M. et Mme... , négociants à Louvain. Nous nous fîmes conduire avec nos chevaux jusqu'à Luzarches où nous éprouvâmes déjà quelques difficultés pour avoir des chevaux de poste.

Nous rejoignîmes le Roi à... lieues de Paris; le départ avait été si précipité et les ordres si mal donnés que les gardes du corps ne savaient s'ils accompagnaient la voiture de Sa Majesté ou celle d'un grand nombre de personnes qui fuyaient à sa suite. La nuit était tellement noire que les chevaux barraient les chemins aux voitures et les voitures aux chevaux. Les chemins étaient affreux, les cavaliers enfonçaient dans la boue[223]. Chacun se demandait : où allons-nous? Où est le Roi? Où va-t-il? Nous savions, par le Chancelier, qu'il allait à Lille mais nous ignorions la route qu'il prendrait; il prit celle de Beauvais et nous, à cause de la difficulté des chevaux, nous suivîmes celle d'Amiens.

Comme j'étais depuis longtemps malade et que la voiture me fatiguait horriblement, nous fûmes obligés de nous arrêter pour coucher à Arras. Il pensa nous y en arriver malheur. Nous fûmes reconnus lorsque le matin nous envoyâmes demander des chevaux; le maître de poste répondit que nous n'en aurions pas, qu'ils étaient retenus pour le général... qui allait porter à Vienne la nouvelle de l'arrivée de l'Empereur et Roi à Paris, et que M. de Chateaubriand n'avait qu'à se reposer en attendant. D'après cette réponse, qui nous prouva d'abord que nous étions reconnus, nous craignîmes avec raison qu'on ne voulût nous retenir pour nous faire arrêter; en conséquence mon mari alla lui-même à la poste et, avec de l'argent qu'il donna à un postillon, il leva les difficultés : un quart d'heure après, nous étions sur la route de Lille avec les chevaux du général[224].

A Amiens, nous fûmes parfaitement accueillis. Cette ville s'est montrée fort bonne dans les Cent-Jours : nous la trouvâmes dans la consternation; mais je ne sais dans quelle autre petite ville nous eûmes beaucoup de peine à passer; la populace était déjà assemblée et courait les rues en criant : « Vive l'Empereur! » et en vociférant contre la famille royale. Ce fut dans ce petit endroit que nous apprîmes positivement que le Roi allait en Flandre.

Arrivés aux portes de Lille, le 23 juin à... heures du matin, nous trouvâmes les portes fermées avec ordre de ne les ouvrir pour personne. Aux portes, on ne voulut jamais nous dire si le Roi n'était pas dans la ville, ni se charger d'une lettre que M. de Chateaubriand venait d'écrire au commandant de la place. Nous fûmes donc obligés, après nous être reposés un moment dans un mauvais cabaret, de nous remettre en route et de nous rendre à Tournai. Là nous apprîmes que le Roi était bien certainement à Lille, qu'il y était entré avec le maréchal Mortier[225] et qu'il comptait s'y fortifier. M. de Chateaubriand écrivit donc à M. de Blacas, qui était auprès du Roi, pour qu'il lui fît envoyer une permission du ... pour être reçu dans la place; il envoya cette lettre par un commissionnaire à franc étrier, qui revint ... heures après et lui remit une permission du commandant, mais sans un mot de M. de Blacas[226]. Cependant, sans aucun soupçon, mon mari allait monter en voiture pour se rendre à Lille, lorsque M. le prince de Condé[227] arriva et nous dit qu'il venait de Lille, qu'il n'avait quittée qu'après le départ du Roi, qui allait dans les Pays-Bas; il ajouta que le maréchal Mortier, qui restait derrière, le faisait accompagner jusqu'à la frontière. Ce général l'aurait fait arrêter peu de jours après.

D'après les détails que nous venions de recevoir du prince de Condé, il était clair que S. M. était déjà partie lorsqu'on reçut à Lille la lettre de M. de Chateaubriand et que la permission envoyée n'était qu'un piège pour l'attirer et le livrer à Bonaparte.

M. le duc d'Orléans arriva à Tournai peu de moments après le prince de Condé, il était fort mécontent et ne s'en cachait pas[228]. Pour le vieux prince il était beaucoup plus occupé de son dîner qu'affligé de sa seconde émigration. En partant (quelques heures avant nous), il nous chargea de recommander le café de l'auberge à ceux de sa maison qu'il avait laissés derrière lui et qui allaient arriver. De Tournai, nous allâmes à Bruxelles, pensant y trouver le Roi; on nous dit qu'il était à Gand.

Ce ne fut pas la faute de MM. de Duras et de Blacas, si Louis XVIII prit le parti très sage de ne pas aller en Angleterre. On le doit à Monsieur qui obtint qu'il restât sur le continent; il donna là un très bon conseil, peut-être le seul bon que le Roi ait reçu de son frère.

Cependant la petite armée du duc de Berry, composée de troupes rassemblées à Melun, ne put l'accompagner à Gand; le roi des Pays-Bas ne permit qu'à deux cents hommes seulement d'entrer sur son territoire; l'armée fut donc licenciée et M. le duc de Berry fut cantonner à Alost (deux lieues de Gand) avec son petit bataillon et quelques volontaires qui l'avaient suivi[229].

Les maréchaux Victor[230], Berthier[231], Marmont et le général Bordesoulle[232] suivirent le Roi à Gand. Tous, excepté Marmont[233] qui avait été comblé comme infidèle à sa cause, avaient été assez mal traités par la cour; ils ne le furent pas mieux dans l'exil : Bellune surtout éprouva tant de désagréments à Gand qu'il fut obligé d'aller à Aix-la-Chapelle, sous le prétexte d'y prendre les eaux, et il ne revint qu'au moment où il crut que le Roi allait de nouveau avoir besoin de ses services.

Nous passâmes quelques jours à Bruxelles où nous retrouvâmes M. le prince de Condé. Voici ce qu'il racontait : deux jours avant son départ de Paris, il reçut une lettre qui le frappa, lorsqu'en l'ouvrant, il reconnut l'écriture de Louis XVI; elle était de Louis XVII qui, pour preuve de sa légitimité royale, rapportait des faits assez curieux de son enfance et citait des particularités, qui ne pouvaient avoir été connues que de lui et de sa sœur[234].

Nous vîmes aussi un moment à Bruxelles lord Wellington[235] et nous y laissâmes M. de la Tour du Pin[236] et M. de Richelieu, qui venaient, je crois, de quitter Monsieur à Béthune et qui s'exprimaient sur son compte de la manière la plus brutale et en même temps la plus inconvenante, s'oubliant jusqu'au point de l'appeler un j...-f... Il nous dit qu'il s'en allait en Russie[237] ne voulant plus entendre parler de pareilles gens. Une semblable profession de foi, qu'il rendait assez publique, aurait pu le perdre : mais je pense au contraire que c'est ce qui le fit ministre en 1816. Car si les princes ne l'aimaient [pas], ils ne l'en traitaient pas moins, comme tous ceux qu'ils craignaient, c'est-à-dire à merveille. Au surplus ce fut (comme de coutume) M. de Chateaubriand qui eut le plus de part à sa nomination aux Affaires Étrangères : M. de Richelieu en convenait; aussi l'en récompensa-t-il par tous les désagréments qu'il put s'imaginer. D'abord il l'empêcha d'entrer au Conseil, ensuite il refusa de payer deux années qu'on lui devait sur son ambassade de Suède[238].

Sur un ordre du Roi, nous nous rendîmes à Gand. Nous y trouvâmes Mme de Duras qui nous y avait précédés de quelques jours; peu de temps après, M. et Mme de Lévis[239] vinrent nous rejoindre, de sorte que nous nous trouvâmes entourés de quelques amis, là où les ennemis étaient en majorité.

Aux intrigues de la cour des Tuileries succédèrent bientôt les intrigues de la cour de Gand[240]; le pavillon de Marsan était comme à Paris en pleine activité de marches et contremarches pour amener, à son bon plaisir, les négociations fatales auxquelles nous dûmes une honteuse Restauration.

Le Roi accueillit mon mari avec une bienveillance marquée; M. de Blacas, à qui les deux cours tournaient également le dos, l'accablait de démonstrations d'amitié, bien sûr qu'il trouverait alors pour le défendre dans sa disgrâce celui qu'il avait persécuté dans sa faveur.

Tous les jours le Roi faisait inviter huit ou dix personnes à dîner (c'est la seule étiquette qu'il eût enfreinte à Gand), M. de Chateaubriand fut un de ceux qui le fut le plus souvent. Le soir, le Roi s'amusait de sa bonhomie et de ce qu'il osait rire réellement des histoires que S. M. racontait (dit-on) à merveille, licence que jamais un gentilhomme de sa chambre ne se serait permise. Ce fut à l'occasion de ces dîners que le maréchal de Bellune, qui en fut exclu, partit pour Aix-la-Chapelle; on l'avait pris en antipathie et l'on se permettait sur son compte toutes les pointes les plus sottes, comme par exemple : qu'il avait beaucoup perdu à la Révolution, qui lui avait changé son nom de Beau-Soleil en celui de Belle-Lune[241]. Voilà comment on traitait ce brave militaire et l'un des trois seuls maréchaux qui fût resté fidèle aux Bourbons dans les Cent-Jours. Mais en revanche, on traitait à ravir le t[raître] Marmont, l'abbé Louis, prêtre défroqué, et Beugnot[242], dont la platitude aux pieds des Bourbons ne pouvait égaler celle dont il avait, pendant dix ans, fatigué l'Empereur.

Nous ne profitâmes point à Gand de nos billets de logement, mais le lendemain de notre arrivée, une bonne baronne, fort riche, dont j'ai oublié le nom, vint nous trouver à l'auberge et nous supplia d'aller loger chez elle. Elle nous priait de si bonne grâce que nous commencions à nous laisser toucher, quand elle ajouta qu'elle voulait nous prévenir de ne faire aucune attention à ce que nous dirait son mari, qui avait malheureusement la tête un peu dérangée : « Ma fille aussi, dit la bonne dame, est tant soit peu extraordinaire, elle a des moments terribles, la pauvre enfant! Elle va jusqu'à nous frapper, du reste elle est bonne et douce comme un ange; ce n'est pas celle-là qui me cause le plus de chagrin, c'est mon fils Louis, le dernier de mes enfants : si Dieu n'y met la main, il sera pire que son père. » A ce dernier portrait de famille, nous arrêtâmes la noble dame, en la remerciant mille fois et l'assurant en même temps que nous étions décidés à rester à l'auberge, ne voulant abuser de l'hospitalité qu'elle voulait nous offrir[243].

Nous fîmes ensuite la connaissance d'une famille qui joignait à toutes les vertus patriarcales l'amabilité et les bonnes manières des meilleures sociétés de Paris. La famille d'Oops était nombreuse; M. et Mme d'Oops réunissaient autour d'eux leurs enfants, petits-enfants et arrière-petits-enfants; je me liais particulièrement avec Mlle Sophie d'Oops, leur petite-fille, déjà âgée de plus de vingt-cinq ans. Nous avons été longtemps en correspondance; ses lettres étaient des chefs-d'œuvre, une entre autres pour me faire part de la mort de sa mère, et la dernière, qui renfermait un grand éloge de Léopold[244] : la famille d'Oops, étant très zélée catholique avait éprouvé, je crois, quelques persécutions sous le règne de Guillaume[245].

La famille d'Oops, quoique vivant fort retirée, tenait une fort bonne maison; nous y dînâmes, plusieurs fois fort bien, mais fort longuement, selon la coutume de Gand. Je me rappelle, par exemple, un dîner que nous fîmes chez MM. Coppens et qui dura depuis une heure jusqu'à huit heures. On commença par les confitures et on finit par les côtelettes, c'est la manière du pays; du reste ces dîners étaient magnifiques et parfaitement accommodés[246].

En fait de femmes de la société, il n'y avait de françaises à Gand que Mme la duchesse de Duras, la duchesse de Lévis, la maréchale de Bellune, la marquise de la Tour du Pin[247] et moi, et encore la duchesse de Lévis n'y vint-elle que fort tard avec son mari, qui arriva en si piteux équipage que M. de Chateaubriand fut obligé de lui prêter jusqu'à des bas pour aller chez le Roi. Les bas allaient encore mais, pour le reste, c'était une vraie toilette de carnaval. Le bon duc[248] ne s'en mettait pas plus en peine à Gand qu'aux Tuileries, où sa garde-robe n'était guère mieux montée. Les souliers, par exemple, manquaient toujours; il s'était abonné aux savates parce que, disait-il, il avait une blessure au talon qui l'empêchait de relever les quartiers de son soulier.

Parler des Bertin, du *Moniteur de Gand*[249] fait à leurs frais, du refus de les payer à cause des articles qui regardaient Soult et Fouché. Injustice de la cour pour les deux frères qui avaient été persécutés sous Bonaparte pour la cause des Bourbons et que les Bourbons ne cessèrent de persécuter, ce qui fait que deux bons bourgeois[250] de Paris, qui n'ont aucune raison de vouloir une dynastie qui ne les protégera pas, passent avec armes et bagages, c'est-à-dire avec leur journal, à l'ennemi. — Dire comment le duc de Feltre fut peu favorable aux Vendéens[251] : voir à ce sujet une lettre de Feltre lui-même, qui se trouve dans les papiers de M. de Chateaubriand.

Ne pas oublier l'affaire de Bayard, la somme de 500 000 francs apportée au Roi, la manière dont il l'avait recueillie, celle dont il fut récompensé de son dévouement après les Cent-Jours[252], etc.

Chaque jour, les hommes de la cour de Monsieur venaient faire de longs sermons à mon mari sur la nécessité d'être de l'avis de leur maître. A Gand comme à Paris, le pavillon de Marsan allait son train et S. A. R. ne pouvait se tromper ni être trompée. Tous les intrigants qui arrivaient de Paris, et il n'en manquait pas, apportaient à Monsieur les nouvelles qu'enfantait leur imagination et qui convenaient à leurs intérêts personnels. L'expérience ne pouvait corriger personne à cette cour d'intrigue et d'agitation. Le bon Hyde de Neuville, le seul homme franc parmi les croyants de Monsieur, s'était laissé prendre à la politique de M. de Vitrolles[253], combinée avec celle de Fouché. Il n'y avait pas de semaine que ces deux fatals agents n'envoyassent des courriers à Gand et leurs dépêches n'étaient autre chose que la preuve bien évidente, à qui voulait le croire, que Fouché et Vitrolles étaient les hommes indispensables et sans la participation desquels on ne pouvait espérer une seconde Restauration. Hélas! ces mensonges réitérés eurent une funeste influence car, une fois entrés comme des vérités dans la tête d'un prince faible et entêté, il n'eut ni repos ni patience jusqu'à ce qu'il eût obtenu de Louis XVIII, que les querelles réitérées fatiguaient, qu'il sanctionnât à Saint-Denis le plan régicide de son frère; ce qu'il ne trouvait point un crime, que l'amour ou la promesse du despotisme n'effaçât.

Quand, ce qui était rare, M. de Chateaubriand allait chez Monsieur, l'entourage lui parlait en paroles couvertes et avec maints soupçons d'un homme (Fouché) qui, « il fallait en convenir, se conduisait à merveille; c'était lui au fond qui entravait toutes les opérations de l'Empereur, c'était lui qui sauvait le faubourg Saint-Germain[254], etc. »

Soult, aussi, était l'objet des prévenances de Monsieur, et, après Fouché, l'homme le plus loyal de France.

Mon mari, qui ne pouvait, bien entendu, partager une seule de ces opinions du pavillon de Marsan, était regardé comme incorrigible, comme un jacobin, bien plus que cela, comme un constitutionnel : c'était un homme honnête au fond, mais qui avait un *dada*, une idée fixe, et dont il fallait toujours se défier et tâcher surtout de l'éloigner du Roi : voilà ce qui se disait à la cour de Monsieur[255].

Un jour, une belle voiture s'arrête à la porte de l'auberge où nous logions : une belle dame en descendit : c'était Mme de Vitrolles[256] qui arrivait, chargée des pouvoirs de Fouché, pour traiter avec le pavillon de Marsan. Nous ne fûmes pas mis dans le secret de cette négociation, mais tout se sait et, de ce moment, il ne fut plus question que des obligations que l'on avait au régicide et de l'impossibilité de rentrer en France autrement que sous son bon plaisir. L'embarras était de faire goûter au Roi ce nouveau sauveur de la Monarchie[257]; ce prince avait trop d'esprit pour croire que celui, dont le moindre crime était d'avoir porté la tête de Louis XVI sur l'échafaud, fût sincèrement jaloux de conserver celle de Louis XVIII. Aussi travailla-t-on longtemps avant de le faire consentir à entendre prononcer, même sans humeur, le nom de Fouché et ce ne fut qu'à Arnouville (comme je le dirai dans la suite) que le Roi céda à l'ordre (fait en forme de prière) que lui intima le duc de Wellington qui, séduit comme Monsieur par les intrigues de Fouché et compagnie, crut que son armée combinée avec celle de Blüker (ou Blücher) ne suffisait pas pour ouvrir aux Bourbons les portes de Paris.

Parler de la manière leste avec laquelle le duc de Wellington traitait Monsieur à Gand[258]. — Dire aussi comment le duc de Feltre[259], qui avait suivi le Roi à Gand, entrava les opérations de la Vendée.

Le roi des Pays-Bas refusa à Louis XVIII de lui prêter le château de Læken, ce prince étant, dit-on, jaloux de la manière dont le roi de France était traité à Gand[260]. Il est vrai qu'il y recevait tous les hommages qu'on aurait pu lui rendre aux Tuileries et avec plus d'amour et de respect. Pendant qu'il dînait (la salle à manger était au rez-de-chaussée), la rue était remplie d'une foule de peuple qui ne cessait de crier : « Vive le Roi. »

Le Roi se dédommageait du refus qu'on lui avait fait d'aller prendre l'air à la campagne, en faisant tous les jours une lieue ou deux autour de la ville. Sa voiture était (comme à Paris) attelée de huit chevaux, entourée de ses gardes et accompagnée non seulement par son gentilhomme de la chambre, mais par le service qu'aurait exigé la plus stricte étiquette de la cour de Versailles[261].

Il y avait déjà longtemps que nous étions à Gand, quand le prince d'Orange vint faire visite au Roi; l'entrevue fut courte et assez froide. Le prince était en bottes et presque le fouet à la main; le Roi fut assez choqué de cette manière peu hospitalière, mais, pour l'excuser, il aurait pu se rappeler comment il avait reçu à Paris, les rois qui venaient de le remettre sur le trône[262].

A Gand comme à Paris, la cour, surtout celle de Monsieur, s'occupait beaucoup plus de la partie gastrique que de la partie à jouer pour rentrer en France. Il n'était question que des excellents dîners du pavillon de Marsan, de l'abondance des glaces, de la délicatesse des pâtisseries et surtout des petits gâteaux à la duchesse qui se faisaient dans la boutique de Mme..., laquelle faisait sa fortune dans le palais de S. A. R.[263]

Pendant ces graves occupations, l'inaction de M. le duc de Berry à Allost et les négociations de Mme de Vitrolles à Gand, de grands événements se préparaient. L'Europe embrassait une troisième fois la cause des Bourbons, tandis que Napoléon se préparait à soutenir une guerre qu'il croyait devoir mettre de nouveau cette Europe à ses pieds et les rois dans ses antichambres[264]. La Providence arrêta le bras de l'exterminateur et le précipita pour longtemps dans l'abîme.

12 juin 1815. — Bonaparte partit pour l'armée le 12 juin, tandis que les Belges, les Hollandais, les Hanovriens et les Anglais, au nombre de quatre-vingt mille, marchaient sous la conduite de Wellington et l'armée prussienne forte de... mille hommes sous le commandement du général Blücher. Pendant ce temps, le duc de Berry restait à Allost, non que ce brave prince n'eût envie de combattre, mais il y était retenu par l'obéissance qu'il devait au Roi qui croyait que, si la France voyait un prince français à la tête de ses ennemis, cela pourrait faire tort à la cause que l'on voulait défendre.

L'armée française dans ce moment était à peine forte de dix mille hommes; le maréchal Ney[265] vint la renforcer avec trente mille au plus; quarante mille hommes étaient donc tout ce que l'Empereur pouvait opposer à l'armée ennemie composée de plus de... mille combattants[266].

15 juin, 4 heures du matin. — Un combat s'engagea d'abord dans les plaines de Fleurus si glorieuses aux Français. Les forces étaient inégales et cependant les Français emportèrent le village de Ligny; Blücher, après une perte de vingt mille hommes[267], se décidait à la retraite lorsque Wellington arriva.

16 juin. — Bonaparte reçoit quelques renforts et, le 16 juin, il se prépare avec soixante-neuf mille hommes à combattre Wellington[268].

17 au 18 juin. — La nuit du 17 au 18, les troupes se rassemblèrent; Soult était là, mais, suspect à l'armée, on craignait qu'il ne fît comme Bourmont[269], qui, la veille de la bataille de Ligny, était passé dans les rangs ennemis. Ney aussi laissait quelque inquiétude.

18 juin (Waterloo)[270]. — Le 18 juin, à 11 heures du matin, l'action s'engagea avec un acharnement sans exemple de part et d'autres. Wellington attendait des secours de l'armée prussienne, mais ces secours n'arrivaient pas : l'épouvante est portée jusqu'aux portes de Bruxelles. Monsieur, qui s'y trouvait en ce moment, revint en toute hâte à Gand et y jeta la consternation en annonçant que tout était perdu et que l'Empereur était à Bruxelles.

La peur avait grossi les objets, mais effectivement il paraît que le duc de Wellington ne dut son salut qu'au renfort du général Bulow. A son arrivée, la chance jusqu'alors pour les Français, tourna tout à coup et l'étranger fut vainqueur. A Waterloo, on estime la perte des Alliés à dix-huit mille hommes; elle fut beaucoup plus considérable du côté des Français; tels furent les résultats de la bataille de Waterloo. Celui qui fit des fautes, fut couronné et les généraux et Bulow, à qui Wellington dut la victoire, ne seront cités après lui dans l'histoire que comme de braves auxiliaires. A mon avis, dans cette mémorable campagne, Blücher a été bien au-dessus de Wellington.

Fin de juin. — Pendant ce temps-là, Fouché, à Paris, entretenait les constitutionnels dans de sombres alarmes, tandis qu'il ne parlait que de despotisme aux royalistes : aussi était-il l'idole de ces deux partis; ses vieux amis n'avaient pas autant de foi dans ses reliques.

Juin. — Sur les nouvelles apportées à Gand par Monsieur, nous faisions déjà nos paquets; le Roi se préparait à gagner la Hollande. Mais bientôt nous apprîmes l'issue de la bataille de Waterloo, dont nous n'aurions pas été plus fiers quand Bonaparte aurait été vaincu par un fils de France. L'abattement avait été complet : la jactance revint avec le succès des Alliés. Les préparatifs de départ commencés pour Amsterdam furent achevés pour Paris.

CHAPITRE 5

Débuts de la seconde Restauration

Le Roi se mit en route le [22] juin, à [8][271] heures du matin, toujours accompagné de ses gardes et des personnes qui l'avaient suivi à Gand. Les chevaux étaient préparés pour le service de la Maison, pour les ministres et M. de Chateaubriand, qui faisait partie du Conseil[272].

Ce voyage, qui fut appelé *sentimental*, devait plutôt être appelé fatal, car ce fut sur les grands chemins que s'achevèrent les intrigues, qui devaient préparer une troisième chute à la monarchie en forçant le Roi de recevoir en quelque sorte sa couronne des mains de celui qui avait fait tomber la tête de son frère.

21 juin. – Cependant Bonaparte vaincu rentrait dans cette ville où naguère il fut si souvent précédé de la victoire. A son arrivée, il ne trouva que des visages abattus et ne put entendre une parole consolatrice. Du moment qu'on le crut abandonné de la fortune, chacun s'empressa de précipiter sa chute et ceux-là même, qui étaient le plus gorgés de grâces et de richesses qu'ils devaient aux victoires de ce grand homme, furent les plus acharnés à demander son abdication. Les uns voulaient que ce fût en faveur de son fils, les autres sans aucune condition. Ces derniers avaient déjà l'œil sur les voyageurs de Gand.

22 juin 1815. – L'Empereur abdiqua le 22 juin : il abandonna une couronne qu'il n'avait (comme on l'a dit) enlevée qu'à l'anarchie et qui ne devait retourner que pour peu de temps à ses anciens maîtres.

22 juin. – Le jour même de l'abdication, le général Lamarque[273] conclut une convention qui mit fin à la guerre de Vendée et Fouché fut nommé[274] président du Gouvernement Provisoire. Ainsi le régicide fut appelé en même temps pour coopérer au salut des deux partis ennemis qu'il trahit également, aveuglement qui arrive lorsque Dieu veut changer la face des empires[275].

Nous cheminions tristement à la suite du Roi, prévoyant déjà l'issue du voyage. J'étais fort malade d'étouffements, ce qui faisait que je ne pouvais supporter la chaleur, qui était très grande, et les nuages de poussière que notre cavalerie faisait voler autour de nous. Nous ne pouvions nous éloigner de la voiture du Roi, mon mari étant du Conseil qui, pour le malheur de la France, s'assemblait aussitôt qu'il arrivait un parlementaire de Paris et il en arrivait à tous moments et de toutes sortes.

Juin 1815. — De Gand, nous vînmes coucher à Mons : le Roi n'y passa qu'[un] jour[276] et ce temps suffit à Monsieur pour faire renvoyer M. de Talleyrand au moment où il fallait le garder et M. de Blacas (qu'il n'aimait pas alors) comme une compensation.

M. de Talleyrand était arrivé de Vienne à Gand un ou deux jours avant le départ du Roi, qu'il suivit à Mons; il était persuadé qu'il venait de rendre un grand service à la monarchie par la déclaration qu'il avait obtenue au Congrès de Vienne, le 13 mars 1815[277], et ensuite par la manière dont depuis il avait soutenu les intérêts de la France : il s'attendait donc à être fort bien accueilli du Roi; aussi fut-il plus que surpris lorsque le [25] juin, au moment où Sa Majesté allait quitter Mons, il se vit presque congédié[278]. D'après les obsessions de son frère, Sa Majesté fit sentir au ministre qu'il était peu content de lui et sur ce que M. de Talleyrand se permit de lui dire que, si ses services ne lui étaient plus agréables, il allait se retirer sur sa terre... en Allemagne, Louis XVIII répondit qu'il pouvait le suivre ou rester, comme cela lui conviendrait le mieux; le prince sortit furieux[279].

Ce fut bien aussi à la demande de Monsieur, que le Roi consentit à se séparer de M. de Blacas[280] : mais ceci n'était qu'un jeu, le favori eut de bonnes paroles de S.A.R. et un portefeuille du Roi, qui contenait beaucoup de millions; en outre il partit avec l'ambassade de Naples dans sa poche et la promesse d'ajouter quelque 100 000 francs à ses appointements; le Roi fut fort affecté de cette séparation et, comme il croyait mon mari attaché à M. de Blacas parce qu'il avait toujours pris courageusement sa défense[281], il le fit venir pour lui parler du renvoi de son ami et lui dit : « Je compte, Monsieur de Chateaubriand, que vous le remplacerez, vous savez que je vous suis fort attaché »; ensuite il le pria de rester à Mons jusqu'au départ de M. de Blacas, qui devait partir dans deux jours pour se rendre à Naples. Nous apprîmes bientôt que M. de Talleyrand était aussi resté à Mons par suite de son mécontentement. M. de Chateaubriand, qui le savait fort appuyé par les puissances étrangères et qui pensait que l'on serait peut-être obligé de lui faire des avances, l'alla trouver et fit tout ce qu'il put pour l'engager à rejoindre le Roi à Cambrai. Le prince résista d'autant plus qu'il se croyait nécessaire ou du moins imposé; effectivement dès que le baron Vincent[282] (qui avait été blessé à la bataille de Waterloo) apprit que M. de Talleyrand restait (mécontent) à Mons, il vint le voir et déclara que lui et les autres ambassadeurs avaient ordre de leur cour de ne traiter qu'avec lui, le regardant toujours comme ministre des Affaires Étrangères.

D'après cette déclaration, la cour se repentit de ce qu'elle avait fait et, comme de coutume, après une démarche intempestive on en fit une honteuse : celle d'écrire de la route à M. de Talleyrand que, tout étant oublié, le Roi l'invitait à venir le rejoindre à Cambrai. Heureusement que cette lettre fut adressée par M. de Duras à mon mari, afin qu'il la remît lui-même au prince, et on lui en disait le contenu afin qu'il se servît de son influence auprès du ministre pour l'engager à se mettre en route, ce qu'il fit avec succès. Sans lui parler de la lettre qui pouvait compromettre la dignité du Roi, il le décida à se rendre sans conditions et sans se douter des avances qui lui avaient été faites. Mais ce ne fut pas la faute de MM. Guizot et l'abbé Louis[283], si cette négociation réussit; ils voulaient que le prince *tînt bon* et ils firent tout ce qu'ils purent pour l'aigrir et le fortifier dans l'intention qu'il avait de rester ou tout au moins de se faire longtemps prier avant de se rendre, ajoutant que pour eux ils en agiraient ainsi : « Eh! Messieurs, leur répondit M. de Chateaubriand, qu'importe ce qu'en ce moment vous et moi feraient; il s'agit ici d'intérêts majeurs. » Cependant, comme M. de Talleyrand est au fond un homme sans fiel et que probablement il avait assez envie d'aller voir ce qui se passait à Cambrai, il sut peu de gré aux deux amis du rôle qu'ils voulaient lui faire jouer et se décida à partir le lendemain[284].

Mon mari venait de rendre un véritable service au Roi; l'entourage lui fit une espèce de crime d'être resté à Mons, ignorant que Louis XVIII l'en avait prié et, même quand ils le surent, ils voulurent faire entendre qu'il n'était resté en arrière que pour s'entendre avec M. de Talleyrand[285]. En effet, nous restâmes à Mons quelques jours après le départ de M. de Blacas, mais par la seule raison que la duchesse de Lévis, notre amie, n'ayant pas de voiture pour retourner à Paris, nous voulûmes lui donner une place dans la nôtre et alors il en fallut trouver une pour sa femme de chambre et la mienne. Cette dernière ne voulait pas absolument prendre la diligence qui partait après nous, prétendant que si elle nous quittait elle serait tuée, parce qu'il y avait tout le long de la route des forts braqués d'où les Anglais et les Français tiraient sur tous ceux qui avaient été à Gand; elle tenait cette belle nouvelle des politiques de l'auberge. Nous fûmes deux jours avant de pouvoir trouver un vieux cabriolet, qui nous coûta horriblement cher.

La pauvre duchesse de Lévis avait été obligée de rester à Mons, son mari l'y ayant tout à fait oubliée; comme ils n'avaient pas de voiture à eux et qu'ils étaient venus à Gand par des voituriers, le bon duc apercevant, sur la place de Mons, le Chancelier tout seul dans une espèce de coucou, lisant un roman en attendant qu'on attelât, sans aucune façon il prit place auprès de lui et lui déclara qu'ils allaient partir ensemble; il envoya à notre auberge dire à sa femme qu'elle tâchat de trouver quelques compagnons de voyage, parce que lui avait cru devoir profiter de l'occasion qui se présentait de rejoindre le Roi[286].

J'oubliais de dire que pendant que le Roi était encore à Mons, le marquis Oudinot, fils du maréchal, vint trouver M. de Chateaubriand pour le prier d'assurer Sa Majesté de tous ses bons sentiments et des excellentes dispositions des habitants de la capitale, ce qui s'accordait peu avec ce qu'on nous avait déjà dit et de ce qu'on ne cessa de nous dire jusqu'aux portes de Paris. Il ajouta qu'on n'avait pas voulu reconnaître le Roi de Rome, ce que nous savions déjà; mais ce que nous ne savions pas, c'était le dévouement particulier de la famille Oudinot dont le colonel ne cessa de nous parler[287].

Cependant Blücher et Wellington s'avançaient vers Paris; le [25] juin, ils s'étaient emparés de Cambrai. Le duc de Wellington reçut des ouvertures pour une capitulation et, d'après une convention signée à Saint-Cloud avec les chargés d'affaires de Wellington et Blücher, les Anglais entrèrent à Paris le 3 juillet 1815.

Le Roi fit son entrée au Cateau-Cambrésis, première ville de France, le [25] juin 1815; il y passa... jours et se mit en route pour Cambrai où il arriva le même jour à... heures du matin. Nous rejoignîmes le Roi à Cambrai où nous arrivâmes quarante-huit heures après lui; nous trouvâmes la ville illuminée comme le premier jour de l'entrée de Sa Majesté et si encombrée de monde, d'étrangers, que nous ne pûmes trouver place dans aucune auberge[288]. Étant arrivés après le Roi, M. de la Suze[289], maréchal des logis, avait disposé de nos billets de logement; aussi nous nous vîmes au moment de demeurer dans la rue, ce qui, du reste, n'avait rien que d'agréable au milieu des feux de joie, de la musique, de la foule qui circulait gaiement et des cris mille fois répétés de : « Vive le Roi »; comme nous n'avions pas suivi le Roi, nous ne savions pas quelle réception lui fut faite à son retour en France.

Cependant j'étais horriblement fatiguée, je commençais à me lasser de cette joie, lorsqu'un jeune écolier, ayant entendu prononcer notre nom, vint à notre voiture et nous salua en nous citant quelques phrases du *Génie du Christianisme*; ensuite voyant notre embarras, il nous supplia d'entrer chez sa mère[290] (ou sa tante) où il nous dit que nous serions bien. En effet, nous trouvâmes une bonne vieille dame avec sa fille qui, l'une et l'autre, nous comblèrent de politesses, nous préparèrent un bon souper et nous donnèrent leur lit. Le matin, plusieurs amis et amies de ces bonnes gens vinrent pour voir mon mari, dont ils avaient tant entendu parler et que Frault aimait tant. Frault était le nom de notre hôtesse; sa maison était sur la grande place de Cambrai.

Ce fut dans cette ville de France que les amis de toutes les monarchies (en ligne ascendante) commencèrent à arriver en foule. Ils venaient mettre aux pieds du Roi la constante fidélité qu'ils lui avaient gardée au fond de leur cœur[291] : Louis XVIII ne leur en demanda pas davantage. Ensuite ils l'assurèrent de leur haine pour la Charte : c'était le passeport pour arriver à Monsieur qui, dès ce moment, en fit ses ultras par excellence. Aussi ces caméléons, qui avaient eu à peine le temps de cacher la livrée de Bonaparte pour prendre celle des Bourbons, se trouvaient, à l'île Saint-Denis, les seuls vrais royalistes. Mon mari et deux ou trois malheureux raisonnables n'étaient surtout, aux yeux de Son Altesse Royale, que des jacobins ou du moins des gens qui avaient un *dada*[292] et qui étaient incorrigibles.

28 juin. — Par la déclaration de Cambrai, en date du 28 juin, faite par Louis XVIII et libellée par M. de Jaucourt[293], le Roi disait : « Je ne veux éloigner de ma personne que ces hommes dont la renommée est un sujet de douleur pour la France et d'effroi pour l'Europe » et [8] jours après ces paroles, il prenait Fouché pour ministre[294]; toujours le nom de ce régicide était prononcé avec honneur, même avec attendrissement, par toute la cour de Monsieur. Ce prince fatiguait sans cesse les oreilles du Roi de l'éloge de son favori, mais Sa Majesté résistait toujours et se moquait même de la nouvelle passion de son frère qui « certainement, disait-il, ne lui est pas venu d'inspiration divine »; aussi, un jour que Monsieur lui avait fait (confidentiellement) part d'une lettre de M. de Vitrolles où le héros de Lyon[295] était représenté comme l'homme indispensable et le sauveur de la France, il la prit, la mit dans sa poche et la lut tout haut au Conseil, ce qui fâcha fort Monsieur qui ne voulait pas que certaines gens sussent à quel point il était favorable à Fouché.

Il y avait à Cambrai un certain comte Courchamps[296], qui avait comme bien d'autres, suivi le Roi à Gand; c'était une espèce la plus dangereuse mais la plus amusante du monde; il appartenait à toutes les grandes familles, tantôt de Hollande, tantôt d'Écosse; il était déjà venu nous voir à Bruxelles pour faire des propositions d'argent (comme prêt) de la part de son cousin, le comte de Horn. Le fait est que ce Courchamps, dont le vrai nom était Cousin, était le fils d'un méchant procureur des environs de Saint-Malo, qui avait fait banqueroute et emporté à mon beau-frère une somme de 6 000 à 7 000 francs, qu'il redevait sur un bien qu'il avait été chargé de vendre. Courchamps se moquait de toutes les personnes dont il n'avait pas besoin; il faisait de fort jolies chansons; voici un des couplets de celle qu'il fit sur M. de Gallifet qui était venu rejoindre le Roi à Gand :

> Le grand Gallifet de Provence
> Avec son collet de carton[297]
> Tonton, tonton, tontaine, tonton,
> Est venu vers le roi de France
> La fleur de lys sur le bouton,
> Tonton, tonton, tontaine tonton, etc.

Ce Fouché était parvenu à faire croire aux bons habitants de Paris que c'était lui qui avait sauvé la ville de la fureur des Prussiens. Plusieurs des plus chauds royalistes nous apportèrent à Cambrai cette merveilleuse histoire; ils en étaient pénétrés. Pendant ces nouvelles négociations, Donatien de Sesmaisons[298] arriva aussi à Paris; il n'était exclusivement ni du parti de la cour du Roi, ni de celui de la cour de Monsieur; mais, comme il causait avec tout le monde, il venait raconter à M. de Chateaubriand tous les chefs d'accusation portés contre lui par l'ex-pavillon de Marsan : le premier était « qu'il était resté attaché à M. de Talleyrand » ce qui était vrai car, jusqu'alors, M. de Talleyrand l'avait toujours appuyé au Conseil, lorsqu'il repoussait Fouché; il ne l'abandonna qu'à Saint-Denis où, malgré la haine qu'on portait à l'ex-évêque, on le conserva ministre des Affaires Étrangères. Ainsi il fut comblé par ses ennemis, dits les royalistes par excellence, parce qu'il consentait à marcher avec Fouché et abandonné par son ami, (soi-disant) libéral, parce qu'il consentait à faire partie d'un ministère régicide.

Mais que doit-on penser de Monsieur, de sa piété, de sa loyauté, de sa franchise (tant vantée), quand on le voit affecter un si grand éloignement pour l'évêque marié, tandis qu'il force son frère à confier le sort de la France et la tête de son Roi à l'auteur des mitraillades de Lyon et à l'assassin de Louis XVI ? Il faut l'attribuer, dit-on, à son défaut de lumières; mais Dieu a mis dans le cœur de l'homme le moins intelligent, hors l'état d'imbécillité, assez de connaissance du juste et de l'injuste pour ne pas pécher : il est donc permis à un prince de peu d'esprit de faire beaucoup de sottises mais non de commettre un crime[299]; et certes il n'en fut jamais un plus grand que cette monstrueuse alliance avec le plus grand des criminels.

Nous quittâmes Cambrai le [30] de juillet et nous allâmes coucher à Royes, [à] 17 lieues de Cambrai. Le curé de la ville vint à la tête de son clergé pour complimenter le Roi, mais il arriva trop tard et ce fut nous qui reçûmes le compliment qui était destiné à Sa Majesté.

Le Roi coucha à l'hôtel de... et nous à l'auberge des [Trois] Rois. La maîtresse de cette auberge était si royaliste qu'elle voyait des princesses partout; elle me prit pour Mme la duchesse d'Angoulême et me porta presque dans une grande salle où il y avait une table de vingt couverts au moins[300]. La chambre était tellement éclairée de bougies et de chandelles qu'on perdait la respiration au milieu d'un nuage de fumée, sans compter la chaleur d'un feu qui aurait été à peine supportable au mois de janvier. Lorsque la bonne dame s'aperçut que je n'étais pas Mme la duchesse d'Angoulême, elle fut un peu désappointée, mais enfin nous arrivions de Gand, nous étions donc du moins de bons royalistes; elle nous fit fête en conséquence et, en partant, nous eûmes une peine infinie à lui faire accepter de l'argent. Parmi cette classe, le dévouement est bien plus sans réserve que dans la classe plus élevée : je me rappelle que cette pauvre femme me disait : « Voyez, madame, je suis royaliste au point que quelquefois je me regarde de travers pour n'avoir pas su me faire guillotiner pour nos Bourbons. »

Juillet 1815. — Pendant qu'un aubergiste nous tenait ce langage d'un dévouement si désintéressé, tous les intérêts personnels étaient en jeu.

Le général Lamothe[301] (beau-frère de Laborie[302]), arriva à Royes, envoyé par le Gouvernement Provisoire, pour dire au Roi qu'il n'y aurait pas sûreté, pour lui s'il voulait rentrer dans sa bonne ville de Paris sans la cocarde tricolore et sans avoir licencié les régiments de sa garde appelés la *Maison Rouge* et la *Maison Grise*[303].

C'était, dit Lacretelle dans son *Histoire de la Restauration*[304], Fouché qui exigea cette odieuse concession, sous prétexte que l'armée la demandait. Cependant le Roi ne promit rien et l'ambassadeur s'en retourna assez mécontent et de la réponse de Sa Majesté et de la manière sèche dont elle fut faite. A cette occasion, M. de Talleyrand se comporta fort bien; il ne voulait encore ni de Fouché, ni entendre à aucune concession. Plus tard, il faiblit parce qu'avant tout il fallait rester ministre. Il était logé à vingt pas de l'hôtel où était le Roi, ce qui ne l'empêchait pas de faire atteler deux vieilles haridelles à sa voiture, toutes les fois qu'il y venait dans la journée[305].

... juillet. — Nous partîmes de Royes le [1er] juillet et nous allâmes coucher à Senlis (14 [?] lieues de Royes). Sur la route, on refusa des chevaux à la duchesse de Bellune, ce qui mit l'aide de camp du maréchal (qui l'accompagnait), dans une telle fureur, qu'il s'emparait des nôtres qu'on était à atteler. Mais j'offris moi-même nos chevaux à Mme de Bellune de si bon cœur, que tout s'apaisa. Dans le fond, cet aide de camp avait raison : parce que le maréchal n'était pas du conseil du Roi, on se croyait dispensé de donner à sa famille le moyen de revenir de Gand. On avait pris cet honnête homme de guignon et, tout bonnement, parce qu'il avait fait son devoir et qu'on ne le craignait pas. J'ai déjà dit tout ce qu'il avait eu à souffrir à Gand. Marmont était au contraire traité à ravir : les Bourbons ont toujours eu un fond de tendresse inexprimable pour les traîtres. Pendant que cette scène se passait, mon mari était allé présenter à Monsieur deux ou trois bons curés des environs, ce dont je me réjouis fort car, s'il avait été présent, je ne sais comment la chose se serait passée.

Ce fut le soir que nous nous mîmes en route pour Senlis car, bien que nous n'eussions que 14 lieues à faire, il ne nous fallait pas moins de vingt-quatre heures pour en venir à bout, avec tout le cortège au complet comme pour une entrée triomphale; il est vrai que cela y ressemblait, car la route, depuis Royes jusqu'à plus de trois lieues, était illuminée de feux artistement disposés. De pauvres bûcherons avaient attaché des lampions à leurs cabanes placées au milieu d'un bois; le feu avait pris, il avait fait assez de ravages; je n'ai pas su si ces braves gens avaient été indemnisés de leurs pertes.

... juillet. — Nous arrivâmes à Senlis le [3] juillet vers les sept heures du soir. Comme de coutume, nous ne pûmes trouver à nous loger : enfin il fallut, manque d'auberge, nous présenter avec notre billet de logement chez un vieux chanoine, qui nous reçut comme des chiens ou plutôt nous fit recevoir par sa servante, car, pour lui, il ne voulut pas nous voir. On nous donna une mauvaise chambre avec des lits plus mauvais encore et la vieille bonne eut ordre de ne nous rendre d'autre service que d'aller nous acheter de quoi

manger, avec notre argent bien entendu. Du reste la pauvre fille était aussi serviable que son maître était inhospitalier et, malgré la défense, elle nous servit de son mieux et nous réconcilia même avec son chanoine, qui vint nous voir le lendemain avant notre départ, et nous demanda gracieusement si nous ne voulions pas prendre quelque chose et cela avec d'autant plus d'insistance qu'il savait que nous avions déjeuné[306].

[5] juillet. — Nous partîmes de Senlis le matin à...... A Gonesse[307], nous fûmes arrêtés par deux nouveaux parlementaires, le maréchal Macdonald et le baron Hyde de Neuville. Ils venaient confirmer ce que M. Lamothe avait dit à Royes, qu'on ne pouvait entrer à Paris sans la cocarde tricolore[308] et le licenciement de la *Maison Rouge*. Le Conseil s'assembla donc; Mme de Duras, de Lévis et moi, en attendant au milieu du grand chemin le résultat de cette délibération, nous demandâmes au maréchal si, réellement, il croyait qu'on ne pouvait arriver à Paris sans des conditions si rudes; il nous répondit (en riant) qu'il n'en était pas bien convaincu; pour le pauvre Hyde, il croyait cela comme article de foi; la différence entre les deux ambassadeurs est que le premier venait affirmer ce qu'il ne croyait pas et que le second ne disait que ce dont il était fermement convaincu. Le Conseil fini, rien ne transpira ; mais à l'air assez soucieux de mon mari, je vis qu'il n'était pas content.

Juillet. — Ce fut à Arnouville que l'on commença à jouer les grandes marionnettes. M. de Talleyrand, qui nous avait devancés et avait été prendre langue avec ses anciens amis, revint nous rejoindre à Arnouville avec le duc de Wellington et, je crois, Fouché[309]; et là, aidés de Monsieur, ils firent enfin chanceler les bonnes résolutions du Roi. Cependant Talleyrand détestait Fouché[310], mais il se rangea du côté de ses partisans dès qu'il vit que son ministère y était attaché. Pour le duc de Wellington dont les vues politiques étaient loin d'être à la hauteur de ses talents militaires, il se laissa aisément séduire par les mensonges du régicide et les veuleries de ces traîtres, qui n'abandonnent le parti vaincu que pour se rendre encore nécessaires à ce parti, s'il revenait un jour vainqueur. Ces derniers surtout ont toujours trouvé une grande foi parmi les royalistes; il n'y a point de parti plus porté à se laisser prendre à des paroles. Toutefois le vainqueur de Waterloo doit être à jamais exécrable à tous les bons Français[311] pour avoir abusé de sa position pour forcer le Roi à recevoir, dans son Conseil, l'assassin de son frère. Déjà M. de Chateaubriand était éloigné[312] et Sa Majesté commençait à ne plus lui parler avec la même franchise. Cependant, si le Roi faiblissait en ce qui regardait Fouché, il paraissait toujours résolu à ne pas renvoyer ses gardes, encore plus à ne pas prendre la cocarde tricolore.

A Arnouville, nous fûmes logés chez le maire qui, à l'approche de l'armée royale, s'était caché : son lit était encore tout chaud. Le dirai-je? ma fatigue était si grande, j'étais si malade d'étouffements que, sans savoir ce que je faisais, je ne vis qu'un lit et me jetai dedans : quand j'y songe depuis, j'en ai d'horribles soulèvements de cœur. La duchesse de Lévis, elle, toujours propre et soignée dans sa toilette, se jeta sur un matelas tout habillée et, le matin, elle sembla s'être éveillée dans un des beaux hôtels du faubourg Saint-Germain.

On manquait de vivres, on ne trouvait plus un pain dans le village. Cependant nous et une douzaine d'autres arrivant de Gand, nous mourions de faim; la servante du maire avait mis à l'ombre toutes ses provisions et ne nous avait réservé que ses injures, dont elle n'était pas avare; quand par bonheur arriva un certain M. Dubourg[313], général de sa façon, qui, nous dit-il, avait pris nombre de villes sur son chemin. C'était le plus grand hâbleur qu'on pût voir et il nous racontait, le plus sérieusement du monde et les croyant lui-même, ses hauts faits d'armes de Gand à Paris, qu'on aurait trouvés incroyables dans la vie d'Alexandre. Mais cette espèce de fou nous rendit un grand service en allant à la quête et nous rapportant d'énormes morceaux de viande, du pain, etc. Je crois qu'il avait fait très militairement emplette de ces provisions, mais, sans scrupules, nous fîmes un déjeuner excellent.

J'étais d'une humeur horrible de tout ce que je voyais et de tout ce que je prévoyais. Pour la duchesse de Lévis[314], pendant tout le voyage qui dura dix-huit jours, elle fut toujours aussi calme et aussi patiente qu'elle l'était habituellement et sa douceur habituelle était à toute épreuve. Bonne et aimable femme, c'est en 1830 qu'elle est allée jouir dans le ciel d'un repos qu'elle n'avait guère goûté sur la terre. Des embarras de fortune et un mari homme d'esprit assez bon, mais dérangé, ayant ces... habitudes, lui faisaient passer de mauvais jours, rachetés cependant par ses enfants : le duc actuel[315] et Mme de Nicolaï qui ont hérité de toutes les vertus de leur mère.

Ce fut à Arnouville que le général comte Lagrange, qui était venu au-devant du Roi, fut insulté par des officiers des gardes qui arrivaient de Gand, l'ayant pris pour son cousin le marquis de Lagrange[316], aussi général et très bonapartiste, heureusement que la chose s'éclaira et qu'il n'y eut point de sang répandu. Rien n'est plus plaisant que cette intolérance que nous affichions pour des opinions, qui n'avaient au fond rien de déshonorant, lorsque nous nous arrangions si bien des plus honteuses et des plus criminelles et que nous eussions pressé contre notre cœur Robespierre lui-même, s'il était venu nous baiser les mains.

Nous fûmes rejoints à Arnouville par MM. Bertin et leur famille qui avaient aussi fait le voyage *sentimental*. MM. Bertin[317], bons bourgeois de Paris qui n'avaient aucune raison particulière d'être attachés à la monarchie des Bourbons, lui avaient été constamment fidèles sous Bonaparte : ils avaient été persécutés et ruinés pour avoir toujours soutenu cette cause dans leur journal (alors *[Journal] de l'Empire*). A la Restauration, ils furent, comme beaucoup d'autres, récompensés de leur fidélité par de nouvelles persécutions, qui ne les empêchèrent pas, aux Cent-Jours, de suivre le Roi dans l'exil. Ils vinrent à Gand où ils firent le journal appelé le *Moniteur de Gand*. Ce journal était rédigé dans le meilleur esprit, mais il n'excusait pas Soult et ne faisait pas un sauveur de Fouché. Alors tout fut perdu : MM. Bertin devinrent des libéraux, leur journal, un mauvais livre et leur voyage à Gand, presque une trahison. Aussi firent-ils la guerre à leurs frais car jamais on n'a voulu leur rembourser les sommes très considérables qu'ils avaient avancées pour le journal. Au retour de Gand, MM. Bertin continuèrent à être mal vus de la cour; leur *Journal des Débats*, le seul alors qui eût le sens commun, était presque à l'index au Château. Aussi par la suite, ces honnêtes gens aigris mirent de la négligence dans la rédaction de leur journal et il s'y glissa des articles réellement mauvais, surtout pour la religion : ce qui n'est pas pardonnable, j'en conviens; mais le mot pousser à bout n'a pas été fait pour rien et c'est ce qui arriva avec MM. Bertin. Aujourd'hui on s'étonne qu'ils se soient jetés dans le *juste-milieu*. Que les rois apprennent que peu d'hommes sont nés avec une conscience politique invariable ou se trouvent placés dans une position qui ne leur permet pas de changer de parti; ainsi, lorsque le pouvoir frappera les hommes fidèles pour récompenser les traîtres, ils dégagent par cette injustice leurs serviteurs du serment de fidélité, de même que s'ils abandonnaient leur royaume, car la défection à la justice est, dans un Roi, comme une renonciation à ses droits.

On n'assembla point le Conseil à Arnouville, mais la coterie était permanente et de son sein s'échappa le bourbeux ministère qui ne fut connu qu'à Saint-Denis, où nous arrivâmes le même jour au soir, le 7 juillet (à ce que je crois).

Grand Saint Patron de la France! vous nous auriez sauvés si nous avions pu l'être, mais votre bannière ne semblait alors qu'un crêpe funèbre qui nous annonçait les futures destinées de la France.

Un noir vertige s'était emparé de tous les esprits, les mêmes rues qui conduisaient au tombeau de Louis XVI[318] étaient encombrées d'élégantes voitures remplies d'ultras improvisés, gens de la ville et encore plus de la cour, qui venaient, le drapeau blanc à la main, demander au Roi la cocarde tricolore pour leur pays et des honneurs pour l'assassin de son frère. A la tête de ce brillant cortège on remarquait une de nos parentes, Mme la marquise de Talaru[319], pavoisée de rubans et de plumes sans pareilles; la comtesse de Choiseul rivalisant avec elle de toilette et de goût, la vieille duchesse de Duras, qui croyait n'avoir encore sa tête que parce que Fouché avait permis qu'elle restât sur ses épaules, et le bailli de Crussol[320], qui fut un de ceux qui influèrent le plus sur la décision du Roi en faveur du régicide, etc.

Pour nous que toutes ces scènes affligeaient, nous allâmes, faute d'auberge, nous loger chez un pauvre boulanger, excellent homme, mais bonapartiste enragé; sa femme, très bonne aussi, ne savait trop ce qu'elle était pour le moment, car il est clair qu'elle regrettait comme son mari *l'ancien régime*. La divergence d'opinion n'empêcha pas le bon accueil : ces braves gens firent ce qu'ils purent pour nous bien recevoir : ils ne nous épargnèrent ni le vin, ni la viande; ils nous servirent à dîner deux gigots de mouton. Pour leurs lits qu'ils nous offrirent de grand cœur, je ne fus pas tentée de m'y coucher; je n'étais plus aussi fatiguée qu'à Arnouville.

Après notre dîner, M. de Chateaubriand fut mandé pour aller chez le Roi, qui était logé à l'Abbaye. Il s'y rendit et, après une conversation qui se prolongea jusqu'à 11 heures, il aperçut, en sortant, M. de Talleyrand, appuyé sur le bras de Fouché et se traînant dans l'ombre vers la chambre de Sa Majesté. Ils y entrèrent; la porte se referma sur eux et Dieu seul fut témoin de l'alliance formée entre le fils de Saint Louis, un prêtre renégat et un régicide[321].

Mon mari arriva consterné de chez le Roi. On ne parlait au château que de la nécessité de céder, c'est-à-dire qu'il fallait arborer la couleur tricolore, adorer Fouché et renvoyer la *Maison Rouge*. Le duc de Gramont surtout M. de Duras et le bailli de Crussol employaient toute leur éloquence pour faire adopter ces mesures, et ils y réussirent, excepté pour la cocarde, que le Roi ne voulut jamais prendre; il s'obstina à refuser celle des trois conditions qui avait le moins d'inconvénients[322].

En sortant de chez le Roi, M. de Chateaubriand eut plusieurs assauts à soutenir sur l'opposition qu'il avait toujours montrée pour ces honteuses concessions. Au surplus, il venait de trouver Louis XVIII encore très ennemi de cœur des mêmes mesures qu'il venait d'adopter par faiblesse.

Le lendemain, le Roi fit dire de nouveau à mon mari d'aller lui parler. La première chose qu'il lui dit fut : « Eh bien, M. de Chateaubriand? – Eh bien, Sire, Votre Majesté renvoie ses régiments et prend Fouché? – Oui, reprit le Roi, il le faut. Voyez : depuis mon frère jusqu'au bailli de Crussol, et celui-là n'est pas suspect, tous disent que nous ne pouvions pas faire autrement. Mais bon, pour les deux premières choses il y a remède; pour la cocarde c'est une autre affaire, je ne céderai jamais sur ce point : qu'en pensez-vous? – Hélas! Sire, la chose est faite, permettez-moi de me taire. – Non, non, dites, vous savez comme j'ai résisté depuis Gand, dites, qu'en pensez-vous? – Vous le voulez, Sire, je ne sais dire que la vérité et, puisque Votre Majesté pardonnera à ma fidélité, je crois que la monarchie est finie. Pardon, Sire, vous le pensez comme moi, c'est ce qui me donne la hardiesse de vous exprimer ma pensée. » Il trembla cependant de cette hardiesse, quand le Roi reprit : « Eh bien, mon ami, je suis de votre avis. » *Ce fait est vrai à la lettre*[323].

7 juillet. – On sait comment se forma à Saint-Denis le ministère de[324] :

MM. DE TALLEYRAND, Affaires Étrangères.
ABBÉ LOUIS, aux Finances.
PASQUIER, aux Sceaux.
SAINT-CYR ou plutôt FELTRE, à la Guerre ; (c'est Lacretelle qui nomme Saint-Cyr).
JAUCOURT. Maison du Roi : RICHELIEU dit Lacretelle, mais ce fut Jaucourt.
FOUCHÉ, à la Police.
» à l'Intérieur.
» à la Marine.

Ce fut surtout aux pressantes sollicitations de Wellington et aux intrigues de Vitrolles que Fouché dut le ministère de la Police.

8 juillet 1815. – Le matin vers... heures, au moment où le Roi allait se mettre en marche pour Paris, on lui dit qu'il entrât par la barrière de Clichy, parce qu'on ne pouvait répondre de la populace qui se portait en foule vers la barrière Saint-Denis et dont les propos étaient mauvais; mais le Roi répondit : « Messieurs, il n'y a qu'un malheur que je ne connaîtrais jamais, c'est celui de la peur » et il ordonna de ne rien changer à l'ordre de la marche, qui fut une vraie marche triomphale[325]. L'air, depuis Saint-Denis jusqu'aux Tuileries, ne cessa de retentir des cris de « Vive le Roi! »

Lorsque le Roi fut un peu reposé, il reçut aux Tuileries quelques personnes, au nombre desquelles fut mon mari, qui se permit de demander à Sa Majesté comment elle trouvait avoir été reçue par la barrière Saint-Denis; à quoi le Roi répondit : « Mais c'était vraiment de l'amour. – Oui, Sire, et ce n'était pas la réception qu'on vous avait préparée du côté de la barrière de Clichy. » Le mot, j'en conviens, n'était pas d'un bon courtisan; il plut au Roi, mais la cour en fut choquée parce qu'elle était encore sous la *fascination* de Fouché.

FIN DU CAHIER ROUGE

Le Cahier vert

Notes sur les événements de 1815 à 1844

CHAPITRE PREMIER

(1815-1827)

Expliquer comment la Congrégation s'est formée en France. C'est l'abbé Delpuits, père de la Foi[326] qui avec de pieuses intentions commença cette association qui fit tant de mal. Son premier but fut de ramener les jeunes gens à la religion, et MM. de Montmorency, Alexis de Noailles, qui faisaient, avant la rentrée du Roi, partie de cette Congrégation, furent particulièrement chargés de surveiller les jeunes gens, de les conduire dans les hôpitaux et d'en faire (pour la suite) des hommes d'État, auxquels on confierait, seuls, les destinées de la France. A la rentrée du Roi, la pieuse union se fortifia de M. de Polignac, Rivière et de plusieurs évêques, entre autres l'abbé de Latil. A la mort de M. Delpuits, M. Ronsin (jésuite) lui succéda; c'était un homme pieux, voulant le bien, mais il n'a pu, comme dans toute association secrète, surtout quand elle a un but politique, éviter de recevoir dans cette réunion tous les ambitieux et les hypocrites, qui voyaient, dans les pratiques de dévotion et de charité qui leur étaient imposées, un seul chemin ouvert aux places et à la faveur; [ils] s'y soumettaient avec un zèle trompeur et qui n'avait pas Dieu pour objet. Et voilà pourquoi nous voyons aujourd'hui compter au nombre des défenseurs du Trône et de l'Autel, des hommes dont toute la vie avait été un outrage à Dieu et au Roi. Ces pécheurs (vrai scandale de la terre) ont fait pénitence non sous la haire et le cilice, mais couverts d'honneurs, de places et d'argent : leur maître, M. de Montmorency, leur avait montré l'exemple[327].

Lors de la première Restauration, tout ce qui ne voulait pas, tout ce qui avait desservi la maison de Bourbon fut appelé les défenseurs du trône parce qu'ils en usurpaient la faveur, et tous les hommes fidèles, les V..., furent éloignés, et lorsqu'ils voulurent faire entendre une plainte ou avancer que les exagérations..., ils furent des jacobins.

A Gand, on négociait avec Soult et Fouché, ils furent les grands... Ces hommes ne parlaient que de despotisme et regardaient comme la cause de tous les malheurs de leur pays, la liberté de la presse qui parlait du passé. De ce moment, tous ceux qui croyaient qu'il était difficile de faire de l'eau claire avec de l'encre, furent des jacobins ou tout au moins des amis de la Charte, ce qui était pire encore; mais, comme cela arrive toujours, quand on veut faire de l'eau claire avec de l'encre, on ne voulut plus de ces hommes qui redevinrent des libéraux parce qu'ils furent mécontents. On composa d'autres ministères où, à cause de la peur qu'on avait de la révolution, on fourra toujours bon nombre de révolutionnaires; et ne croyez pas que ce fussent des hommes qui représentassent un parti : non, c'étaient d'anciens constitutionnels, des jacobins ou des bonapartistes méconnus jusqu'alors. Tous les ministères étaient composés (à leur dire) des seuls royalistes de France : ils n'en croyaient rien et le Roi, la cour et quelques niais en étaient persuadés. Tout cela était dit dans leurs journaux, qui toujours rappelaient qu'on ne pouvait gouverner avec d'autres journaux que les leurs et aussi [avec] tout ce qui était d'un autre avis que le leur; et voilà ce qui fit que, sous le ministère de M. Decazes, tous ceux qui écrivaient dans le *Conservateur* et le *M[ercure]*[328], Charles X lui-même, furent taxés de jacobinisme [et] traités de la manière la plus indigne dans la *Correspondance Privée*[329], faite par ordre du ministère. M. Decazes tomba et dès lors il fut un jacobin parce qu'il passa dans l'opposition et dit tout le contraire de ce qu'il avait dit.

Enfin le règne de Villèle : il fit mille sottises mais il eut tort de faire croire qu'il voulait le despotisme et dès lors tout ce qui lui était opposé fut jacobin. Enfin, lorsque tant de fautes ont amené la chute des Bourbons, quels sont les hommes qui lui sont restés fidèles? À coup sûr, la majorité? Non! pas pour ceux qui avaient eu sans cesse à la bouche les mots de despotisme, de royalisme, de religion et d'ordre mais pour ceux qui, raisonnables sous tous les régimes, ont eu une constante opinion ....

.... [330]

Aussi voyez aujourd'hui ces MM. qui ne v... (entre autre M. P...[331]) qui ne vous parle que de la garder crainte de la République. Mais n'a-t-il pas été constamment un membre du côté gauche? Ne l'a-t-il pas même été assez longtemps pour en connaître les dangers et les suites? Eh bien! alors pourquoi ne prêchait-il pas pour le gouvernement établi, les mêmes principes qui auraient, à son avis, consolidé ce gouvernement? et pourquoi aujourd'hui traite-il si mal des élèves? Car enfin tous les jeunes gens qu'il appelle du... Seulement ils sont fâchés d'être maltraités par leur maître et de le voir recueillir tout seul les fruits de leur commun labeur.

Faisons donc remarquer aux étrangers que depuis dix-neuf ans, il y a eu un système de gouvernement funeste surtout par son hypocrisie et sa bassesse. Nous voulons plaire, plaire même à nos ennemis et, pour cela, nous sacrifions l'honneur de la France et calomnions les Français. Que les étrangers, s'ils ne veulent pas de révolution en France, ne s'y trompent pas. Mais il y a deux manières à prêcher de révolutionner la France : la première est d'exprimer...[332]

1815 ou 1816. Des hommes préférés par les Bourbons[333]. — Lorsque M[ontesquiou] quitta le ministère de l'Intérieur en 1815 ou 1816, plutôt que de prendre M. de Chateaubriand, on écrivit à M. de Vaublanc[334] à Metz. M. de Vaublanc, il est vrai, avait été abominable, à l'Assemblée Nationale : il s'était couvert devant le Roi. Il fut préfet de Bonaparte de 1806 à 1814. M. Pastoret a été aussi et continue à être comblé des faveurs des Bourbons, lui qui a demandé la mort pour les princes et les émigrés, qui a servi Bonaparte, s'est sauvé et a pris un des premiers la cocarde tricolore aux Cent-Jours. Enfin c'est Dudon le Voleur[335] qui est leur coryphée.

Pastoret est un homme sans illustration comme sans aïeux, porté... sans échelons que ceux d'un rigoureux antécédent, des derniers rangs de la société aux honneurs dus et refusés à la fidélité. Pastoret n'avait même pas à opposer à sa nouvelle faveur le prestige du talent, ni ses services, si ce n'est ceux qu'il a rendus à tous les gouvernements. En révolution, on prend des hommes de l'opposition, mais c'est quand ils deviennent une nécessité par leurs talents, les services qu'ils peuvent rendre et le rang honorable qu'ils tiennent dans leur parti.

Décembre 1822. — M. de Chateaubriand fut nommé ministre des Affaires Étrangères le [28] décembre 1822[336]. Cette nomination causa une véritable joie à tous ceux qui ne voulaient que le bien, sans y attacher un intérêt personnel. Villèle[337] était détesté alors et des gens sages de tous les partis aussi bien que de la Chambre des Députés : on appréciait alors l'homme ce qu'il valait. En effet, plus tard, le voyant soutenu par la cour, on changea de langage et l'on voulut faire un ministre habile, d'un bon commis aux Finances. Mais, si presque la totalité de la France applaudit aux choix qu'on venait de faire, la société se partagea, les uns pour louer, les autres pour blâmer : de ce nombre furent les parents, les amis ou qui se disaient amis de M. de Montmorency. Ils prétendaient que mon mari, ami du duc Mathieu, ne devait pas accepter sa survivance. Aussi, jamais M. de Chateaubriand ne l'a-t-il fait[338]; il a assez prouvé combien il était ami politique, si réellement il eut aucun engagement de ce genre : il est vrai qu'il y en avait eu, mais M. de Montmorency a été le premier à les rompre. Car, malgré la promesse donnée, lorsqu'il fut nommé ministre des Affaires Étrangères en 1821, au lieu de donner à M. de Chateaubriand l'ambassade de Londres, il fit tout ce qu'il put pour y nommer son cousin le duc de Laval. Ce fut alors Polignac[339] et Villèle qui insistèrent pour que ce fût M. de Chateaubriand : le premier pour tenir ses engagements, le second parce que cela arrangeait mieux alors ses combinaisons ministérielles[340].

Après cela la sortie de M. de Montmorency fut-elle une disgrâce? La politique, certes, n'y entra pour rien. Le vicomte de Montmorency quitta le ministère parce qu'il ne voulait pas y rester sous la présidence de Villèle. Mais en sortant il reçut la récompense de ce noble sacrifice en se faisant nommer duc. Le duc sortait donc peut-être mécontent, mais il fallait qu'il eût l'air de ne pas l'être, puisqu'il reçut une grâce en sortant. C'est ce qu'on n'eût pas accordé à mon mari le dimanche qu'on le mit si courtoisement à la porte. M. de Montmorency ne se contenta pas de tâcher d'enlever à mon mari l'ambassade de Londres, il fit tout ce qu'il put pour l'empêcher d'aller au Congrès de Vérone et, voyant qu'il ne le pouvait pas, il prit le parti d'y aller aussi afin d'ôter à son rival la gloire des négociations et de se mettre trop en évidence[341].

Le jour que mon mari fut nommé nous vîmes arriver dans notre modeste habitation[342] la ville et la cour; tous nous accablaient de compliments, mais il y avait, dans ceux des amis du duc Mathieu, un vernis d'épigrammes qui n'était pas du meilleur goût. Il y avait surtout un certain Boisbertrand[343], être amphibie, secrétaire (je crois) de Monsieur et fort soupçonné d'être attaché par un coin à la police. Je ne sais, au fait si c'est à celle du quai de... mais c'était bien le mouchard le plus mouchard du château des Tuileries. C'était un congréganiste déterminé sous la Restauration. On m'a dit qu'il était devenu un *juste-milieu* parfait après les Journées de Juillet.

1823 et 1824. — Ministère[344]. — Janvier. — Nous prîmes possession du Ministère le [1] janvier 1823.

Là, comme de coutume, mon mari s'occupa de faire le bien sans s'embarrasser des intrigues qui se formaient autour de lui, et des intrigants, la pire espèce d'espions possible, qui ne cessaient de l'obséder et d'aller rapporter à qui de droit tout ce qu'ils avaient ou n'avaient pas entendu. M. de Rougé[345] était un des affidés les plus souples et les plus exacts[346]; Villèle et Corbières[347] avaient une jalousie forcenée contre M. de Chateaubriand. Ils connaissaient ses talents, sa loyauté et la popularité dont il jouissait, mais le mesuraient toujours un peu à leur hauteur; ils ne pouvaient le supposer dénué d'ambition et ils étaient convaincus qu'il visait à la présidence. D'après cette idée, ils se liguèrent plus que jamais pour tâcher d'entraver toutes ses opérations et le perdre surtout auprès du Roi et de Monsieur. Auprès de ce dernier la chose n'était pas difficile : *il aimait la charte*, c'était un crime irrémissible aux yeux de ce faible prince. Le Roi n'était pas aussi facile à tromper et d'autant plus que les manières grossières et bourgeoises du breton et du gascon lui déplaisaient autant que le ton de franchise, joint aux bonnes manières de M. de Chateaubriand lui plaisaient. Il fallut donc un temps assez considérable (dix-huit mois) pour amener un prince, homme d'esprit, à renvoyer un ministre sur lequel on ne pouvait trouver rien à dire, que tous les partis indépendants aimaient et à qui tout ce qui n'était pas mû par intérêt personnel, rendait justice. Le reste du ministère, qui s'était montré tout de flamme pour mon mari, voyant que le suivre n'était pas le chemin de la faveur, l'abandonnèrent et se rangèrent dans le conseil du côté de Villèle, qui rarement avait un avis qui eût le sens commun. M. Peyronnet[348] comme un des plus ambitieux devint un des plus hostiles; Lauriston[349] dit *amen* et Digeon[350], ministre de la Guerre par intérim, resta loyal. Ce ne fut que lorsqu'il fut remplacé par M. de Damas que M. de Chateaubriand se trouva seul dans le Conseil de son avis; s'il avait été suivi, peut-être ou plutôt sûrement, nous n'en serions pas où nous sommes.

On ne peut pas faire sa destinée! Croirait-on que ce fut M. de Chateaubriand, qui, envers et contre tout le Conseil et surtout Villèle qui n'en voulait pas, fit nommer M. de Damas, en remplacement de M. de Bellune si injustement renvoyé[351]. Mon mari déclara que, si on mettait un homme suspect à ses opinions pour succéder au duc de Bellune, il allait donner sa démission et, comme dans ce moment la guerre d'Espagne dont Villèle n'eût pu se tirer et les relations qu'on savait que mon mari avait avec Alexandre[352], le retenaient, on céda dans une chose qu'on savait pouvoir changer; ce qu'on ne fit pas, le dit Damas ayant pris la marche sûre pour rester en place, ce qui n'était pas celle de la reconnaissance. Ce Damas avec Polignac[353] sont les deux hommes qui ont fait le plus de mal à la France, je n'en excepte pas Villèle.

Note pour le Ministère (1824). – Ne pas oublier les raisons que les croyants de Villèle voulurent donner pour le renvoi du ministère[354] :

1° *M. de Chateaubriand était en rapports intimes avec Decazes* (c'est le Dufourgerais[355] qui racontait cela en Bretagne);

2° *M. de Chateaubriand avait des dettes et ne pouvait pas les payer, ce qui ne pouvait aller à un ministre du Roi.* (C'est Villèle lui-même qui contait cela à l'oreille de ceux qui s'étonnaient d'une telle injustice.)

Le soir du jour que nous sortîmes du Ministère, tout Paris vint à notre porte[356].

Réflexion pour la rue de l'Université. – Tous les aspirants et tous les mécontents accouraient chez M. de Chateaubriand. C'était un moyen de se rallier à l'opinion publique que ceux surtout qui avaient été au pouvoir ou avaient servi le pouvoir, perdraient inévitablement. On se servait de mon mari aussi longtemps qu'on le croyait nécessaire et, l'édifice élevé ou relevé, on brisait l'instrument. On ne croyait pas pouvoir arriver sans lui, mais la vanité et l'ingratitude ne permettaient pas qu'on eût besoin de ses conseils ni de sa plume pour l'établir d'une manière stable. On peut dire qu'il a fait presque tous les ministres, ceux du moins qui, par leur rang ou les opinions qu'ils professaient pour un temps, semblaient être des hommes agréables à la nation. C'est parmi ces hommes que M. de Chateaubriand a trouvé ses plus grands ennemis : Molé, Villèle, Corbières, Richelieu, Pasquier, Vaublanc, Montmorency, Polignac et surtout ce Damas[357] qu'il a créé presque de force. Le Conseil ne voulait pas, ni le Roi, mais comme il fallait remplacer Bellune (injustement [traité] par le Dauphin) par un royaliste, mon mari insista et, comme on n'avait pas encore envie de le fâcher, on finit par céder parce qu'il menaça de sa démission si on nommait [Digeon] qui était le choix de Villèle.

29 avril 1827. – Revue que Charles X fit au Champ de Mars[358]; dévouement de la Garde nationale à un bataillon près, qui fut, dit-on, licencié en se permettant de crier : « A bas Villèle! » Le Roi, qui n'avait pas fait attention à ce cri de lèse-ministre et très satisfait de la revue, en témoigna sa satisfaction au duc de Reggio. Mais la revue finie, on indisposa Madame la Dauphine, princesse implacable, contre la Garde nationale, en lui disant qu'un bataillon lui avait manqué de respect en criant devant elle : « A bas Villèle », et M. de Villèle, sous le prétexte qu'on avait manqué de respect à Son Altesse Royale, demanda au Roi et obtint le licenciement de toute la Garde nationale. On peut sans crainte de se tromper rattacher à cette mesure, aussi inepte d'un côté que coupable de l'autre, tous les malheurs que la France a éprouvés depuis cette fatale journée où le peuple prit son Roi en haine et...

Les apologistes du ministère Villèle. — La liberté de la presse — Quels sont les apologistes du ministère actuel ? Des hommes réprouvés par tout ce qui est honnête en France, réprouvés par ceux mêmes qui s'en servent, car qui oserait, parmi les ministres, avouer les Courchamps, les Linguay[359], les Bénaben[360], etc. Et voilà cependant, voilà les hommes armés pour leur défense ! O Roi trop abusé, quel cœur, s'il n'eût pas été pervers, pourrait s'accoutumer au système de mensonges secrets créé par ces hommes et soutenu par leurs patrons ? Le plus loyal des Rois ne frémirait-il pas s'il connaissait le tissu de calomnies répandues et accréditées sur le compte de ses plus fidèles sujets ? On veut que nous aimions la censure et au profit de qui sera-t-elle exercée ? Quoi, pendant que la *Gazette*, la *Quotidienne* et autres journaux officiels et achetés[361] pourront attaquer toutes les réputations, la réplique sera ôtée ? Au moins avec la liberté de la presse on parvient parfois à déjouer les intrigues contre tout ce qui a le cœur droit et honnête.

Etat de l'opinion à l'époque de la guerre d'Espagne (1824) comparé avec ce qu'il est en 1827. — Lorsque la guerre d'Espagne est arrivée, les journaux étaient libres[362]. Cette guerre n'était pas populaire, cependant nous l'avions faite glorieuse et sans obstacle : pourquoi cela ? Parce qu'alors on nous croyait de bonne foi, on prêchait la Charte et les honnêtes gens et tout le monde voulaient être honnêtes gens avec le Roi et la Charte[363]. Alors, bien que beaucoup le voulaient dans le ministère, on n'inventait pas de conspirations afin de créer des supplices ; on ne prétendait pas que les prêtres étaient assassinés dans les rues, lorsque (Dieu merci) ils y marchaient le plus tranquillement du monde. Alors on ne prêchait pas ostensiblement que la Charte est une impiété, ce qui signifie que le Roi, qui l'avait jurée, est un impie et un faussaire[364]. Alors on ne faisait pas de barricades dont les auteurs sont restés inconnus, et on n'aurait pas vu une poignée d'hommes pouvoir crier derrière la voiture de Madame la Dauphine : « à bas les Bourbons », sans être arrêtés par la gendarmerie, qui entourait la voiture, ou les officiers de police, qui ne devaient pas la perdre de vue.

Certes, dans cette occasion, la liberté de la presse n'aurait pas empêché de faire justice des crieurs, parce que la Charte défend les cris séditieux, ou de M. Delavaud[365], parce qu'un préfet de police est complice d'une émeute formée par une douzaine d'individus, entourés de la force armée, et d'autant de mouchards qu'on en peut requérir sous les guichets de la préfecture. Mais M. de Villèle, ayant alors besoin de cris séditieux pour justifier le licenciement de la Garde nationale, n'eut garde de laisser échapper une si belle occasion de prouver la nécessité de la mesure qu'il avait imaginée pour son malheur, car elle a certainement hâté sa perte.

CHAPITRE 2

1829-1830

Fin de 1829. — Conspiration inventée pour amener le ministère Polignac. — On dit que le prétexte que MM. Polignac et La Bourdonnaye[366] ont pris pour faire chasser le précédent ministère, qu'au surplus j'abandonne très volontiers comme une œuvre de Villèle, était une conspiration qu'on avait fait arriver de Turin. Il paraît que M. de la Tour du Pin[367] a été sommé d'envoyer une note fabriquée au chef-lieu du Cabinet Noir, et que cette note était la révélation d'une conspiration qui était prête à éclater en France d'accord avec les carbonari[368]. Car, hors la Saint-Ligue[369], toute l'Europe est composée de révolutionnaires et de carbonari. Ainsi donc, il y avait une conspiration : mais d'abord, pourquoi n'avons-nous pas commencé par la dénoncer à l'ancien ministère[370] ? Car, enfin, MM. de Martignac[371], Roy[372] et Portalis[373], présentés au Roi par M. de Villèle auraient pu inspirer des craintes à M. de Polignac et qu'il les ait crus aussi cabonari ? M. Portalis surtout, un peu coutumier du fait, mais auquel on a confié depuis sa sortie du ministère une des places les plus importantes de la magistrature; voilà de ces problèmes difficiles à résoudre.

Mais enfin il y avait une conspiration; la révolution nous envahissait et l'ancien ministère la soutenait; on ne voyait pas le mal : d'accord, il fallait changer ce ministère abominable, mais il fallait que les nouveaux ministres réparassent au plus tôt les fautes des précédents. Il fallait d'abord faire arrêter les conspirateurs et en faire pendre quelques-uns; il fallait ensuite rapporter les deux ordonnances sur les Jésuites et les petits séminaires[374]. Enfin il fallait tout ce que n'ont pas fait les ministres. « Mais, disent leurs amis, patience : ils n'ont rien fait dans la crainte des libéraux, il faut d'abord avoir le budget et il faut attendre la fin de la session. » Voilà ce qui se disait partout et par conséquent ce que tout le monde savait, et ce qui fait que hors la coterie, personne ne veut de ministres assez faibles pour n'oser faire ce qu'ils appellent le bien, assez faux pour méditer de tromper six mois la Chambre et assez sots pour mettre cette Chambre même dans leur confidence (1830); ils méditaient les Ordonnances, ils en ont vu le résultat.

Octobre 1829. Ministère selon le cœur des absolutistes; voir comme ils ont bien réussi à faire aimer le despotisme. — A une lacune près (de quinze mois environ) voilà sept ans que nous avons en grande partie les ministres selon le cœur des absolutistes, se disant les seuls royalistes, les seuls élus de Dieu, les seuls s'entendant à sauver et à établir une monarchie. On veut le despotisme; pourquoi avons-nous la Charte? On veut la censure; pourquoi avons-nous la liberté de la presse? On veut les Parlements; pourquoi ces maudites Chambres qui parlent quand on veut qu'elles se taisent! Pourquoi? D'abord parce que la nation veut les institutions jurées par le Roi; ensuite parce que le Roi, mal conseillé, voulût-il renverser ces institutions, ce n'est pas parmi les hommes qu'il choisit qu'il peut en trouver un seul capable de soutenir l'édifice dont ils sont les coupables architectes. Tous ces hommes méprisés ou haïs n'ont au surplus aucune opinion; ils l'ont assez prouvé par leurs changements aussi souvent que le besoin de leur ambition l'exigeait; ces adorateurs de toutes les idoles ne songeaient qu'à leurs places. Dans ces temps de folies rêvées par la cour et adoptées par Villèle, chacun a cru qu'en criant plus fort que le patron contre la Charte, il plairait aux dispensateurs des grâces, et ils ne se sont pas trompés, car c'est avec leurs cris, contre une institution jurée sur l'Évangile, qu'ils ont enseveli leurs semis d'abeilles ou leur bonnet rouge pour la toge sénatoriale[375].

Cependant une fois au pouvoir, ces mêmes hommes, tout en entretenant toujours la cour des délices d'une contre-révolution, ont de suite parlé le langage de la nation, qui ne croit ni à leur amour pour la Charte[376], ni à leur fidélité au despotisme, mais bien à leur invincible passion pour le ministère ou quelque chose d'équivalent.

La France veut-elle la monarchie? — De deux choses l'une : la France veut ou ne veut pas la monarchie. Si elle la veut, pourquoi ces cris à l'impiété, au libéralisme? Si elle ne la veut pas, croit-on que c'est en froissant toutes ses institutions ou en la trompant qu'on la ramènera? Non, en arrivant au ministère, il fallait être fort ou adroit; il fallait, pour arriver au despotisme, pouvoir s'y prendre comme Bonaparte. Un despote peut succéder à un despote, mais un premier despote doit avoir été un conquérant. Ce n'est pas un Roi, vingt ans dans l'exil, ramené par des soldats étrangers[377] et accepté plutôt qu'agréé par une nation, fatiguée déjà du despotisme et..., qui peut violer impunément les serments au prix desquels il a été reçu. Solon disait qu'il ne croyait pas avoir donné les meilleures lois aux Athéniens, mais les seules qu'ils fussent en état de supporter[378]. Les Français aussi ne peuvent plus être conduits par un Roi qu'avec la Charte et les Honnêtes Gens. Cette Charte, si on l'exécutait de bonne foi, n'est qu'un instrument qu'on peut sans effort exploiter au profit du Roi et de la religion[379].

La Ferronnays[380]*; l'Évêque de Beauvais*[381]*, homme sans foi et sans vérité; M. de Polignac.* — Pourquoi le ministère actuel a-t-il nommé M. de la Ferronnays à l'ambassade de Rome tandis qu'il voue à l'exécration publique et aux flammes éternelles l'évêque de Beauvais? M. de la Ferronnays faisait aussi partie de l'ancien ministère! il a pris part à toutes ses opérations, surtout à celle qui lui a fait donner le nom d'infâme par l'infâme *Gazette de France*[382]. Mais M. de La Ferronnays est le beau-frère de M. de Blacas[383] et par ce bonheur, notre ami (?) a été lavé de toutes les iniquités; car autrement on n'expliquerait pas comment notre ministère de saints aurait chargé un renégat (car enfin La Ferronnays est comme les autres) de la réussite de ses affaires religieuses avec Rome. Certes, ou ils ont une bien pauvre opinion de leur ambassadeur, ou ils n'ont au fond aucun plan politique que celui de garder leur place. C'est bien aussi la justice qu'on leur rend et ce que tout le monde sait hors ceux qui veulent l'ignorer.

Ministère Polignac; si les hommes qui ont quitté ont eu raison[384]. — Sont-ce d'honnêtes gens, des gens de bonne foi qui, sans quitter à l'instant leur place, peuvent se dire : sous l'ancien ministère, partout où le Roi allait, il était applaudi, béni et ne rencontrait que des visages contents; à la Chambre des Députés, le côté gauche se retirait parce qu'il n'y avait plus d'opposition avec la cour de Rome; nos affaires allaient à merveille; nos relations étaient des plus amicales? Aujourd'hui le Roi ne trouve sur son passage que des visages abattus et un silence alarmant; l'agitation est au comble, chacun craint l'avenir, mais personne ne craint le ministère, artisan de nos malheurs futurs. Personne ne veut attaquer, mais tout le monde se prépare à la défense. Que veulent ces oiseaux sinistres? Veulent-ils que le Roi soit aimé ou haï? Ah! les misérables disent au fond de leur cœur, que peu importe que le Roi soit aimé réellement pourvu qu'il le soit à leur manière! Qu'il soit despote ou qu'il s'en aille, voilà leur chant de victoire : le Roi, disent-ils aujourd'hui, le Roi maître absolu ou rien. Mais que n'ont-ils toujours dit de même et ont-ils été dans l'opposition sous un ministère auquel le Roi, à ce qu'il paraît, tenait bien plus qu'à celui de M. de Polignac (le ministère Villèle), ministère qui affectait enfin les mêmes doctrines que celui-ci? Il est vrai que Villèle disait à chacun qu'il leur plaisait et que le gascon, pendant un temps, trompait tout le monde tandis que ceux-là sont arrivés avec des mèches déjà éventées et que leur cri de Charte n'est plus écouté que comme un écho de ceux d'un ministère dont ils étaient bien dignes de faire partie. Au surplus c'est fort bien de vouloir renverser les institutions quand on ne les croit pas bonnes, mais il faut en avoir le moyen. Il faut d'abord commencer par inspirer de la confiance à cette nation qu'on veut tromper; il ne faut [pas] s'entourer d'espèces ou de personnes sans nom, sans fortune, sans considération, enfin sorties de sous terre ou misérablement connues par leur servile adulation pour tous les pouvoirs passés, présents et à venir; je ne parle ici ni des voleurs ni des assassins. Bonaparte seul savait niveler les partis à la hauteur de sa volonté et encore a-t-il trouvé quelque résistance, qui n'a pas nui à sa chute[385]. Les hommes ne sont point naturellement portés à l'obéissance et il faut savoir leur faire une nécessité de cette vertu. De même, pour la religion, plus le peuple semble en être éloigné, plus, dans le siècle où nous vivons, nous devons employer la douceur pour l'y ramener. La charité, selon saint Paul, peut n'être pas suivie, mais ses paroles sont toujours écoutées. Il ne faut pas que la religion en France soit prêchée par des prêtres mariés, des hommes perdus de mœurs et de ceux qui n'assistent à la messe que depuis qu'ils y trouvent un casuel.

M. de Labourdonnaye[386] a été seize ans en opposition avec le Roi; combien sera-t-il en opposition avec la nation? Ce qu'il y a de sûr c'est que sa première opposition n'a pas donné d'amis au Roi et qu'il est probable que la deuxième lui fera...

16 ou 17 octobre 1829. — La *Gazette de France* dit qu'elle loue le ministère actuel parce qu'il marche comme M. de Villèle[387]. Mais alors, si M. de La Bourdonnaye marche comme M. de Villèle pourquoi lui a-t-il dit des injures pendant sept années de suite et pourquoi cette même *Gazette* attaquait-elle alors M. de La Bourdonnaye lorsqu'elle louait M. de Villèle? Ensuite, si le ministère actuel gouverne dans le sens de M. de Villèle, pourquoi celui-ci s'est-il appliqué, pendant tout le temps qu'il a été aux affaires, à représenter M. de Polignac au Roi comme un imbécile? Enfin, si M. de Villèle a si bien fait que MM. de Polignac et de La Bourdonnaye ne trouvent rien à faire de mieux que lui, ne devraient-ils pas rendre sa place, ou du moins convenir qu'ils ont été des gens de bien mauvaise foi lorsqu'ils l'ont combattu avec tant d'acharnement. Quelque mal que nous ait fait M. de Villèle, il faut convenir du moins qu'il était plus habile que ses doublures.

Comment veut-on qu'une nation raisonnable prenne confiance dans des hommes qui ne cessent de dire le pour et le contre selon qu'ils sont ou ne sont pas ministres; M. de La Bourdonnaye doit sauver la France, parce qu'il ne veut pas la Charte et il n'est pas arrivé au ministère qu'il crie : « à la Charte » qu'il ne veut pas davantage. M. de Polignac, au contraire, pour arriver à la chute de Villèle, crie « à la Charte » et fait un hymne en son honneur, mais bientôt pour arriver il faut être absolutiste, il donne la main à La Bourdonnaye et ils montent ensemble au pouvoir, arborant (à faire vomir) les couleurs d'une institution qu'on sait qu'ils veulent détruire. La bonne foi n'est pas la chimère de ces messieurs[388].

Octobre 1829. — Dialogue des Morts[389]. — Cartouche, aurais-tu été pour la liberté de la presse? — Non, pardieu non, mon..., surtout si j'avais attrapé un ministère comme beaucoup de mes semblables, car j'aurais eu tous les jours à mes trousses ces maudits journaux, qui m'auraient parlé de mon premier métier fort ressemblant à celui de ministre, qui n'aurait pas fait honneur au second qui ne vaut pas mieux. — Et vous chevalier Bayard, auriez-vous été aussi pour la censure? — Moi, oui et non; mais, pour mon compte, un honnête homme ne craint jamais qu'on lui dise plus haut que son nom, et je ne sache pas une seule de mes actions qui n'eût pu être mise en jeu. J'aurais seulement toujours fait en sorte que toute vérité sur mon compte eût été bonne à dire et, morbleu! il me semble que si les journaux royalistes avaient eu le sens commun ils n'auraient pas été gênés de répondre aux journaux de l'opposition.

Composition d'un ministère parfait, le seul royaliste, le seul religieux, le seul pouvant sauver la France.

M. de Polignac. — Nom odieux à la France, cause de tous nos malheurs.

M. de La Bourdonnaye. — Chansonnier de Bonaparte, absolutiste par taquinerie.

[M. Chantelauze (?)][390]. — Libéral au fond et le plus irréligieux des êtres.

Bourmont[391]. — Traître criblé de dettes, etc.

Chabrol[392]. — Courtisan du bonheur, valet de toutes les monarchies.

COURVOISIER[393]. — Membre de la gauche, fou à lier.

MONTBEL[394]. — Connu seulement pour son dévouement à Villèle.

D'HAUSSEZ[395]. — Idem, par ses chansons impies et par une épître où il traitait M. de Chateaubriand de chevalier du Saint-Sépulcre (par dérision).

GUERNON DE RANVILLE[396]. — Idem, par son admirable chanson et l'avilissement de sa famille.

Octobre 1829. — Ne pas oublier de parler de ces pauvres enfants grecs, abordant sur les côtes de France pour y être élevés aux frais du Gouvernement qui aurait pu en faire de bons sujets et en même temps de bons catholiques. Les pauvres enfants, dis-je, rongés de scorbut et se mourant, ont été renvoyés dans leur patrie sans qu'on ait voulu leur permettre de descendre à terre pour être soignés[397] ; et voilà ces saints qui croient que hors de l'Église il n'y a point de salut, et qui ne veulent dépenser une obole pour sauver la vie à des schismatiques qu'ils auraient pu convertir à la foi !

Malgré l'aversion de notre ministère pour la Grèce, on peut le comparer à une véritable macédoine, mais, pour parler plus juste, je dirai à un pot-pouri : un saint, un athée, un déserteur, un homme de la gauche, un homme de la droite, un homme du centre, un père tout-à-tous. Mais qu'est-ce qui fait qu'avec tout cela, on n'a pu faire ce qu'on désirait, un ministère de coalition? C'est qu'un ministère de coalition se compose d'hommes honorables, pris dans les différents partis, apportant chacun leurs opinions, prêts non pas à les abandonner parce qu'ils sont là, mais à les modifier d'après les lumières et la conscience que chacun doit apporter dans la discussion, autrement ce n'est plus un ministère de coalition mais, comme aujourd'hui, un ministère de confusion.

Octobre 1829. — Nous demandons pourquoi la révolution nous envahit? Si cela est vrai, il faut convenir que les hommes comblés des faveurs de la cour sous le ministère Polignac, doivent connaître le chemin qui conduit aux révolutions. Qu'on compare les antécédents de ces messieurs avec la vie de ces hommes invariables appelés aujourd'hui par la faction, jacobins et impies! Il faut aux Français une terrible patience pour faire mentir ces seuls ennemis de la paix et pour garder le calme et la modération qu'ils voudraient bien faire perdre à la nation, afin d'avoir une raison, qui justifie leurs calomnies et les mesures qu'ils méditent. Qu'elle arrive cette révolution qu'ils désirent plus qu'ils ne la craignent! et nous verrons de quels côtés sont ceux qui ne l'auront pas cherchée. Qui peut avoir la bêtise ou la mauvaise foi de dire que des hommes, une fois, deux fois, cent fois traîtres, seront fidèles une fois! Au moment de la chute, voyez d'un côté ces prôneurs du système actuel et de l'autre ceux qui en sont les victimes, et vous connaîtrez alors les vieux amis de la Légitimité.

Octobre 1829. — Les deux ordonnances de l'ancien ministère sont maintenues. Est-ce la Charte qui a empêché le ministère actuel de rapporter ces deux ordonnances sur les Jésuites et les petits séminaires? Les anciens ministres étaient infâmes pour les avoir fait rendre : quel nom donner à ceux-ci qui n'ont pas le courage de les faire rapporter?

Ministère Polignac. — Pourquoi MM. de Polignac, La Bourdonnaye, Bourmont, etc., ont-ils voulu arriver au ministère? Pour faire le bonheur de la France, pour faire aimer Dieu et le Roi. Eh bien! si telle a été leur ambition, ils voient qu'ils se sont trompés : la France, à leur arrivée, était tranquille, les églises fréquentées et les journaux, hors l'infâme *Gazette*, aussi modérés et aussi monarchiques qu'on pouvait le désirer, et *cela sous un ministère dont une partie trompait l'autre*, et dont la totalité n'avait pas beaucoup la confiance de la nation. Mais enfin on croyait ce ministère au moins en partie sincère et cela suffisait pour patienter et pour se taire. Alors l'amour du repos était si grand que trois députés (M. Chauvelin, etc.) de l'extrême gauche ayant donné leur démission, tous les bons esprits avaient vu cette retraite avec joie[398]. Je demande si la *Gazette de France*, si la *Quotidienne*, etc., se sont avisés de s'en applaudir dans leurs journaux : non certes, cela était un trop gros démenti donné à leur calomnie contre les Français. Voilà cependant les fruits qu'on recueillait en France d'un ministère tant soit peu raisonnable. Voici ceux que nous recueillerons et recueillons déjà d'un ministère faux, conseillant le parjure et antipathique à la nation : l'exaspération est au comble, les élections sont toutes libérales et M. de Lafayette, qui aurait pu, il y a trois mois, parcourir toute la France sans être aperçu, aujourd'hui ne peut faire un pas sans être porté en triomphe[399].

Ministère Polignac, 1830. — Pourquoi des journaux faits par des saints, pourquoi le système admirable de M. de Villèle, suivi par nos ministres actuels, n'a-t-il pas régénéré la France? Pourquoi n'y a-t-il pas créé une nation de chrétiens et de royalistes? Au contraire, nous n'entendons plus parler que de jacobins, d'impies, de règne à la terreur, etc.

Le ministère Hyde comparé à celui de Polignac[400]. — Sous le dernier ministère (celui de M. Hyde, etc.) qui n'était pas, j'en conviens, un ministère fort et encore moins un bon ministère, mais qui cependant était incapable des indignes menées employées sous le ministère Villèle et reproduites sous celui-ci (de M. de Polignac); sous ce ministère, dis-je, a-t-on vu un seul placard? Les bustes de Bonaparte inondaient-ils les boutiques et les rues[401]? Entendait-on des cris séditieux? Les prêtres étaient-ils insultés dans les rues, autrement que par quelques messieurs de la *Gazette*, qui n'en voulaient pas avoir le démenti? Pourquoi ce repos? Pourquoi ce peuple, si turbulent, si impie (et qui devait le devenir encore), était-il tout-à-coup devenu si paisible et si soumis? C'est que le préfet de Police, à cette époque (M. Debelleyme) n'aurait pas permis ce petit jeu aux hommes de sa police, tandis que c'étaient les plus doux loisirs de la police de M. Delavaud[402].

CHAPITRE 3

L'année 1830

Gand; ceux qu'on appelait royalistes. – A Gand, rien n'était royaliste que ceux qui juraient par Soult et Fouché, et M. de Chateaubriand et le duc de Bellune étaient le but de toutes les plaisanteries de la maison de Monsieur, parce qu'ils croyaient qu'on pouvait se sauver avec la grâce de Dieu et l'aide des trois armées combinées, sans la permission d'un régicide, sans licencier la *Maison Rouge* et sans arborer la cocarde tricolore. Beugnot, l'abbé Louis, Vaublanc, Capelle, et notre pauvre Hyde, La Maisonfort[403], voilà les héros de ce temps, tous les hommes qui avaient acquis... d'une manière plus ou moins révolutionnaire, soit sous Bonaparte, soit à l'Assemblée Constituante. Et quelles preuves ces hommes avaient-ils données qu'ils pouvaient devenir de vrais et utiles défenseurs de la monarchie? Ils avaient, au moment de la chute, abandonné lâchement le prince qui les avait tirés de l'obscurité et chanté sans honte la palinodie. Au surplus, ces hommes ont, comme bien d'autres, un grand intérêt à prêcher le despotisme et surtout à empêcher la liberté de la presse, qui prend la liberté de se rappeler le passé avec le présent; car ces hommes, qui avaient prospéré sous Bonaparte, qui l'avaient le plus servilement servi, avaient un grand intérêt à ôter tous les moyens de souvenir.

Remarquez que tous les mauvais choix ont été faits par des ordonnances : la Charte n'en a imposé aucun; on a nommé, par peur ou par intrigues, aux plus hauts emplois, des spécialistes[404] dont, avant 1814, la France ignorait le nom. Ensuite, on a renvoyé, par faiblesse ou par ingratitude, tous les hommes que l'opinion publique désignait et désignera toujours dès qu'on supposera qu'on veut en venir à quelque chose de raisonnable.

Réflexions. – Les malheurs de la France attribués à la Charte par les partisans de l'absolutisme. – Qu'est-il résulté, depuis 1814, de l'exagération et de cette manie d'absolutisme avant d'avoir aucun moyen de renverser la Charte jurée par Louis XVIII, qui pouvait se dispenser de nous la donner à Saint-Ouen[405]?

Le Roi, en entrant en France, pouvait se faire roi absolu, car alors les Français étaient façonnés au despotisme. Bonaparte leur en avait fait connaître les douceurs, en même temps qu'il ne leur laissait pas même imaginer un moyen de résistance. Par qui cependant la Charte a-t-elle été enfantée? Par l'abbé de Montesquiou, M. Ferrand[406], tous pères barbares qui renient leur enfant en le mettant au monde. Cette Charte une fois jurée, les vrais amis du Roi (ceux-là qui avaient souffert si longtemps et si fructueusement pour sa cause mais qui n'avaient point été appelés à Saint-Ouen), crurent devoir s'y soumettre et en tirer le meilleur parti possible. Certes, la Charte ne forçait pas le Roi à refuser, d'après les conseils de M. de Blacas, la plus petite place à M. de Chateaubriand, après son livre *De Buonaparte et des Bourbons*, pour accabler de grâces et de faveurs les Fouché, les Soult, les Decazes, Oudinot, etc. Ce n'était pas à la Charte que M. de Caulaincourt dut l'honneur d'être le premier Français qui dînât avec Monsieur à l'arrivée de ce prince en France[407]!

Réflexion. – Ministère Polignac (1830) et les pénitents en faveur. – Le Roi est aimé; on veut la monarchie, mais on veut le Roi avec les institutions qu'il nous a lui-même données et la religion telle que nous l'enseigne l'Évangile. J'entends beaucoup parler de piété et surtout de charité à MM. les ministres; mais leur charité n'a rien de commun avec celle que nous enseigne saint Paul. En tous temps il y a eu des impies, peut-être moins aujourd'hui qu'avant la Révolution, et alors où était le foyer de l'incrédulité? A la cour et parmi les grands, parmi ceux qui aujourd'hui ne parlent que de haires et de cilices.

C'est vrai, répondent ces parleurs de vertus; mais, dit-on, l'expérience nous a convertis. A la bonne heure; mais les pénitents doivent être humbles, charitables et surtout très indulgents : il faut d'abord qu'ils laissent les honneurs à ceux qui n'ont point de remords; on peut douter de la conversion de ceux qui ne veulent pleurer leurs péchés que sous la pourpre et dans le palais des rois, assis à une table chargée de mets exquis ou plongés dans les délices d'une voiture bien suspendue : je n'aime point les prédicateurs couverts d'or[408].

Pourquoi les saints du jour et quelques... si intolérants aujourd'hui, étaient-ils si doux, si soumis, si tolérants sous Bonaparte[409], persécuteurs des Jésuites (sous le nom de Pères de la Foi) geôliers du Pape et usurpateurs du trône de saint Louis ? Ils répondaient alors qu'on leur reprochait leur soumission coupable : « Il faut se soumettre à la puissance, on ne doit point obéissance au Roi qui a quitté son royaume. Et puis le Pape est venu lui-même sacrer Napoléon, il est donc notre Roi ; quoiqu'assurément, il ait bien tort de persécuter Pie VII » (ceci se disait le plus bas possible). Et enfin pour les Pères de la Foi, il y avait une réponse, qui était fort bonne dans ce temps mais qui serait tout aussi bonne aujourd'hui : c'est qu'on a des paroisses qui suffisent pour prêcher, assister et catéchiser les fidèles et que les Jésuites feraient mieux, puisqu'ils prétendent être soumis à l'ordinaire, d'aller remplir des cures dans les paroisses de campagne où les pauvres paysans manquent de messe et meurent sans confession, que d'élever des jeunes gens qui, s'ils ressemblent aux élèves qu'ils faisaient avant d'être chassés en [1764][410], pourraient bien nous conduire à une seconde Révolution ; car enfin, comme on l'a déjà remarqué, la classe élevée, à l'époque de la Révolution, était la plus impie et la plus philosophe ; et par qui avait-elle été élevée ? Par les Jésuites.

Clergé. — On n'attaque pas les prêtres des paroisses : prêtres soumis sous Bonaparte, remuants et intolérants sous Charles X, pourquoi ? — On voit bien rarement attaquer les prêtres de paroisses ; ils prêchent, ils confessent, ils administrent les sacrements sans que jamais il s'élève un cri contre eux. Les bons paroissiens pratiquants les aiment et les honorent ; les autres n'en parlent point. Ceci n'est cependant pas sans exception ; mais il y a aussi des curés qui mettent une âpreté dans leur prédication, qui va quelquefois jusqu'à la personnalité. Mais enfin, le premier de nos pasteurs, Mgr l'archevêque de Paris ne prêche-t-il pas chaque année tous les vendredis à Notre-Dame[411] ? Eh bien, quel reproche fait-on à ces pieuses exhortations ? Les uns en sortent convertis, les autres satisfaits et tous édifiés. La véritable piété, la piété sans hypocrisie, la piété charitable plaît à tout le monde même aux impies. On me répondra par le pillage de l'Archevêché, mais ce n'est point d'après ces sermons qu'on le persécuta, mais d'après cette malheureuse parole de son discours à Charles X au Te Deum d'Alger. « Vous avez remporté une première victoire, vous allez en obtenir bientôt une autre... etc. », on crut qu'il connaissait les Ordonnances.

Congrégations opposées les unes aux autres. — Je ne vois point qu'on soit, en France, ennemi d'une congrégation religieuse ; vous avez d'abord à opposer aux Missionnaires de France, les Missions Étrangères[412]. Ce sont deux congrégations également religieuses et la dernière est très ancienne. Après cela vous avez à opposer aux Jésuites, les Lazaristes. Cette société est beaucoup plus nombreuse que l'autre : les Lazaristes prêchent, ils font des missions, ils ont des séminaires, ils ne sont point soumis à l'ordinaire et ensuite ils dirigent, depuis près de deux siècles, la communauté des filles (comme eux) de l'institut de Saint-Vincent-de-Paul[413], au nombre de plus de huit mille. Ces pieuses filles conservent l'esprit de leur saint fondateur, parce que leurs supérieurs (les Lazaristes) formés aussi par saint Vincent, ne se sont point écartés des règles qu'il leur avait données. Leur morale est ferme, mais douce et sincère : aussi n'engendre-t-elle point les haines et les divisions. Les Lazaristes et les Sœurs de la Charité enseignent aussi la jeunesse et ces enfants sont ceux des pauvres en général grossiers et méchants; et cependant quels cris attirent-ils sur eux? Des cris de bénédiction!

Réputation des hommes appelés ultras et défendant le despotisme. — Remarquez quels sont les hommes que le parti dit ultra-royaliste appelle à sa défense : dans la *Gazette de France* c'est : MM. de Courchamps, un... Benaben, Linguay, Lourdoueix[414] ; dans le *Drapeau Blanc*, Martainville[415] qui, en 17... faisait... et les chansons sur la Reine, etc.; dans le... l'abbé Mutin[416], diacre marié et vivant encore avec sa femme et ses enfants : et voilà comme ils s'entourent, nos ministres du Seigneur! Ils pensent sans doute qu'il suffit qu'ils lavent pour qu'on soit purifié (vous me laverez et je serai plus blanc que la neige).

1830. — Corbière, Villèle, etc. — Liberté de la presse. — Censure voulue par tous les hommes entachés. — Dans un siècle de lumière il n'y a que l'usurpation qui ne peut supporter la liberté de la presse. Avez-vous vu un homme craignant un reproche, aimer cette liberté qui n'est pour lui qu'une censure? Le raisonnement de ces hommes, qui craignent les attaques des journaux, est bien simple. Ils disent : sous la censure, je me mettrai toujours du côté du pouvoir; alors je suis bien sûr d'avoir l'autorité pour moi. Soyons de bonne foi, sans cette chienne de liberté de la presse, Villèle ne se serait-il pas entendu reprocher ses e... aux colonies; Corbières, son bonnet rouge à Rennes; M. de Bourmont, son arrivée à Gand; La Bourdonnaye, son chant napoléonien; Martainville, ses horribles [pamphlets]; Polignac, sa superbe bêtise, et les auteurs de la *Gazette*, leur honteuse vie, etc...?[417]

MM. Polignac et Beugnot. — Voilà M. Beugnot président du Tribunal de Commerce[418]. Pourquoi le ministère l'a-t-il mis là? C'est sûrement à cause de son amour pour toutes les légitimités. N'avons-nous pas, pendant quatorze ans, entendu M. de La Bourdonnaye se moquer de ce valet de toutes les Chambres? C'est ainsi qu'il le nommait. Où était M. Beugnot pendant que M. de Polignac était en prison? Certes il était ventre à terre chez Bonaparte. Aussi n'est-ce, ni parce qu'on estime M. Beugnot, ni parce qu'on en a besoin, qu'on le comble, mais parce que nos ministres, comme tous les hommes faibles et irascibles, obligent le premier venu seulement pour le plaisir de nuire à quelqu'un, aux premiers talents.

Mais si c'est l'intrigue qui forme les ministères comme le nôtre, c'est l'opinion qui les détruit. On dit que M. de Bourmont se retire, ce sera la deuxième fois qu'il aura reculé devant l'ennemi.

Janvier 1830. — On a eu la charité d'attribuer à M. de Chateaubriand des articles du *Journal des Débats* faits par M. Salvandy[419], articles les moins semblables, pour le style comme pour les principes, aux écrits du noble pair. Cette pieuse méchanceté, faite pour tromper la pieuse imbécillité, devait mettre M. de Chateaubriand en contradiction avec lui-même. Ces articles, à entendre la *Quotidienne* et la *Gazette de France*, étaient dignes de damnation. Et, en effet, ils étaient assez mauvais de toute manière et on ne pouvait, sans une mauvaise foi insigne, sans la bêtise ou l'ignorance la plus complète, attribuer au défenseur constant de la religion et du Roi et à un écrivain qui commence toujours par se nommer avant d'attaquer; on ne pouvait, dis-je, lui attribuer des articles impies, ennemis du Roi et écrits avec une plume qui n'avait rien de commun avec celle de M. de Chateaubriand. Mais enfin, ce même Salvandy, dont les principes au moins étaient bien connus par notre pieux ministère, n'a pas moins été remis par lui sur la liste des conseillers d'État. Ainsi il faisait dire les injures les plus atroces à celui sur le compte duquel il faisait mettre des articles, tandis qu'il récompensait l'auteur : et voilà en quoi consiste le système politique et religieux de M. de Polignac.

Janvier 1830. — Qu'est-ce qui fait qu'aussitôt que l'armée sainte arrive au pouvoir, on n'entend plus parler que de journaux infâmes, de cris séditieux, d'une France impie, de jacobins, etc. ! tandis qu'auparavant on était dans une paix profonde et le Roi était reçu dans toutes les villes du royaume avec des cris d'acclamation. Mais enfin, mettons que nos ministres actuels ont raison, et que la France soit mauvaise : ils se sont donc chargés du poids des affaires pour réprimer les désordres soufferts par leurs prédécesseurs, pour rendre saints, les impies et royalistes, les libéraux! Qu'est-ce qui fait donc que, par une fatalité commune au parti Polignac comme au parti Villèle, à son apparition les cris de : Vive le Roi! cessent, les prêtres sont arrêtés dans les rues, les journaux ne sont plus royalistes, les hommes de gauche reviennent en foule à la Chambre des Députés! résultat tout contraire à celui obtenu par un ministère constitutionnel quelque peu habile qu'il fût. En vérité si, comme le disent les ministres actuels et les leurs, l'ancien ministère était composé de diables, il faut convenir que Dieu avait mis la main à l'œuvre, tandis que le diable se mêle de la besogne de nos saints du jour. Mais je sais que voici une de leurs réponses : « Il faut attendre. » Attendre quoi? Vous avez pris le ministère pour renverser deux ordonnances infernales : vous n'avez pas besoin du concours des Chambres pour renverser une ordonnance, et ce que les autres ont cru devoir faire vous devez avoir le courage de le défaire. « Mais, dites-vous encore, attendons! nous sommes encore trop faibles! » Quoi! vous avez été assez forts pour renverser un ministère; vous ne cessez de crier que vous n'avez pour antagonistes qu'un petit nombre de mécontents; que les journaux ne sont point l'organe de l'opinion. Eh bien! s'il en est ainsi, que craignez-vous, vous, entourés de cette nombreuse armée vis-à-vis d'une poignée d'hommes et qui pouvez créer autant de journaux que vous voudrez pour répondre à ceux qui vous attaquent; vous, enfin, qui avez en main le pouvoir, l'argent et, pour vous soutenir, le Roi, l'armée, la Chambre des Pairs, dont trois nobles fournées vous assurent la conquête[420]? Mais enfin, nous royalistes, nous quelque peu architectes de l'édifice royal, qu'avons-nous besoin de ces colonnes tremblantes pour soutenir notre ouvrage? « Vous avez, dites-vous, trouvé le moyen d'éluder les ordonnances[421]! » Mais le scandale! Irez-vous dire à chacun à l'oreille : « Le Roi a rendu des ordonnances, mais en donnant tous les moyens de les éluder et voici pourquoi nous ne les rapportons pas en ce moment. » Les vôtres répondront : « Que nous font les ordonnances, vous êtes ministres, vous nous donnerez des places, la patrie est sauvée! » Mais la France vous dira : « Hommes sans opinions, sans foi et sans courage, allez-vous-en, nous ne voulons pas de vous », et ces parleurs de vertus, ces hommes qui, comme le dit saint Paul, ont une apparence de piété mais qui, au fond, sont corrompus dans le cœur, tomberont en entraînant avec eux la couronne qu'ils environnent de parjure et le sceptre dont ils ont fait une verge d'iniquité!

Janvier 1830. — En général, l'injustice que vous commettez envers un homme de bien n'est pas ce qu'il y a de pire; mais c'est que, pour excuser cette injustice, il faut lui supposer une cause juste et prouver que la victime a mérité son châtiment. Alors, on appelle la calomnie à son secours, laquelle va souvent l'attaquer dans ce que sa réputation a de plus cher. C'est ce que nous avons vu sous le ministère Villèle aussi bien que sous celui de Polignac. Remarquez que c'est toujours sous les ministères professant les principes ultra-royalistes et ultra-religieux que se commettent tous ces excès de délations et de calomnies. Pourquoi cela? C'est que ces hommes ne sont au fond ni royalistes, ni religieux, mais d'adroits hypocrites qui cachent leurs intérêts personnels sous le masque de la religion et de l'intérêt public : ils ont le miel sur les lèvres et le fiel dans le cœur.

M. d'Haussez ne laisse pas que d'être connu par ses chansons impies et les éloges pleins de sel qu'il faisait à l'occasion de tout ce qui se passait d'heureux ou de malheureux dans la maison de M. Decazes (lorsqu'il était ministre). Mais ce qui l'a peut-être conduit à faire partie du pieux et nouveau ministère, c'est une chanson qu'il fit (en...) à l'occasion de la demande que fit alors M. Blondel d'Aubert[422], député, pour l'érection d'une chapelle dans le palais de la Chambre du Corps Législatif. Cette célèbre chanson avait pour titre : *La Chapelle de la Chambre des Députés*; chaque membre y jouait un rôle : M. de Bouville[423] était serpent, Hyde de Neuville, grand-chantre, etc.

Vous me laverez et je serai purifié : ainsi tout ce qui n'est pas opposé au ministère est absous. M. de Talleyrand par exemple, évêque marié, assassin du duc d'Enghien, étranger à tous principes, lui paraît un bien plus honnête homme que M. de Chateaubriand et c'est par respect pour la morale et pour donner un bon exemple qu'il lui conserve la première place de l'État[424]. Ceci est un goût particulier, car ils pourraient mettre sous la remise dix Talleyrand sans une réclamation : mais c'est là leur manière de servir Dieu et le Roi. Ah! divin Robespierre! le plus absolutiste des hommes, tu faisais de la république avec les mêmes éléments que nos ministres veulent faire de la monarchie et l'on trouve dans les salons de M. de Polignac, et plus près de sa personne encore, les mêmes hommes, ou les fils de ces mêmes hommes qui, en 93, chantaient la *Marseillaise* et faisaient les noyades de Nantes.

Quand Charles X est rentré, il a dîné d'abord avec MM. de Talleyrand, Caulaincourt, Pasquier, Molé, etc., et il évitait M. de Chateaubriand, disant que c'était un drapeau qui pouvait effaroucher les Bonapartistes. En revenant de Gand, on est rentré sous les auspices de Fouché et M. de Chateaubriand était regardé comme un jacobin parce qu'il croyait que, puisque nous avions la honte de faire notre entrée à Paris entre une armée anglaise et une armée autrichienne, nous n'avions pas besoin d'un régicide pour nous ouvrir les portes de Paris. C'est Monsieur (Charles X) qui a mis M. Decazes en circulation[425] : en 1815, il disait à M. de Vibraye[426] : « Ne t'embarrasse pas [de] qui nous aurons pour député à Paris, pourvu que nous ayons Cazes; il faut lui donner ta voix et celle de tous tes amis. » C'est Monsieur qui a toujours été l'ami et le défenseur du traître Soult; il aurait donné tous les royalistes pour lui et il lui a donné la pairie que Louis XVIII lui avait constamment refusée. Enfin c'est lui et M. de Polignac, qui ont particulièrement recommandé Rovigo[427] aux bontés de M. de la Ferronnays à Rome et l'ont fait bénir par le Pape : tout cela n'est pas dans la Charte.

Aucune association secrète ne peut être bonne quelque louable qu'en soit le motif, parce que dès qu'elle cesse d'avoir pour témoin le jugement des hommes désintéressés, elle doit dégénérer en haines et vengeances personnelles. Si vous abandonnez les hommes à leur nature, comme la nature humaine est mauvaise, ils feront le mal. Dans une réunion secrète, s'il n'y avait que Dieu pour objet, si le résultat des prières, des veilles et des jeûnes ne pouvait être que les privations, l'obéissance et la mort, vous seriez sûrs de n'y rencontrer que des hommes de bien, de ceux qui veulent réellement se dévouer au salut de leur âme; mais lorsque le résultat, comme dans la Congrégation, est presque toujours les places, les honneurs et l'argent, il n'y a pas un ambitieux ou un coquin qui ne consente à parcourir en un jour toutes les églises de Paris pour se glisser dans votre pieuse association et qui ne consacre la moitié de la journée à la prière, afin de pouvoir employer l'autre à la cupidité et à l'ambition. Toute association secrète pour réussir doit avoir un système d'espionnage. La Congrégation, disait-on, était établie pour régénérer la France, pour rendre le peuple pieux et royaliste; mais, pour changer ce peuple, pour faire des honnêtes gens secrètement, il fallait connaître ceux qui étaient mauvais il fallait s'introduire dans les familles, il fallait même les diviser sous le prétexte de séparer le bon grain de l'ivraie; il fallait que les congréganistes, envoyés pour sonder le terrain, fissent leurs rapports : et quels rapports, quand on connaît les hommes qui faisaient partie de cette association! Tous leurs ennemis étaient des impies; tous ceux qui n'avaient pas partagé leurs crimes, n'étaient pas royalistes; les hommes sincères croyaient cela et leur pieuse fureur s'allumait contre leurs vrais amis, contre les vrais défenseurs du Roi et de la Religion. Si l'on mettait sous les yeux des personnes, qui sont de bonne foi dans la Congrégation, les antécédents d'une partie de leurs associés, ils frémiraient d'horreur.

« Le temps, a dit un Père de l'Église, est la seule pierre de touche qui distingue le prophète de l'imposteur[428]. »

Janvier 1830. — Un déterminé royaliste, ayant en 18... servi sous les ordres de M. le baron de Damas mais ayant le malheur de n'être point de la Congrégation, a été dernièrement chez son ancien patron lui demander un certificat et une recommandation pour obtenir une petite place dans l'administration des Douanes, M. de Damas, pour toute réponse, lui dit : « Monsieur, Dieu et le Roi avant tout » et lui tourna le dos; le pauvre homme, ancien volontaire royal, a été aussi mal accueilli de M. de Vaulchier[429] que de l'illustre gouverneur.

Il est bien de s'entourer de ses amis, mais il faut avant tout qu'ils le soient. Ensuite il ne faut pas que leur amitié nous envoie à Gand; de même, s'il est beau de tendre la main à ses ennemis, il est prudent d'attendre qu'ils soient à terre.

Mars 1830. — Qui prend-on pour défendre le budget de la Guerre? M. Carrion de Nisas[430], le même qui pendant les Cent-Jours disait au Champ de Mars qu'on avait imposé les Bourbons à la France, mais que cette famille odieuse, etc., etc. (voyez ce discours dans les journaux du temps). Voilà la pureté des hommes employés pour défendre l'arche sainte.

20 mars 1830. — Voyez comme ces ministres savent réparer le mal de leurs devanciers! Comme ils détruisent les ordonnances! Comme dans leur administration toute morale ils ont cessé de lever un impôt sur les plus infâmes plaisirs! Si les joueurs, punis de mort au Japon, ne sont pas comme les banquiers du Roi à Paris!

Mars 1830. — Martignac est un misérable, ancien valet de Villèle, puis faisant partie du ministère qui a succédé à celui où son ancien maître, a commencé la ruine de la monarchie, que maître Polignac saura bien achever. Martignac, ministre, changea en un moment de langage, car de système il n'en a point. Mais bientôt, voyant que le chartiste ne réussissait pas auprès du Roi, il trahit ses nouveaux collègues, en flattant le Roi et cherchant, par toutes les ruses de son imagination gasconne, à éloigner du ministère les hommes qui auraient pu lui donner quelque considération, le soutenir et empêcher les absolutistes d'arriver. Mais ces menées, que cet homme vil et méprisable ne faisait que pour tâcher de faire partie de ce ministère que nous avons le bonheur de posséder, ne lui ont pas réussi. On n'a pu lui passer les ordonnances et on l'a mis pour un temps sous la remise. Je dis pour un temps car, lorsque les empires finissent, les hommes comme Martignac, Polignac, Villèle, La Bourdonnaye, etc., sont toujours, et tour à tour, appelés à achever l'œuvre de la colère de Dieu.

Demandez à tous ceux qui ont de fâcheux antécédents s'ils veulent la liberté de la presse : non, ils veulent la censure. Quelques bonnes gens aussi la veulent, trompés par les journaux ministériels; et partout l'impiété et le libéralisme renversent le trône et l'autel. Moi-même je serais bien de l'avis de ces derniers si on m'assurait que cette censure serait toujours exercée au profit des honnêtes gens et sincères royalistes. Mais comme il y aura toujours une liberté de la presse pour les ministres et que tous les ministres ne sont pas des saints, tant s'en faut, il est probable que la censure ne sera jamais qu'à eux et à leurs croyants. Soyons justes : les journaux, d'un côté comme de l'autre, sont faits avec des passions bien plus qu'avec des opinions; cependant il faut convenir qu'aucuns sont injurieux et mensongers, comme la *Gazette*, la *Quotidienne*, etc. Depuis quinze années, je ne vois pas un ministre au pouvoir qui ne demande la censure et pas un ministre tombé qui ne demande la liberté de la presse : j'en excepte M. de Chateaubriand qui n'a jamais voulu laisser autant de liberté à la presse que lorsqu'il était ministre[431].

Mars 1830. — Il faut au moins qu'on ait entendu parler d'un ministre dans un pays tel que la France. C'est par trop se moquer d'elle que de remettre ses intérêts entre les mains du premier venu et qu'on soit obligé, à chaque ministre nommé, de se demander : Qui est-il? d'où vient-il? comment se nomme-t-il? Jamais je n'avais jamais entendu prononcer ce nom-là! Tout ce dont on est sûr, c'est qu'il est de la Congrégation, et presque toujours un homme... (?), un pilier des antichambres de Bonaparte ou même du Directoire! Presque toujours un homme sans mœurs et sans religion, tel que MM......

...... Il faut convenir qu'il y a au moins un peu de démocratie à M. de Polignac, de nous renvoyer ainsi aux laquais pour les renseignements à prendre sur le compte de ses honorables collègues.

Si vous voulez être charitable, ne dites jamais du mal de votre prochain; si vous ne voulez pas vous en repentir, n'en dites jamais du bien.

13 mars 1830. — On a prétendu et on l'a dit à l'Archevêque que M. de la Ferronnays était venu voir M. de Chateaubriand avant son départ pour Rome, ce qui est vrai. Mais qu'il lui avait fait de nouvelles propositions de la part du ministère auxquelles il avait répondu : « On me donnerait la moitié du royaume que je ne voudrais pas m'associer à ces coquins-là. » Toute cette négociation est un fagot inventé par les faiseurs pour tâcher de [les] brouiller irrévocablement. Jamais M. de la Ferronnays n'a porté de paroles qu'il aurait su inutiles, mais auxquelles M. de Chateaubriand n'aurait pas répondu en style de crocheteur. (M. de Chateaubriand tient cette anecdote de M. l'Archevêque.)

Le grand Frédéric disait que Dieu avait donné aux hommes le bâton de la religion pour se soutenir et qu'ils s'en servaient pour s'exterminer.

Avril 1830. – Le Roi disait qu'il ne voulait pas changer le ministère de Villèle parce que Louis XVIII s'était perdu par trop de ces changements et, depuis qu'il a été obligé de céder à l'opinion publique, il a changé selon son bon plaisir deux fois de ministère et... de ministres. Remarquez le résultat de tous ces ministères formés par l'intrigue d'hommes en horreur à la France : des troubles, des exagérations et la guerre partout.

Rien de plus dangereux en ce moment que ces hommes qui ont été aux pieds de Bonaparte, parce qu'ils se glorifient du despotisme[432] qu'ils adoraient alors, pour dire qu'ils n'ont point changé de système en voulant l'absolutisme : sans doute; mais la Légitimité qu'en font-ils? C'est Fouché qui a commencé à trouver grâce auprès du Roi (Monsieur alors) en lui parlant despotisme, puis Soult, puis Molé et Pasquier, enfin Decazes et ainsi de suite, tous les séïdes de Bonaparte ou de Robespierre, qui tous avaient plus ou moins d'antécédents à confier à la censure ministérielle. Les prêtres aussi : lorsque sous Bonaparte on leur parlait de la mort du duc d'Enghien, de la captivité du Pape, de l'impiété et des injustices de l'Usurpateur, de la guerre d'Espagne et de cette coupe réglée appelée conscription, ces pieux ecclésiastiques répondaient : que les ministres du Seigneur ne devaient point se mêler de politique, qu'ils n'avaient d'autre chose à faire qu'à prêcher l'Évangile et l'obéissance au souverain que la Providence leur avait imposé; qu'ils n'étaient pas appelés à juger les intentions de l'Empereur mais qu'enfin il fallait rendre à César ce qui appartenait à César, etc. Eh bien! ces mêmes hommes aujourd'hui trouvent qu'il faut se mêler de tout : ils s'occupent de politique jusqu'au pied des autels; ils prêchent tantôt la soumission absolue aux ordres du Roi, si le Roi est dans leur sens, et la rébellion la plus ouverte, s'il contrarie leurs passions, s'il entrave le moins du monde leur puissance et touche en rien à leurs intérêts pécuniaires. Ils font des libelles, ils font des journaux et, pire que cela encore, des mandements[433] qui, s'ils n'excitent pas à l'instant la guerre civile, allument dans les cœurs des haines indestructibles et qui fermenteront jusqu'au jour où, pour les satisfaire, on exposera la France aux plus grands malheurs, et la monarchie à une chute dont elle ne se relèvera jamais.

22 avril 1830. — M. Féletz est devenu ultra, par conséquent le voilà saint[434]. Cependant qu'a-t-il changé dans sa vie, depuis l'époque encore récente où nous (qui ne sondons point les cœurs) voulions lui faire avoir une place, qu'il vient enfin d'obtenir [dans] l'Université et qu'il a due à son changement de langage sans avoir rien changé à sa manière de vivre? C'est toujours le prêtre n'exerçant point, ayant des maîtresses, passant sa vie au bal et au spectacle. Dans le temps que nous demandions pour lui cette même place, obtenue aujourd'hui, le prétexte de refus était qu'il était prêtre et ne vivait point comme un ecclésiastique. L'évêque d'Hermopolis, qui connaissait les sentiments royalistes de M. Féletz, refusait avec peine, mais Clausel déclarait que c'était un homme scandaleux et qu'on ne pouvait présenter à la jeunesse : en cela il avait peut-être raison et ce n'est que le pour et le contre que je lui reproche.

A qui distribue-t-on les grâces, à qui donne-t-on le Saint-Esprit? A M. de Champagny pour cette belle inspiration que lui fournit l'éloquent exposé qu'il fit à l'Empereur pour l'engager à s'emparer du roi d'Espagne, Ferdinand, à Bayonne, le 24 avril 1808[435].

Fragments du discours de M. Champagny :

« Sire, la sûreté de votre Empire, l'affermissement de sa puissance, la nécessité d'employer tous les moyens pour forcer à la paix un gouvernement qui se faisait un jeu du sang des hommes [...] La circonstance est grave et le choix du parti à prendre est également important [...] Le moment est arrivé de donner à la France, du côté des Pyrénées, une sécurité invariable [...] Dans son état actuel, l'Espagne, mal gouvernée, fait mal ou plutôt ne fait point cause commune contre l'Angleterre. Il faut qu'un bon gouvernement (celui de Bonaparte) les fasse renaître (les forces maritimes) et que Votre Majesté les dirige contre l'ennemi commun... Tout ce qui conduit à ce but est légitime; la dynastie qui gouverne l'Espagne, par ses affections, ses souvenirs et ses craintes, sera toujours l'ennemie cachée de la France, ennemie d'autant plus perfide, qu'elle se présente comme amie [...] Il faut, dans l'intérêt de l'Espagne comme de la France, qu'une main forte vienne rétablir l'ordre dans son administration dont le désordre *avilit son gouvernement*. »

Juin 1830. — Dans les premiers jours de juin, un homme est arrêté portant un projet de conspiration d'abord en faveur du roi de Rome, ensuite pour mettre M. le duc d'Orléans sur le trône, si mieux on ne pouvait avoir une République. Cet homme, bien entendu, portait sur lui la liste des conjurés qui n'étaient autres que M. de Chateaubriand, le duc de Fitz-James, l'évêque d'Hermopolis, l'archevêque de Bordeaux, etc.[436] Voilà les ruses électorales du ministère ; celle-ci était un peu trop grossière, la *Gazette* elle-même l'a niée ; mais enfin ces bruits sont toujours bons à répandre et la preuve, c'est que quelques bonnes dames du Marais disaient à un de nos amis : « Mais enfin, M. de Chateaubriand n'a pas répondu. »

Personne en France ne veut la République, et tout le monde, même les républicains et les libéraux, s'arrangeraient du Roi avec les institutions qu'il a juré de maintenir (la main sur l'Évangile) ; mais il faut convenir qu'avec les injures, les calomnies et outrages prodigués par nos défenseurs du trône et de l'autel, il faut une vertu plus qu'humaine, surtout quand il n'y a point d'amour, pour supporter le poids de tant d'indignités. Les ministres et leurs agents veulent nous montrer la Monarchie comme une maîtresse devenue tellement capricieuse, exigente et acariâtre, que sans cesser de l'aimer, on va se noyer de désespoir.

« Il n'y a rien qui vieillit sitôt qu'un dieu. » (Aristote.)

« L'espérance est le songe d'un homme éveillé. » (Aristote.)

« Les lettres servent de consolation dans l'adversité et d'ornement dans la prospérité. » (Aristote.)

CHAPITRE 4

La révolution de Juillet

27 juillet 1830. – Jour des Ordonnances[437] ; on s'est battu, le 28, 29 et 30 juillet ; le 29 M. de Sémonville[438] réunit les pairs chez lui et il n'y invita pas M. de Chateaubriand, bien convaincu d'avance que ses opinions et celles des autres pairs, tous orléanistes, ne s'accorderaient pas.

Le mercredi 29, M. de Chateaubriand arrive de Dieppe[439]. Le jeudi, il va à la Chambre : il trouve M. de Mortemart investi des pouvoirs du Roi, ce qui ne l'empêche pas d'adhérer à la Lieutenance Générale du duc d'Orléans. M. de Chateaubriand est seul de l'avis que, puisque le Roi rapporte ses ordonnances, on doit se déclarer pour lui. Le jour même, nous envoyons à Rambouillet (ou Saint-Cloud); le Roi fait dire à M. de Chateaubriand de s'entendre avec M. de Mortemart[440].

Le vendredi 30, lettres sur lettres de Laborie; visite de Berryer[441].

Le samedi 31, le Roi charge M. de Cony[442] de venir dire à M. de Chateaubriand qu'il reconnaît combien son gouvernement a été injuste envers lui, et Mme la duchesse de Berry ajoute : « Qu'il se souvienne que c'est lui qui a écrit la vie de mon mari et que je lui recommande mon fils. »

Départ du Roi le [31 juillet au soir]. M. de Chateaubriand proteste à la Chambre des Pairs contre cette usurpation[443]. Il reconnaît seul avec... Henri V. La Chambre était composée de [114] Pairs[444].

M. le duc d'Orléans couronné le [8 août]. Tous les ultras, les grands faiseurs de coups d'État, prêtent serment à Philippe Ier, les uns sans phrases, les autres en jurant de leur fidélité et tendresse à la dynastie tombée. Un certain Boisbertrand surtout, d'abord mouchard de Monsieur, fougueux ennemi de Villèle en 1822, son âme damnée en 1824 et suivantes, sorti de la boue et gorgé de places par ses bassesses (son savoir-faire en fait d'intrigue), aussi fougueux congréganiste et absolutiste sous Polignac qu'il avait été pour et contre sous Villèle; un drôle enfin et qui, si l'on n'y prend garde, va conserver sa place à l'Intérieur ou en obtenir une meilleure. Ce misérable, en prêtant serment à la Chambre des Députés (le 14 août 1830), n'a pas craint de parler de son amour et reconnaissance pour son ancien souverain, mais les dangers qu'il trouve en restant attaché à la pairie, font qu'il préfère ce parti à celui de la retraite qui, dit-il, n'a point de dangers. Ce discours a excité le mépris, mais il doit exciter assez d'indignation pour qu'on reçoive les serments de M. Boisbertrand gratis et l'on verra s'il les continuera.

Visite de M. Berryer pendant qu'on se battait encore, mais lorsque la victoire se décida contre les absolutistes.

Le discours de M. de Chateaubriand a excité un tel enthousiasme dans tous les cœurs tant soit peu généreux que nous avons vu des républicains même venir se mettre à sa disposition et vouloir de M. le duc de Bordeaux même sous sa responsabilité.

Tous ces faiseurs de coups d'État jurant aujourd'hui pour M. le duc d'Orléans, diraient, si jamais Henri V revenait, qu'ils avaient pris une part active au gouvernement pour être plus à même de servir le royal enfant[445]. C'était, en 1814, ce que disaient de braves gens qui avaient profité pendant dix ans des places, honneurs et argent de Bonaparte, qui ne songeaient aux Bourbons que pour craindre leur retour et qui tout à coup se sont trouvés les sauveurs de la monarchie, parce que le jour où ils ont vu leur maître abandonné et les Alliés protégeant les Bourbons, ils ont crié à tue-tête : « Vive le Roi! »; tels furent par exemple les Talleyrand, Pasquier, Molé, Pastoret, etc. Ce sont les mandements des évêques et les folies dites en chaire par un parti de missionnaires et quelques autres jeunes ecclésiastiques, qui ont commencé à exaspérer les esprits.

Premiers jours d'août 1830. — D'où viennent ces cris tant de fois répétés qu'on va massacrer les prêtres, qu'on va piller nos maisons? Certes ce ne sont pas ceux qu'on accuse de méditer ces crimes, qui s'empressent de les signaler ainsi d'avance, afin de donner le temps de s'y soustraire : non, c'est *l'Ami de la Religion* ou la *Gazette Royale* qui s'amusent, par amour pour leurs frères, à semer le trouble et la terreur dans tous les esprits. On peut déplorer sans doute des malheurs trop prévus et qui devaient être le résultat de tant de folies, pour ne pas dire de tant d'iniquités, tant de fois et vainement signalées; mais si les habitants de Paris, volant à la défense de leurs institutions attaquées, ont repoussé avec succès la force parjure par la force légale, s'ils sont restés vainqueurs dans cette lutte, comment ont-ils usé de leur victoire? Pas un massacre, pas une insulte qui ne soient à l'instant punis; et cependant, il faut en convenir, l'exaspération était et devait être au comble contre tous ceux qu'on soupçonnait d'avoir porté le Roi à violer ses serments et à cimenter le nouveau pacte avec le sang de ses sujets. Beaucoup sans doute, et avec trop de raison, rapportaient la cause de tant de maux à ces mandements qui n'appelaient rien moins que la guerre civile en France[446], à ces discours de quelques missionnaires, peu instruits dans la charité de Saint Paul et qui, trompés ou mal conseillés, irritaient sans cesse les esprits au lieu de les calmer...... : enfin à cette Congrégation, commencée sous de pieux auspices, mais dont les chefs étaient des hommes puissants par leurs places auprès du Roi et des hommes plus puissants encore par l'influence qu'ils exerçaient sur une grande partie de la société; [ils] avaient attiré au milieu d'eux les intrigants de tous les partis qui voyaient, dans cette sainte réunion, un moyen sûr d'obtenir des places et de l'argent[447]. Voilà, je le répète, ces hommes qu'avec raison le peuple de Paris accusait d'avoir provoqué les journées des 27, 28 et 29 juillet. C'est donc, dans ces jours de fureur et de deuil, que les vainqueurs auraient pu se porter aux excès dont aujourd'hui on les accuse de vouloir se rendre coupables. Voudrait-on, par de semblables insinuations, leur en faire naître l'idée? Oui, sans doute; voilà la plus chère espérance de ces hommes qui, à l'aide de leur obscurité, sont déjà à l'abri du martyre qu'ils ont prédit et qu'ils veulent voir subir à leurs amis, de ces hommes qui peut-être trouvent encore, en ce moment, le moyen de vivre aux dépens du nouvel ordre de choses et tour à tour, grâce à l'anonyme, de répandre leur venin dans l'*Ami de la Religion*[448] un jour et l'autre dans le *Patriote*. Il faut que ces misérables justifient leurs sanguinaires prophéties, aux yeux d'un parti qu'ils n'ont cessé de trahir encore plus dans le temps qu'ils le servaient qu'aujourd'hui qu'ils l'abandonnent. Qu'on recherche les auteurs de ces journaux dits royalistes, et vous les trouverez déjà dans les antichambres des nouveaux ministres, vendant leurs services au rabais, lesquels, si on a la faiblesse de les accepter, perdront cette cause tout aussi vite qu'ils ont perdu l'autre.

On n'en veut point aux prêtres (en général), à ceux qui ne s'occupent que de leurs pieuses fonctions qu'ils peuvent remplir aujourd'hui avec plus de sécurité que jamais, parce que désormais les brouillons et les faiseurs de mandements n'oseront plus prêcher la guerre au nom d'un Dieu de paix. Voyez où peut conduire l'excès d'un fanatisme qui n'est pas même un fanatisme sincère, mais un moyen d'arriver à la belle fin qu'a fait M. le Grand-Aumonier[449] qui, comblé des grâces de la cour et tonnant sans cesse contre toutes les institutions, vient honteusement, et pour éviter ce martyre auquel il aspirait tant, de bénir le drapeau tricolore et de chanter le Te Deum en actions de grâces de l'ordonnance qui chasse à jamais de France des maîtres dont il n'a reçu que des faveurs. J'en appelle à tout ce qui a le cœur droit; j'en appelle aux ministres du Seigneur eux-mêmes, si follement effrayés : est-ce après la victoire que vous trouverez nos citoyens cruels quand, le jour du combat, ils n'ont pas fait entendre un seul cri d'« A bas les prêtres »? Est-ce lorsqu'ils rentraient paisibles dans leurs ateliers, laissant la terre encore jonchée de leurs amis morts, qu'ils vont méditer le massacre de ces mêmes prêtres dont ils accusaient cependant, il faut en convenir, plusieurs d'entre eux d'avoir provoqué ou du moins d'avoir connu d'avance des Ordonnances, causes des fatales journées des premiers jours d'août? Est-ce enfin, lorsqu'ils noyaient un soldat parce qu'il avait volé un plat d'argent, qu'ils vont ensuite ordonner le pillage des habitants de Paris? Deux pillages ont été commis dans ces moments d'effervescence : l'un dans le palais de l'Archevêché[450], on connaît les malheureuses paroles qui l'ont causé[451], l'autre chez les Missionnaires[452] : celui-ci n'a point été prémédité; il est plus que probable que c'est un de leurs domestiques qui l'a provoqué : on a arrêté cet homme et on lui a trouvé beaucoup de linge et d'effets cachés, à ces messieurs : il y avait huit ans qu'il était chez eux; ils le nourrissaient lui et sa famille, et pendant qu'ils étaient cachés chez M. de Chateaubriand, ils l'avaient fortement recommandé comme un saint, pour être placé. Voilà comment ces bons prêtres étaient trompés par des hommes dont, pour leur faire du bien, ils exigeaient des signes de religion auxquels ces misérables se soumettaient pour abuser de la bonne foi de leurs maîtres.

Raconter comment l'Infirmerie a évité le pillage et conservé, sur la porte extérieure, sa croix et le nom de Marie-Thérèse.

Août 1830. — M. de Talleyrand vient d'être nommé ambassadeur de Londres[453]. Combien de fois a-t-il été traître à son Dieu et à ses rois? Ce qu'il y a de sûr, c'est qu'en allant prendre congé de Philippe Ier, il lui dit : « Sire, je suis à mon treizième serment, je souhaite que ce soit le dernier. »

6 août 1830. — Il n'y a point de plus grands maux, de plus difficiles à réparer que ceux qui sont commis au nom de la religion par les hypocrites : l'hypocrisie entraîne les faibles ou éloigne les honnêtes gens de cette religion où ils ne voient qu'un moyen de satisfaire les passions haineuses, la confondant trop souvent avec celui qui s'en sert pour faire le mal.

Le Sacré-Cœur. — Dire comment cette maison s'est établie : Mme de Baudemont, première générale, aujourd'hui supérieure de Saint-Denis à Rome. Les persécutions que les Dames du Sacré-Cœur ont fait éprouver aux dames de Saint-Denys — leurs calomnies et celle du nonce sur ces saintes filles —, la différence de cet ordre nouveau avec les autres ordres restés pauvres et point secourus parce que ce n'était pas de mode.

En opposition aux Dames du Sacré-Cœur :

Les Dames de Saint-Thomas, Les Filles de Saint-Vincent, Les Sœurs de la Providence, » de la Sagesse, » de Saint-Augustin, » de Saint-Maur,	Hospitalières et faisant aussi de l'éducation.
Ordres cloîtrés : Les Bénédictines, Les Carmélites, Les Ursulines, Les Trappistes,	non persécutées.

Il y avait à Rome un superbe couvent de Minimes (la Trinité-du-Mont), dont les moines étaient éteints; il ne restait plus qu'un moine. Le couvent restait à l'Église de Rome, mais les revenus de 36 000 francs appartenaient à la France, qui avait doté ce couvent. Il fut ordonné, à l'extinction des religieux, [de les accorder] à l'ambassade après une petite rente qu'elle laissait à un des moines vivant encore en 1828, [et de] distribuer ces fonds aux pauvres Français qui se trouvaient à Rome ou qui y venaient en pèlerins. En 1828, Mesdames du Sacré-Cœur entreprirent de se faire donner, à Rome, ce couvent et d'y faire attacher à leur profit les 36 000 francs, qui étaient encore une trop faible somme pour soulager les malheureux Français qui se trouvaient à Rome. Ce fut pendant l'ambassade de M. de Laval que la chose se trama; mais ce fut M. de Blacas qui, de retour à Paris, conduisit l'intrigue[454]. On dit au Roi que le Pape désirait des Dames du Sacré-Cœur et qu'il leur donnerait un ancien couvent vacant, si le Roi voulait leur abandonner une petite somme devenue disponible depuis l'extinction des moines, sans parler de l'emploi qu'en faisait l'ambassadeur : le Roi y consentit sans information. Ensuite M. Lambruschini[455] (nonce alors)...

14 août 1830. – M. Boisbertrand a (dit-il) prêté serment à cause du danger, danger qui n'existait pas dans la retraite. Peut-on voir une plus lâche hypocrisie?

22 août 1830. – On ne demandera bientôt plus quels sont les pairs qui ont fait le serment, mais quels sont les pairs qui ne l'ont pas fait. Cependant il est à remarquer que le plus grand nombre des jureurs se trouve parmi les grands faiseurs de coups d'État.

On s'est trop pressé d'exclure du droit de siéger les fournées de pairs faites par Charles X[456]; nous aurions vu que ces braves gens sont tellement monarchiques qu'ils jurent toujours fidélité au premier venu pourvu qu'il soit Roi.

L'abbé Nicolle a été renvoyé de la Sorbonne[457]. Si Charles X avait renvoyé une centaine de ses bons serviteurs semblables à celui-là, il serait probablement encore sur le trône. L'abbé Nicolle est un très méchant homme, un très mauvais prêtre mais un très bon avare. Il est, du reste, bas et hautain et, ceci [est] sûr, il trouvera bien le moyen de s'y rattacher : il a fait du reste une scène horrible à l'abbé Guillon[458], qui officiait à la Sorbonne, parce que l'abbé Nicolle était caché pendant qu'il devait être à l'office; le frère de l'abbé Nicolle a fait deux fois banqueroute.

Mettre dans mes notes le discours de M. de Chateaubriand à l'avènement de Charles X[459]; la manière dont fut reçu ce prince, par qui fut abolie la censure et qui jura la Charte[460]. Comment le refroidissement pour M. de Chateaubriand vint des menées de Villèle et Peyronnet au sujet du ministère d'État; la sottise de M. de Rivière.

Époque des disgrâces de M. de Chateaubriand : il perd toujours les places parce qu'il veut dire la vérité. Que de gens qui ne la disent que parce qu'ils ne sont pas en place... La différence entre ces deux espèces de gens.

20 août 1830. – Les deux La Bouillerie[461] (fils de meuniers) avaient un traitement de 20 000 à 30 000 francs.

On dit à présent qu'il y avait trahison partout, dans l'armée, dans le Château : eh! n'est-ce pas ce qu'on ne cessait de leur répéter? Que tous ces bonapartistes, ces révolutionnaires, ces hommes sans aveu ou tarés dont ils faisaient des saints ou des convertis, les uns les flattaient pour obtenir des places ou garder les leurs, les autres les poussaient à des folies pour les perdre. Mais ce langage alors était celui de la *défection* ou du libéralisme! Celui qui renonçait à tous les avantages des honneurs et de la fortune, qui abandonnait la plus belle place du monde et 20 000 livres de rente pour signaler le danger, était un ambitieux, un libéral, un homme de la *défection*[462]!

Celui-là, qui contait des erreurs pour jouir de tous avantages de la faveur et de la fortune, était seul écouté. C'était le royaliste par excellence, détaché de tout hors de l'amour de son Dieu et de son Roi! O fatale influence d'une hypocrite flatterie sur un prince qui n'avait rêvé que des impossibilités![463]

29 août 1830. — Les ultras de Paris ne voulaient pas entendre parler de la liberté de la presse. Ils la trouvent cependant fort bonne en Belgique, parce que, dans ce pays, leur parti en a besoin pour faire de l'opposition contre le roi des Pays-Bas. Aussi, comme les libéraux de Bruxelles soutiennent la même cause que les ultras d'ici, le Nonce, à qui M. de La Celle[464] en faisait la remarque, répondit tout uniment : « Ah! mais c'est que les libéraux de la Belgique sont d'honnêtes gens et que ceux de la France sont des coquins[465] »; et c'est à cause de cela que les premiers ont fait leur révolution en brûlant et massacrant, tandis que les autres n'ont fait feu que pour repousser l'attaque, et ont été d'une modération sans exemple après la victoire!

31 août 1830. — C'est M. Lowembruck d'abord qui a été le supérieur de l'Association de Saint-Joseph, ensuite M. de Bervanger : l'un et l'autre ont touché énormément d'argent pour cette œuvre et tous les deux ont fait beaucoup de dettes et ont rempli Paris de tous les mauvais sujets des provinces. C'est M. Lowembruck qui a enlevé le plomb des maisons qu'on lui avait prêtées à Versailles[466].

1er septembre 1830. — Reconnaissance de l'Angleterre.

L'Empereur d'Autriche, en apprenant la révolution arrivée en France, a dit : « Je méprise les ministres qui ont donné de tels conseils au roi de France et Charles X a mérité son sort, puisqu'il a manqué de ses serments : le duc de Bordeaux est innocent, mais je ne me mêlerai dans aucun cas de ses affaires[467]. »

1er septembre 1830. — Mouvement du peuple sur la place de l'Hôtel-Dieu[468]. — Expliquer comment et pourquoi il a eu lieu. — La supérieure, une imbécile; la sœur Saint-Benoît, une mauvaise tête et poussée par l'au[tre] — injures dites aux blessés, on les appelle *carcasses*; on leur dit qu'on ferait bien de les laisser manquer de tout, que des révoltés ne doivent exciter aucune pitié. La sœur Sainte-Marthe et la sœur des Anges, excellentes.

6 septembre 1830. — Mort de Martainville, propriétaire et rédacteur du *Drapeau blanc*, dans lequel ce misérable vomissait chaque jour un torrent d'injures à tous les honnêtes gens. On connaît les chansons et les pamphlets qu'il fit en 17.. contre le Roi et la famille royale, et avant de mourir il a passé du *Drapeau blanc* au *Patriote*, journal républicain, et où il faisait d'aussi atroces articles en faveur de l'anarchie républicaine qu'il en avait fait en faveur de l'absolutisme monarchique[469] ; et c'est cependant sur la foi de pareils hommes que, pendant six ans, on a donné des brevets de jacobinisme à tout ce qui ne voulait pas tromper le Roi et qui renonçait à 20 000 livres de rente pour dire la vérité, tandis que tant d'autres ne cessaient de dire des mensonges pour garder leurs places et leur argent[470].

C'est bien quand on voit la manière dont s'est conduite la Garde nationale dans ces derniers troubles, que rien ne peut excuser son licenciement.

C'était M. le duc de Bassano (Maret) qui était le conseiller du Roi dans les derniers temps, ils étaient en correspondance suivie; nul doute que cet impérialiste qui avait reçu, comme [chef de cabinet] indispensable, les coups de pied et les soufflets de Bonaparte, ne conseilla à Charles X de régner de cette manière et sans le départ, nous aurions vu le noble duc remplacer un pair proscrit : peut-être M. de Chateaubriand[471].

Septembre 1830. — C'est à la sollicitation de Polignac, peut-être du Roi, que le Rovigo a été reçu du Pape, à Rome; on l'avait particulièrement recommandé aux soins et aux égards de l'ambassadeur.

L'École de Médecine, etc., voulait le Roi après avoir entendu le discours de M. de Chateaubriand.

Rappeler ce que le Roi et Mme la duchesse de Berry nous ont fait dire par M. de Cony.

Les réunions de la Chambre des Pairs dans les journées du mardi, mercredi et jeudi. — Billets non envoyés à temps[472].

10 septembre 1830. — C'est un petit élève des antichambres de Bonaparte, M. de Brissac, chevalier d'honneur de Mme la duchesse de Berry et frère du duc de Brissac, qui fut coadjuteur de son père pour la place (aussi de chevalier d'honneur) qu'il remplissait avec une platitude remarquable chez Madame Mère[473] ; ce fut, dis-je, un Brissac qui a eu l'audace de dire il y a quelques jours (à Mme Bail[474]) qu'on recevrait en grâce M. de Chateaubriand, s'il voulait avouer qu'il avait écrit dans le *Journal des Débats* et qu'il convenait que ces articles avaient fait un grand mal à la Monarchie; que M. de Montmorency avait fait aussi une grande faute au commencement de la Révolution[475], qu'il en avait fait l'aveu et qu'on lui avait pardonné.

D'abord, M. de Chateaubriand n'a point écrit dans les *Débats*[476]; mais s'il l'avait fait, c'eût été pour dire, comme il l'a toujours fait, tout ce qu'il fallait dire pour arrêter la fatale catastrophe, amenée par des hommes tels que les Brissac et les Mathieu, et sauver ses malheureux princes : il n'aurait rien à rétracter. Mais si M. de Chateaubriand s'était une fois trompé, il n'eût pas attendu, comme M. de Montmorency, qu'une grande place fût attachée à son aveu et il eût dit tout simplement : « Je me suis trompé une fois, je puis me tromper deux », et aurait conseillé au prince d'en prendre un plus sage que lui. Voilà, quand on a fait ce qu'avait fait M. de Montmorency, ce qu'on dit quand le repentir est sincère. Voilà ce qui a perdu les Bourbons; c'est l'amour des convertis, ne sachant pas que ceux qui ont véritablement le cœur contrit ne s'érigent pas en censeurs de leur prochain, lorsqu'ils ont à pleurer une grande faute et à craindre d'y retomber. [Malheureusement, M. de Chateaubriand n'a point de faute à se reprocher, si ce n'est celle d'avoir été, malgré tous les risques qu'il y courait, un vrai et loyal serviteur du Roi, disant toujours la vérité, non pas lorsqu'il n'avait rien à perdre, mais toujours dans les temps *où il n'avait plus* rien à désirer. *Quand il publia « la Monarchie selon la Charte »*, il était pair, ministre d'État, avec une pension de 24 000 francs; il donna *sa démission à Berlin*[477] pour rester fidèle à des amis qui, à la vérité, le trahissaient : mais n'importe. Ministre, avec 25 000[478] livres de revenus, il ne voulut pas approuver le 3 %[479]; [il fut] renvoyé[480] *ambassadeur à Rome*[481], il *renonça*[482] à 20 000 livres[483] de rente et à la plus belle existence du monde *pour ne pas soutenir des ministres*[484] *qu'il pensait*[485] devoir perdre le Roi : prévision trop vérifiée. Enfin aujourd'hui, il sacrifie *à la Légitimité dont il n'a éprouvé que l'ingratitude, le reste de son existence et refuse tous les emplois qu'on ne cesse de lui offrir, car les hommes, qu'il refuse de servir, l'apprécient plus que ceux auxquels il a dévoué toute sa vie*[486].

M. de Brissac ou M. de Mesnard ajoute que M. de Chateaubriand avait une pension aux *Débats*, calomnie d'autant plus atroce que les misérables la répètent sans la croire : à les entendre, M. de Chateaubriand a fait plus; il est allé dans les prisons visiter les hommes qui étaient condamnés pour écrits séditieux[487]. Enfin, il n'y a point d'infamies et de contes absurdes que le perfide entourage de nos princes en Angleterre ne continue à débiter sur le compte d'un homme qu'ils conviennent avoir une grande puissance de respect en France et dont ils croient avoir besoin[488].

Certes, s'ils veulent se servir de M. de...[489] (si c'est lui)[490] qui les a renvoyés (il les renverra encore) car[491], il ne changera ni de système, ni de langage : un honnête homme n'en a qu'un et il n'a point été élevé à la même école que M. de Brissac, *il* n'a *point* puisé dans les antichambres de Mme Bonaparte la bassesse d'un courtisan avec la fausseté d'un laquais. Nous verrons à quoi aboutiront les belles intrigues de ces messieurs pour ramener leurs maîtres sur un trône où, s'ils y montaient entourés d'eux, ils ne resteraient pas huit jours. J'espère voir un peu mettre au jour toutes belles fidélités métalliques.

10 Septembre 1830. – Une des filles de l'empereur du Brésil est en pension au Sacré-Cœur. C'est pour remercier ces dames de toutes leurs intrigues et [de] leur amour pour Don Miguel[492], que Don Pedro leur a envoyé sa riche héritière. L'argent est toujours pur aux yeux de ces saintes filles.

10 Septembre 1830. – C'est M. de Bouillé, que Charles X a envoyé pour négocier à Saint-Pétersbourg[493].

Je m'en étais doutée : les pairs ultras n'ont juré que pour avoir un moyen de sauver les ministres[494] ; si j'étais les ministres, je craindrais beaucoup plus ces amis-là que mes ennemis.

Le duc de Feltre, dont aussi on avait voulu faire un ultra et un saint dans le temps, malgré ses deux femmes[495], etc., fit un grand mal en décimant l'armée ; il réduisit un grand nombre de femmes et d'enfants à la mendicité : peu de militaires avaient trente années de services, terme qui laissait seul quelque droit à une pension pour les veuves et pour ces enfants[496].

Napoléon disait : « Une grande réputation est un grand bruit : plus on en fait, plus il s'étend au loin ; les lois, les institutions, les monuments, les nations passent, mais le bruit reste et retentit de générations en générations. »

Note et réflexions (1830). – Une supériorité reconnue à l'avance est presque toujours fatale à l'homme qui la possède et souvent à l'État. Par exemple, on a assez reconnu combien les idées politiques de M. de Chateaubriand étaient saines, justes et en harmonie avec la nation ; on lui accorde aussi une grande stabilité d'opinions et encore plus, le courage dans l'exécution. Ainsi, dans toutes les places qu'il a occupées, on a été obligé de convenir qu'il les a parfaitement remplies et a eu toujours raison ; que lui a-t-il donc manqué pour devenir un ministre prépondérant ? Rien qu'un coin de médiocrité rampante, ou plutôt d'être arrivé par le talent plutôt que par l'intrigue. L'envie l'avait vu venir et déjà chacun était à son poste et pressait le trône pour l'éloigner des princes et les princes eux-mêmes craignaient qu'on ne lui eût adjugé le prix des biens qu'il aurait faits à son pays. M. de Chateaubriand avait l'opinion pour lui[497] ; mais l'opinion défait souvent mais ne fait pas les ministres. Si le Roi avait donc soutenu M. de Chateaubriand comme l'opinion le désirait, il serait resté ministre et il est probable que la Révolution ne serait pas arrivée[498], car il aurait eu le bon sens de faire ce qui était bien d'abord et ensuite la force de réprimer le mal des brouillons, qui auraient voulu troubler l'État. Enfin, si les princes et surtout Charles X avaient voulu soutenir M. de Chateaubriand dans le bien qu'il pouvait faire, comme il a soutenu Villèle et Polignac dans le mal et les bêtises qu'ils ont faites, nous n'aurions pas le juste-milieu mais un gouvernement stable. Où est la force de M. de Metternich qui est le f[léau] du monde ? Dans la volonté du Roi qui le soutient. Vous me direz peut-être qu'il conduit l'Autriche despotiquement et que personne ne dit rien : sans doute, parce que l'Autriche n'avait encore rien dit avant M. de Metternich. Il a pris les lois et les institutions de son pays et, à force d'oppression, il le comprime. Mais voyez, dans les autres pays qui ont eu leur Révolution, ce que font les idées de ce ministre mises à exécution, comme en France et en Italie : elles amènent les Révolutions. Si la sottise nous a conduits où nous sommes, où est la force pour nous retirer ?

Septembre 1830. — Soult était la perle des absolutistes, le traître le plus en honneur au Château et le plus en faveur auprès de Charles X. Ce prince l'a toujours aimé et protégé : dans les Cent-Jours, lorsqu'il eut si bien trahi son maître, on était, selon Monsieur, des jacobins lorsqu'on voulait, à Gand, douter de la fidélité de ce misérable. Cependant Louis XVIII, prince raisonnable mais qui ne pouvait résister aux tracasseries de son frère, était loin de partager ses opinions sur le maréchal et, quelque chose qu'on pût faire, il ne voulut jamais, lors de la deuxième Restauration, le remettre sur la liste des pairs. Ce trait de générosité était réservé à Charles X, qui en a reçu la récompense puisque, depuis ce jour, Sa Seigneurie a continué à se montrer comme il le faisait déjà depuis longtemps, en grande tenue aux processions et autres cérémonies de Saint-Thomas d'Aquin. Ce converti, détaché des biens de ce monde, pair de Charles X, vient en conséquence de se trouver rayé de sur la liste des fournées de pairs de Charles X. Mais, à cause de la fidélité et reconnaissance qu'il devait au Roi et qu'il a sûrement gardées, il est rentré, seul ayant obtenu cette faveur, dans la nouvelle Chambre des Pairs. Donc le nouveau gouvernement connaissait bien les sentiments secrets qui étaient au fond de son cœur, tandis qu'il jurait foi, fidélité et amour à celui qu'il s'est hâté de trahir. Au surplus, tous les absolutistes et presque tous les ultras ressemblent à M. Soult. Ils voulaient les faveurs du gouvernement établi en le flattant

[et] en le trahissant également soit par haine, par ambition ou par bêtise.

Octobre 1830. — Le père de M. de Chantelauze[499] était un zélé terroriste et toute la famille pensait ainsi; mais comme, sous Charles X, les idées ultra-républicaines n'étaient pas le chemin de la faveur, à l'imitation des Noailles, un Chantelauze se mit, comme sauvegarde à penser ou, du moins, à parler autrement que son père; et vite, on sauta sur le républicain converti qui, comme cela se pratique toujours dans les gens sujets à changer de religion, devint un absolutiste enragé et surtout un ennemi juré de la liberté de la presse, qui fait qu'on ose rappeler à un homme sa conduite passée en opposition avec sa conduite présente. Mgr le Dauphin prit la peine de se détourner de sa route pour aller en personne supplier M. de Chantelauze d'accepter le ministère : le fait est vrai bien qu'incroyable; qu'aurait fait ce bon prince pour attirer ainsi un homme capable? Rien du tout. Au surplus, on peut dire que, si le ministère Polignac n'était pas un bon ministère, c'était au moins un ministère bien assorti : les Chantelauze, les Peyronnet, les Capelle n'avaient rien à se reprocher. Cependant il faut convenir que Capelle était ce qu'il y avait là de honteux.

Octobre 1830. — Rien ne corrige les misérables qui nous ont perdus. Ils travestissent tout, ils ne veulent qu'aigrir et neutraliser tout ce qui pourrait ramener des cœurs froissés mais généreux à la dynastie des Bourbons[500]. M. de Chateaubriand, dans son discours du 7 août à la Chambre des Pairs, a dit que la Légitimité était si forte, si puissante par elle-même qu'elle pouvait seule supporter la liberté de la presse et que, s'il arrivait une usurpation et qu'on laissât trois mois les écrivains libres, elle ne résisterait pas[501]. Voilà à peu près le sens de cette phrase; voici celui que la Congrégation lui a donné : « Si ces Bourbons s'en vont, qu'on me laisse écrire trois mois et je me charge de les ramener »; et on a ajouté : « Qu'il les ramène donc ». Ceci a été dit à Mme Bail par le plus méchant des imbéciles : Brissac.

Octobre 1830. — On dit que Vernet[502] en apprenant notre révolution, à Rome, a arboré le drapeau tricolore et témoigné une grande joie des événements de France. Je n'en sais rien, mais ce que je sais, c'est que Vernet se conduisait on ne peut pas mieux pendant que M. de Chateaubriand était ambassadeur à Rome. L'Académie aussi se conduisait alors admirablement; il est vrai qu'on la traitait avec une politesse à laquelle, disait-elle, elle n'était pas accoutumée[503].

Mais c'est comme cela qu'on faisait des royalistes avec des libéraux ; on ne ramène pas toujours à l'amour, mais, avec de la fermeté, de la raison, de la justice et surtout de la bonne foi, on donne le besoin de l'ordre et de la tranquillité.

CHAPITRE 5

1831-1844

Février 1831. — On dit que les révolutions n'arrivent que lorsque le gouvernement n'est pas assez despotique et surtout quand il y a liberté de la presse : c'est toujours la démocratie aux prises avec la royauté et le pouvoir. Mais dans ce moment, en Pologne, par exemple, est-ce le peuple qui remue ? Il n'y avait pas là de gouvernement constitutionnel, ni de liberté de la presse. Eh bien, à défaut du peuple, ce sont les nobles qui ont voulu secouer le joug d'un insupportable despotisme et réclamer la foi jurée par le prince menteur à ses serments. En Italie, surtout dans les états de Modène, à peine y laissait-on pénétrer un livre de prière dans la crainte qu'on y méditât sur le *Livre des Rois*. Cependant voilà le duché de Modène en révolution et ce sont encore les nobles et les grandes intelligences qui se trouvent à la tête des révoltés. Dans les États du Pape tout était arbitraire, à peine y permettait-on un journal censuré, et voilà les sujets du Pape en pleine insurrection[504]. En Russie même, sans cesse des signes de mécontentement ne sont que trop certains ; des conspirations ont déjà eu lieu et c'est un feu que la moindre étincelle fera éclater et, là comme ailleurs, ce n'est pas la démocratie, c'est l'aristocratie qui demande la liberté[505]. Vous répondrez « Mais c'est la Révolution française qui étend ses racines partout ! C'est notre exemple que l'on suit ! » Je vous prends par vos paroles ; quand vous parlez de conspirations, vous dites toujours : Ce sont les Carbonari ! Donc, c'est d'Italie que nous sont arrivés les premiers conspirateurs et c'est à leur école que nous nous sommes formés. Ensuite, si des gouvernements tels que ceux de Pologne, de Modène et d'Italie ne peuvent se préserver de l'influence des idées françaises, il faut, ou que le système adopté soit bien insuffisant, ou que le mécontentement soit bien grand pour porter le peuple au désir de s'y soustraire à tout prix.

Février 1834. — Quels étaient les hommes qui formaient la camarilla de Charles X ? Le cardinal de Latil[506], le plus méchant et le plus faux des hommes, sans esprit mais plein de ruses, ayant un instinct particulier pour reconnaître les hommes supérieurs afin d'en faire les objets de sa haine et de ses dénonciations auprès de son maître. Capelle : son nom seul est une tache à la monarchie; vil comédien, séïde abject de tous les gouvernements, sans foi, sans honte et si exécrable préfet, sous Bonaparte, que celui-ci disait, lorsqu'il exila Mme de Staël à Coppet : « La voilà en sûreté sous la surveillance de ce coquin de Capelle[507]. » Le baron de Damas, dont la bêtise seule serait une excuse à tout le mal qu'il a fait à la France, si cette bêtise ne lui laissait pas des moments assez lucides pour être méchant à propos. C'est l'hypocrisie incarnée et il tient tellement à une place qu'il renverse toutes les espérances du duc de Bordeaux, qu'il craint la rentrée de son royal pupille, ayant assez de bon sens pour sentir que ce serait le moment de la chute du coupable gouverneur. A ce triumvirat, joignons l'éternel La Bouillerie, et vous aurez une idée des vrais gouverneurs de notre pauvre France sous le règne de Charles X; et, qui a connu ces hommes encore plus pervers qu'ineptes, ne peut s'étonner qu'ils aient entraîné le trône dans l'abîme et bien plus que cela, dans la boue, d'où ils étaient presque tous sortis eux-mêmes, car, excepté M. de Damas, qui encore n'est pas des bons Damas, le cardinal est un homme de la plus basse classe, élevé au sacerdoce par la charité et à la pourpre par une prostituée, car, sans Mme de Polastron[508], le pauvre abbé de Latil aurait pu à peine obtenir une cure de campagne. La Bouillerie est fils d'un meunier, il a été alternativement le valet de... de Bonaparte et de Louis XVIII, encore [de] Bonaparte puis Charles X; sa fortune est faite, de sorte qu'il s'est retiré du service. Pour Capelle, tout le monde connaît son origine, moins basse que ses sentiments.

Mars 1831. — M. Ouvrard[509] est un des chargés d'affaires d'Holyrood; cependant, il paraît constant que c'est lui qui a excité les révoltes de décembre et de février. Les Carlistes l'en accusent du moins; on voit donc que les abatteurs de croix ne sont pas tous sous l'influence du parti républicain[510].

On dit que toute l'Europe est en révolution ; j'en conviens, mais il ne faut pas dire, comme le disent certains carlistes, que tous ceux qui participent à ces révolutions sont des jacobins. Car, enfin, en laissant à part la révolution de France, qui n'a assurément été que trop provoquée, par qui celle de Belgique a-t-elle été faite? Par des catholiques opprimés, par des prêtres et d'honnêtes et paisibles bourgeois intéressés à la tranquillité : celle de Pologne par des évêques et la première noblesse du pays[511]; celle d'Italie, par des princes romains et par toutes les classes les plus éclairées de la société. Enfin, en Russie, la dernière révolte qui a eu lieu en 1825, est sortie du milieu de l'armée et a été appuyée par les plus riches seigneurs[512]. Ainsi, tout ce qui souffre cherche un soulagement à ses maux, sans calculer les chances du remède; ce devrait être une leçon pour les rois : car enfin, les révolutions commencent toujours dans l'idée de se soustraire aux injustices d'un gouvernement despotique. Donc, le gouvernement qui, tôt ou tard, engendre la révolte, n'est pas le meilleur des gouvernements. Mais ces bons ultras connaissent bien le terrain; si les Bourbons reviennent, ils savent comment s'y prendre pour faire tourner à leur profit les honorables routes qu'ils n'ont pas eu la bêtise de suivre.

28 ou 29 mai 1831. — Comme le disait Bonaparte, M. de Chateaubriand a fait plus de bien aux Bourbons que la plus puissante armée et cependant celui-là, qui n'a eu qu'une marche et qu'un langage et qui n'a cessé de plaider la cause du Roi et de l'Autel, était appelé par les ultras un membre de *défection*! et quels étaient ces ultras? Ceux-là qui avaient tourné à tous vents et servi tous les gouvernements : c'étaient les Montmorency, qu'on fit figurer tour à tour dans les orgies de la Convention comme dans les antichambres de Bonaparte; les Brissac, bas valets des saletés de Madame Mère; les Girardin, qui figuraient aux Cent-Jours dans les conseils de guerre qui condamnaient à mort les soldats qui avaient suivi le Roi à Gand[513]; les Chifflet[514], les Du Plessis de Grenédan[515], les Guernon, les Chantelauze, qui avaient, eux ou leur père, couvert leur tête d'un bonnet rouge au temps que l'on conduisait leur maître à l'échafaud; enfin, Soult et tant d'autres maréchaux, traîtres à leur pays comme à tous les princes qu'ils avaient servilement servis et dont ils avaient excusé également les fautes et les ruines. Aujourd'hui par exemple, il est beau et surtout bien favorable à la cause d'une troisième Restauration de voir ce conseil d'amis de Mme la duchesse de Berry assemblé pour traiter les intérêts financiers des enfants de France et composé de MM. de Rosanbo, dont le fils[516]... le père en ce moment, devait-il mettre son nom en avant? M. de La Bouillerie, traître à Bonaparte après les Cent-Jours et, il n'en faut pas douter, prêt à trahir de nouveau pour Philippe, si Philippe voulait lui rendre les 23 000 livres de rente qu'il tenait des Bourbons. Amédée Pastoret[517] : M. Pastoret disait, lors de la Restauration, que les bourbonnistes avaient fait marquer sa maison pour la désigner à l'armée royaliste. Si ce sont là des amis, il n'est pas étonnant que nous ne soyons pas du nombre.

Lorsque la dernière brochure de M. de Chateaubriand, intitulée : *De la Restauration et de la Monarchie Élective*, a paru, le gouvernement disait : « Encore deux brochures semblables et le duc de Bordeaux est sur le trône. » Aussi cette brochure a eu l'assentiment de tous les partis à cause, pour les uns, de ses principes, pour les autres, de sa modération et de sa loyauté ! Elle a éprouvé un seul échec. Où cela? à Holyrood. Hélas! malheureusement, qui ne verrait le doigt de Dieu dans cet aveuglement qui poussa cette famille à se jeter sans cesse dans les bras de ses ennemis et qui se servit même de ses ennemis pour neutraliser la puissance de ceux qui leur étaient véritablement dévoués et pouvaient encore les sauver ! En Suisse et dans toutes les villes de France par où nous avons passé, nous avons entendu le même langage : « Encore une ou deux brochures, M. de Chateaubriand, et vous ramènerez le duc de Bordeaux[518]. »

Les ministres tombés, le cardinal de Latil, M. de Damas, les Brissac, auteurs du journal d'O['Mahony][519] craignaient plus la rentrée de M. le duc de Bordeaux que le plus grand républicain à commencer par M. de Lafayette[520]. Mais au surplus il est remarquable qu'à la première comme à la seconde Restauration, comme à la troisième chute, les Bourbons n'ont aimé que ceux qui avaient quelque chose à se reprocher : le secret de cela c'est que de tous temps les Bourbons n'ont aimé, comme le disait Henri III, que leurs chiens[521]. Je me rappelle qu'à Gand, leur passion (après Fouché), était le duc de Feltre. Ce duc de Feltre était comme tous ceux qui ont quelque chose à se reprocher, violent dans les opinions de la cour, bas et servile auprès de Louis XVIII comme il l'avait été auprès de Bonaparte. C'était du reste un misérable marié à une femme divorcée : il fut, sous Napoléon, un des plus méchants séides de son maître et ne fut adopté par Monsieur (Charles X) lors de la Restauration que parce qu'il fut comme tous les gens à antécédents suspects, un des ennemis les plus violents des libertés publiques et surtout de la liberté de la presse qui parle du passé comme du présent. Le duc de Feltre entrava à Gand tous les mouvements de la Vendée, j'en ai la preuve.

Jusqu'à présent toutes les histoires de la Vendée surtout celle de Mme de La Rochejacquelein, faite par M. de Barante[522], n'ont été que des contes de fées. Le grand La Rochejacquelein[523], le héros de toutes ces histoires, ne fut autre chose qu'un brouillon, un ambitieux, un homme sans talent et sans générosité. Il anéantit en quelques jours une colonne de l'armée de Charette[524] de cent mille hommes, en s'obstinant contre l'avis de ce grand capitaine à passer la Loire et cela par jalousie d'abord contre Charette, ensuite par la crainte que le prince de Talmont[525], sauvé des prisons d'Angers, ne prît le commandement de sa division : il représentait ce prince comme un imbécile, un homme sans courage et capable de mettre la déroute dans l'armée. Il traitait avec tout aussi peu de justice les autres officiers plus habiles que lui et capables de lui donner de bons conseils; il fut défait près de Pontorson. J'ai été témoin de ce que j'avance[526].

13 juin 1831. — (Voir *le National* du 13 juin). Parmi les écrivains qui fournissent depuis quinze jours ou trois semaines des articles aux journaux officiels, on nomme entre autres M. Malitourne[527] dont la vocation ministérielle ne date que du ministère Martignac, et M. Linguay, la sienne remonte au ministère Decazes et n'a point varié depuis; il écrivait dans la *Gazette de France* sous Villèle et Polignac.

23 juin 1831. — Aujourd'hui la mode est de prêter serment à Philippe en même temps qu'on reste fidèle à Charles X[528]. Mais ces nouveaux casuistes pensent-ils sérieusement que Dieu ait dit : « Vous jurerez à haute voix ce que vous renierez mentalement. » Non, il n'a point été question de restrictions mentales dans le IIe commandement. Dieu a dit expressément « Vous ne prendrez pas le nom de Dieu en vain », et voilà cependant ce que ce..., mille autres et surtout tous les disciples d'une monstrueuse école font sans cesse et tout cela au profit, disent-ils, et avec la sanction d'Holyrood. Cependant si ces prêteurs de serment à l'usurpateur, ont réellement le désir de remettre la Légitimité sur le trône ils trompent donc le roi Philippe, lorsqu'ils jurent de lui être fidèles et, comme pairs et députés, surtout de défendre sa couronne et l'État tel qu'il est aujourd'hui constitué; mais voici le raisonnement que la mauvaise foi ou une conscience faussée ne cesse de faire : nous allons aux élections pour empêcher les jacobins d'être nommés et pour sauver, s'il se peut, notre pays de la république et des horreurs de 1793. Fort bien, mais si vous êtes d'honnêtes gens fidèles à vos serments, tout en empêchant quelques désordres fruits des opinions révolutionnaires, expirantes en France, ne craignez-vous pas de donner de la stabilité à un gouvernement qui, s'il s'assoit en France, ferme à jamais la porte à celui dont vous ne vous faites les champions que comme un en-cas : car, parlons franchement, tous les faiseurs de serment à la grosse ne tendent qu'à avoir les profits d'une opinion et conservent l'honneur d'une opinion contraire. Nous savons que si

Henri V revient, ce seront encore les Philippins, qui revendiqueront avec succès les services qu'ils auront rendus *in petto* à la monarchie légitime en trahissant, encore plus *in petto*, la monarchie usurpée; aussi en arrivera-t-il encore ce qui déjà est arrivé deux [fois], c'est qu'en voulant faire de l'eau claire avec de l'encre, on aura une troisième Restauration qui n'aura pas plus de racine que les deux premières.

1831. — Voir dans le *Journal de Lyon*[529] (du 28 août 1831), une lettre de M. Raineville, datée d'Aix, adressée au *Constitutionnel* et datée du 31 juillet 1831.

Il s'élève sur l'accusation portée contre lui qu'il travaillait au morcellement du territoire français au profit d'un gouvernement étranger. A cela M. Raineville répond que cela n'est pas vrai et qu'il n'est à Aix que pour la santé qu'il a perdue au service de l'État. Quelle impudence!

Septembre 1831. — Le triumvirat, qui se trouve à la tête du Conseil de Régence à Holyrood, se compose, dit-on, de MM. Kergorlay[530], Pastoret et Bellune. Voilà trois hommes bien agréables à la France et bien propres à donner quelque confiance dans une troisième Restauration. Qu'a fait M. de Kergorlay pour la monarchie? Des diatribes. Et Bellune? Il a suivi Bonaparte et n'a pas le sens commun. Et Pastoret? Rien du tout. C'est sa femme qui, sous l'Empire, disait que les royalistes voulaient faire marquer sa porte pour le faire assassiner et qui, arrivée jusqu'au 29 mars 1814, athée de bonne foi, le 30 du même mois se trouve, par la grâce de la Restauration, tout à fait illuminée et, à l'arrivée de Mme la duchesse d'Angoulême, elle se trouve prête à paraître en prédestinée et [en] Dame de la Maternité devant Son Altesse Royale, qui prit sur-le-champ en passion tous les Pastoret petits et grands[531]. Or comme il était arrivé qu'à son titre bien connu d'antibourbonien, l'heureuse famille avait acquis beaucoup d'honneurs et de richesses sous la République et sous l'Empire, il advint, qu'à titre d'ultra sous la Monarchie légitime, elle centupla ses honneurs et ses écus. Aujourd'hui on crie « au miracle » de ce que M. Pastoret, âgé de plus de quatre-vingts ans, riche comme un puits et ayant besoin de repos, soit resté pour la première fois fidèle au malheur. En effet la fidélité chez les Pastoret semblerait un miracle, si l'on ne savait qu'on peut en faire de ces miracles-là sans l'aide de Dieu et sans crainte d'être canonisé par la postérité.

20 septembre 1831. — On dit que les Chambres ont voté la déchéance du Roi, donc elles étaient déjà mauvaises[532]. Mais d'abord je dirai que les Chambres auraient pu ne pas vouloir renverser le Roi avant les Ordonnances et ne plus vouloir du Roi après le parjure dont il s'était rendu coupable par ses ministres. Ensuite dans ceux qui ont refusé de prêter le serment, il est à remarquer qu'il y a presque autant de membres du centre gauche que de la droite et que ces grands faiseurs de coups d'État, qui se sont pressés de prêter lâchement leur serment pour la plus grande gloire de la monarchie, peuvent être regardés comme plus coupables que les autres du malheur de leur maître, car malgré leurs belles paroles, comme le vote a été secret, ils avaient, n'en déplaise à leur fidélité, un grand intérêt à fermer la porte à une Légitimité qu'ils venaient de trahir et qui, si elle était rétablie, ne serait que trop en droit de leur reprocher leur lâcheté et leur inconséquence. Les hommes de l'opposition devraient bien moins craindre le retour des Bourbons que les absolutistes tombés, car au moins ils n'ont point abandonné une cause dont ils prétendaient (comme les ultras) être les véritables défenseurs.

19 ou 20 février 1832. — Les pairs ont fait un amendement à la loi de la Chambre des Députés, qui supprimait entièrement la fête du 21 janvier[533], ils veulent qu'on ferme les tribunaux, mais il n'est pas question de conserver le service à l'Église! ainsi on conserve tout, hors la cérémonie pieuse.

J'entends une foule de perroquets même ultras répéter que M. C. Perier est l'homme des pouvoirs, car il cède à tout ce qui lui résiste. Il n'y a pas une concession qu'il n'ait faite à tous les partis en France et à tous les cabinets en Europe. Un ministre, qui a la prétention d'être le maître et de n'être pas du mouvement[534] et qui va chanter la *Marseillaise* à Sainte-Geneviève[535] et achever d'abattre l'archevêché, est un jacobin ou n'est qu'un dindon en colère.

Août 1833. — Les Jésuites sont renvoyés; M. de Damas donne sa démission[536]; on prend, au lieu de M. de Chateaubriand, M. de La Tour-Maubourg[537] épileptique et, au lieu de l'archevêque de Bordeaux, M. l'abbé Frayssinous, paralytique[538].

> Et tu voudrais l'attacher à leur chute?
> Connais donc mieux leur folle vanité :
> De tous les maux qu'au Ciel même il impute,
> Leur cœur ingrat met la fidélité.

Sur l'ancien régime[539]. — Ce sont les gouvernements faibles qui font les révolutions; on demande l'ancien régime, mais c'est sous l'ancien régime que, sous l'ineptie du pouvoir, on préparait, par toutes les idées philosophiques la chute du trône. C'est à Versailles qu'on tressait les couronnes qui ceignaient la tête des prêcheurs de la liberté et c'est là encore où l'on livrait au ridicule quiconque allait à une autre messe que celle du Château, messe qu'on conservait comme une étiquette. Effectivement on n'écrivait pas dans les journaux, parce qu'il n'y avait qu'un journal soumis à une censure, mais on criait dans les salons; on écrivait des ouvrages qui restaient, et où l'on attaquait sans pudeur le trône et l'autel.

Notes et souvenirs. — P... cédera à la peur, il faut donc les effrayer sans cesse sur la mesure de perdition. Il faut que tout le monde écrive et qu'on n'oublie pas, surtout, combien... le voyage de quelqu'un, non suivi de succès a découragé le parti royaliste et réjoui le *juste-milieu*[540]. Cependant, le gouvernement n'est pas rassuré, il craint que des arrangements aient été pris avec quelqu'un pour la majorité de l'enfant et « dans ce cas, a positivement dit M. Lagarde, nous sommes perdus et n'avons d'autres ressources que de nous jeter dans les bras des héros de Juillet ». Mais Lagarde a répondu qu'on n'aurait pas cette peine, car certes, on n'appellera pas auprès du duc de Bordeaux le seul homme[541] qui puisse lui donner une chance de retour.

Juillet 1833. — M. Berryer empêchait *Le Rénovateur*[542] de mettre un article sur l'arrivée des Princes... à Prague. — M. de Blacas faisant mettre des articles dans *Le Rénovateur*...

Août 3 ou 4 ou 5. — *Le Rénovateur* faisant dire une bêtise à M. le duc de Bordeaux et disant la... d'un noble vicomte.

1833. — A Rome, on ôte les appointements à de Retz, auditeur de Rote[543] dès l'année 1830 et on les laissa à l'abbé de Lacroix protégé des Jésuites; ces hommes ont des amis partout. Remarquer que le *juste-milieu* ne les a point attaqués quand ils ont été à Prague.

Notes pour le voyage[544]. — M. Loy Ch. (?) a fait un mal affreux à la *Quotidienne*; son imprudence en parlant à M. de Montépin (?), il s'annonçait comme agent des princes. Rappeler ce que M. de Saint-Priest a dit de Villèle « M. de Villèle a fait mille fois plus de mal à la France que le ministère Polignac ». Celui-ci n'a fait qu'achever l'ouvrage du gascon qui avait tant de sympathies en France qu'il a été obligé de s'en aller, ayant pour lui les Chambres vendues et le

Château. Un ministre peut succomber, en ayant pour lui le pays, s'il n'a pas le Château, mais il a succombé, ayant pour lui le Château. Que peut dire la France? Que peut-elle espérer quand on prend, pour le régulateur de sa conduite, l'homme qui a perdu son pays lequel est appelé et consulté à Goritz... par un des hommes du ministère, M. de Montbel; ce qui a achevé de tuer le pays que M. de Polignac a mis à l'agonie. Jamais la Garde nationale n'oubliera qu'elle a été licenciée parce qu'elle a crié « à bas Villèle »; elle n'a jamais crié, comme le gueux l'a dit à Madame, derrière la voiture de S. A. R.; en ce cas comment M. Delavaud, alors préfet de Police, n'a-t-il pas fait arrêter...? Comment ne les a-t-on pas vus passer aux Assises? Tout a été oppression et mensonge sous le ministère Villèle.

Te bien laver d'avoir été pour quelque chose dans ce projet de voyage en Angleterre[545].

Bien expliquer les tripotages qui ont empêché de faire dans *Le Congrès de Vérone* les changements tels que le désirait Madame la Dauphine[546]; c'est M. de Valmy[547] qui est le coupable.

Ce ne sont point les révolutionnaires qui ont perdu la monarchie : ce sont les espèces qui, pour plaire, abondaient dans le sens du Château et y rapportaient des nouvelles insensées, ou y donnaient de haineuses impressions sur les hommes qu'ils voulaient éloigner : Villèle, de Bruges[548], Sémallé; ils ont fait plus de mal à la Monarchie que les jacobins, mais ce sont surtout les bonapartistes retournés et ceux, qui avaient des antécédents à cacher, qui caressaient les idées de Monsieur en appelant le despotisme et surtout la censure, qui aurait mis au jour les antécédents.

Parler des jeunes gens qui t'ont suivi en 1830 et porté en triomphe malgré que tu répondais à leurs cris de : « Vive la Charte » par ceux de : « Vive le Roi » et que tu leur disais que tu allais voter contre eux[549].

Le duc d'Orléans ne conspirait pas, mais il a profité, en hésitant beaucoup à profiter, du trône que, il en faut convenir, la faiblesse de Charles X laissait vacant. Les pairs n'ont pas voulu aller à Rambouillet.

Juillet 1844. — Je crois que c'est hier que je lisais un éloge incommensurable de M. de Montbel, au sujet d'un ouvrage qu'il vient de faire paraître sur la mort de M. le duc d'Angoulême. Certes, M. de Montbel était fort à son aise pour payer à son maître son tribut de reconnaissance, à l'abri des geôles et des menottes[550]. Mais comment des royalistes, connaissant le pays et désirant le retour de leurs princes, peuvent-ils, sans [se] souvenir du passé, rappeler un nom funeste et apprendre à la France qu'un ministre des Ordonnances vit à la solde et mange à la table du seul rejeton de la branche !

Parler de la sympathie de la France pour Madame la duchesse de Berry.

Il ne faudrait pas qu'on sût qu'il y a une direction donnée au journal par un agent de Goritz et qu'ils sont payés surtout par M. Loc-Maria dont la[551]...

APPENDICE

VARIA ET ADDENDA*

Pages	*Lignes*	
49	10	ADD : *ministre des Relations Extérieures.* (Manuscrit B.)
49	16	VAR : (Talleyrand) *la garda trois jours avant de la montrer au Premier Consul, afin de donner à mon mari le temps de la réflexion.* (Manuscrit B.)
50	3	ADD : *ses yeux étaient foudroyants.* (Manuscrit B.)
50	4	VAR : *Il dit ensuite à Mme Bacciochi : « Chateaubriand n'était pas ce que je croyais. »* (Manuscrit B.)
50	16	VAR : *Aussitôt qu'il* (Bonaparte) *eut fait peur et aurait dû faire horreur, chacun plus ou moins vite se précipita dans ses antichambres; entre autres nos amis Pasquier et Molé, qui, depuis, ont été de vrais séides, je veux dire à coups de langue et non à coups de lance dont ils ont horreur.* (Manuscrit B.)
50	27	ADD : *Dans un petit hôtel que nous louâmes très bon marché.* (Manuscrit B.)
50	34	VAR : *Le 2 mai 1804, le Premier Consul déféra le titre d'Empereur à Bonaparte et Berthier, Murat, Moncey, Jourdan, Masséna, Augereau, Bernadotte, Soult, Bessières, Mortier, Davout, Ney, Kellermann, Lefebvre, Pérignon, Sérurier sont nommés maréchaux de France.* (Manuscrit B.)
57	8	VAR : *M. de Chateaubriand, lui, riait et, pour me convaincre qu'il n'y avait aucun danger, il interpellait notre compagnon, le pauvre Ballanche, qui répondait avec sa simplicité ordinaire : « Eh! mais dame! qu'il n'y ait point de danger, ce n'est pas trop le moment de le dire! »* (Manuscrit B.)
57	18	VAR : (Manuscrit B) le manuscrit A porte simplement : *« Les enfants de la maison se sauvèrent (en nous voyant) en jetant des cris de terreur. »*

* *Etablis par M. Ladreit de Lacharrière (édition de 1909).*

57	30	VAR : *M. de Chateaubriand trouva tout simple de nous remettre de suite en route pour Lyon, avec nos vêtements encore mouillés, une faim horrible, une nuit noire et une fatigue épouvantable. En arrivant à Lyon, notre voiture tomba en morceaux.* (Manuscrit B.)
57	32	VAR : *Champlatreux.* (Manuscrit B.)
57	35	VAR : *Ceux de l'opposition comme ceux de la cour de Bonaparte; au nombre de ces derniers était Fontanes, qui venait tous les jours.* (Manuscrit C.)
58	5	ADD : *Juin 1806 à Lascardais.* (Manuscrit B.)
58	6	ADD : *Dans un vieux château... comtesse de Chateaubourg.* (Manuscrit C.)
59	36	VAR : *Je n'avais d'autres nouvelles de lui qu'une lettre de Constantinople : toutes les autres arrivèrent successivement après son retour à Paris.* (Manuscrit B.)
60	1	VAR : *Mais il était trop grand pour se réjouir tout haut de la mort d'un homme qui faisait honneur à son pays.* (Manuscrit B.)
60	10	VAR : *Nos Bourbons auraient-ils fait pour des amis ce que Bonaparte faisait pour un ennemi?* (Manuscrit B.)
61	7	VAR : (Bonaparte) *à son arrivée menaça de faire fusiller mon mari sur les marches des Tuileries.* (Manuscrit B.)
62	3	ADD : *avec un taillis... fort beau.* (Manuscrit B.)
62	8	ADD : *et enfin... La Vallée.* (Manuscrit B.)
62	28	ADD : *Sourde comme un pot.* (Manuscrit C.)
62	37	VAR : *Le mari était, depuis plusieurs années, en mesure de nous loger quand nous n'avions pas d'appartement et de nous voler quand il faisait nos commissions qu'il faisait du reste à merveille et toujours avec plaisir puisqu'il n'y perdait rien. Il était d'une telle obligeance et si habile à lever les difficultés que, bien que je n'eusse pas une parfaite confiance dans sa mémoire lorsqu'il rendait des comptes, il était devenu notre intendant. Je l'ai envoyé même en Bretagne vendre quelques maisons qui me restaient à Saint-Malo. Il revint d'abord avec quelque mille francs de moins, qu'il me dit avoir oubliés dans sa paillasse : ensuite, en me rapportant le reste de l'argent, quatre ou cinq billets étaient tombés dans la rivière en passant sur le Pont-Royal. Que faire? Quand je l'aurais dénoncé, mon argent était mangé et, comme il nous aimait presque autant que notre argent et qu'au fond il nous aurait donné le sien comme il prenait le nôtre, je n'aurais pas voulu le mettre dans la peine; sa femme était aussi délicate qu'il l'était peu sur l'article de l'argent.* (Manuscrit B.)
64	8	VAR : *Jusqu'à la pauvre reine Joséphine qui envoya, je pense à l'insu de Napoléon, les plantes les plus rares, entre autres un magnolia à fleurs pourpres. En peu de temps nous eûmes réuni dans un espace de 15 ou 18 arpents la collection presque complète de tous les arbres connus.* (Manuscrit C.)

64	37	ADD : *Cette habitation créée pendant notre exil... sur les événements.* (Manuscrit B.)
66	13	ADD : *chez une marchande de crème.* (Manuscrit B.)
66	43	VAR : *Il fut fortement soupçonné d'avoir racheté sa vie au prix de celle de ses malheureux compagnons.* (Manuscrit C.)
67	25	ADD : *hors la société congréganiste.* (Manuscrit C.)
67	42	ADD : *Contre mon mari... dans les fers.* (Manuscrit C.)
68	3	VAR : *Il trouvait, disait-il à Bertin,* [cet] *ouvrage admirable, mais il avait des ordres et M. de Chateaubriand avait refusé d'aller le* SUPPLIER *de se compromettre pour lui; c'était noblement choisir son moment d'attaque : il ne fut pas le seul. C'était d'autant plus infâme qu'il* (Hoffmann) *savait bien que s'il y avait quelques points de théologie à redresser, mon mari n'avait péché que par erreur, mais c'était un moyen de faire une cour indirecte au tyran en faisant semblant de garder ses opinions.* (Manuscrit B.)
68	23	VAR : *Le digne commandant de Paris.* (Manuscrit C.)
69	2	ADD : *à Champlatreux... 1819.* (Manuscrit B.)
69	8	VAR : (Chateaubriand) *n'est-il pas roi aussi?* (Manuscrit B.)
70	33	VAR : *Il* (Chateaubriand) *avait beaucoup de confiance dans ce médecin qu'on ne remplacera pas de longtemps et craignait un arrêt contre lequel il n'y aurait point d'appel.* (Manuscrit C.)
71	3	ADD : *Après une longue consultation... de n'en rien faire.* (Manuscrit C.)
71	7	ADD : *enchanté et guéri.* (Manuscrit C.)
71	9	ADD : *et se mit... tout vivant.* (Manuscrit C.)
71	34	ADD : *En général les sociétés... sûrement le bien.* (Ce passage est écrit sur une petite feuille détachée, épinglée à cette place dans le *Cahier rouge*.)
71	41	VAR : *Il entreprit en conséquence de les attirer chez lui par des discours pleins de piété.* (Manuscrit B.)
72	7	VAR : *MM. de Montmorency, Rivière et Alexis de Noailles en faisaient partie; il paraît que ces réunions leur donnèrent l'idée de former le troupeau en congrégation, à la tête de laquelle ils se mirent.* (Manuscrit B.)
73	4	VAR : *caballa pour.* (Manuscrit B.); *intrigua pour* (Manuscrit C.)
73	20	VAR : *leur savoir-faire, combiné avec celui des bons Pères.* (Manuscrit B.)
73	22	VAR : *Elles faisaient d'abord leur cour aux dames de Bonaparte, en attendant celles de Louis XVIII que cependant elles ne négligèrent pas.* (Manuscrit B.)
74	12	VAR : *Le monastère du Sacré-Cœur fut donc fondé non, comme celui de sainte Thérèse, dans la pauvreté et l'humilité, mais dans les richesses et l'argent.* (Manuscrit B.)
74	22	VAR : *L'établissement des Dames du Sacré-Cœur à Rome en 1828 mérite d'être aussi rapporté.* NE PAS L'OUBLIER. *C'est*

Mme de Causan qui est la première supérieure de la maison. (Manuscrit C.)

76 6 VAR : *Tandis que chez les autres, il n'était qu'un désir que la faiblesse de leur caractère ne leur permettait pas de mettre en action autrement que par des bravades et des menaces, ce qui mécontenta tout le monde sans soumettre personne.* (Manuscrit C.)

79 4 VAR : *Aussi, dans le fond, Louis XVIII dut à peu près le trône au parti qui, la veille, lui aurait voté l'échafaud.* (Manuscrit C.)

80 42 VAR : *Le parti ultra, car il y en avait déjà, fut charmé et il se mit lui-même à bâtir un édifice qu'il croyait pouvoir renverser quand il le voudrait. Lorsqu'il vit que ce n'était pas un jeu et que quelques hommes de bonne foi voulaient marcher avec des institutions que le Roi avait jurées, il devint furieux et traita de jacobins tous les royalistes selon la Charte. Les absolutistes furent appuyés par les ci-devant bonapartistes, même par beaucoup de soi-disant républicains, qui, comblés sous les Bourbons, ne craignaient rien autant que les libertés accordées par la Charte (surtout celle de la presse).* (Manuscrit C.)

80 43 ADD : *le bon Roi.* (Manuscrit C.)

81 1 VAR : *fort sagement et fort tranquillement.* (Manuscrit C.)

82 11 VAR : *La brochure de M. de Chateaubriand* (BONAPARTE ET LES BOURBONS) *rallia tous les bonapartistes de bonne foi. Généreusement mon mari, qui pendant dix ans avait été persécuté par les hommes de l'Empire, prêcha pour eux l'oubli du passé. Ils profitèrent de ces conseils : on les combla et on l'éloigna comme un pestiféré, disant qu'il était un drapeau et qu'il faisait des ennemis aux Bourbons, qu'il fallait attendre. Ensuite on ne lui pardonnait pas d'avoir manifesté, dans sa brochure, des sentiments que le Roi lui-même était venu jurer à Saint-Ouen. On avait une Charte mais c'était avec l'intention de la renverser.* (Feuille libre.)

Notes et éclaircissements

LE CAHIER ROUGE

CHAPITRE PREMIER

1. Au début du *Cahier rouge*, on lit : « Première mise au net. »

2. Venu seul à Rome, l'auteur fêté du *Génie du Christianisme* qui avait été nommé par le Premier consul, simple secrétaire de légation auprès du cardinal Fesch, oncle de Napoléon, se trouva « réduit à des besognes d'expéditionnaire dans une préfecture »; il en conçut un grand dépit. Sa visite au souverain abdicataire de Sardaigne, les audiences papales organisées sans passer par son chef de poste, l'exposèrent à « d'infinies tracasseries administratives ». Il quitta Rome « mortellement dégoûté », le 2 janvier 1804, pour Paris, en attendant de se rendre dans la république du Valais, où le Premier consul l'avait nommé ministre de France.

3. Jean-Claude Clausel de Coussergues (1759-1846), conseiller à la Cour des aides de Montpellier, émigré, membre du Corps législatif (1807), il se rallia aux Bourbons et fut, comme député, l'un des ultras les plus résolus, allant, en 1820, après l'assassinat du duc de Berry par Louvel, jusqu'à réclamer la mise en accusation de Decazes. Il se retira après 1830. C'était un des amis les plus fidèles de Chateaubriand et de sa femme que cette dernière appelle familièrement « mon cher ministre ».

4. Ce tragique événement marqua la rupture définitive de Chateaubriand avec Napoléon Bonaparte. Se trouvant à la grille des Tuileries, il entendit crier la nouvelle de la condamnation à la peine de mort du duc d'Enghien. « Ce cri tomba sur moi comme la foudre; il changea ma vie, de même qu'il changea celle de Napoléon. Je rentrai chez moi : je dis à Mme de Chateaubriand : " Le duc d'Enghien vient d'être fusillé. " Je m'assis devant une table, et je me mis à écrire ma démission. Mme de Chateaubriand ne s'y opposa point et me vit écrire avec un grand courage. Elle ne se dissimulait pas mes dangers : on faisait le procès au général Moreau et à Georges Cadoudal; le lion avait goûté le sang, ce n'était pas le moment de l'irriter. »

« M. Clausel de Coussergues arriva sur ces entrefaites; il avait entendu crier l'arrêt. Il me trouva la plume à la main; ma lettre, dont il me fit supprimer, par pitié pour Mme de Chateaubriand, des phrases de colère, partit; elle était au ministre des Relations extérieures. Peu importait la rédaction : mon opinion et mon crime étaient dans le fait de ma démission; Bonaparte ne s'y trompa pas. » (*M.O.T.*, livre XVI, chap. 1, pp. 534-535.)

La santé de Mme de Chateaubriand invoquée pour ne point rejoindre son poste, n'était qu'un prétexte. Talleyrand répondit le 2 avril 1804 : « J'ai mis, citoyen, sous les yeux du Premier consul, les motifs qui ne vous ont pas permis d'accepter la légation du Valais à laquelle vous aviez été nommé. Le Premier consul s'était plu à vous donner un témoignage de confiance. Il a vu avec peine, par une suite de la même bienveillance, les raisons qui vous ont empêché de remplir cette mission. »

Ce fut un ami de Mme de Staël, Adrien de Lezay, qui fut nommé en remplacement de Chateaubriand, afin de préparer, à court terme, l'annexion de la république du Valais. Ce poste ne pouvait donc être considéré comme une promotion par Chateaubriand.

5. Le 22 mars 1804.

6. Sous le Consulat, Élisa Bacciochi (1777-1820), sœur de Napoléon, réunit dans son salon et chez son frère Lucien, un certain nombre d'écrivains célèbres, entre autres Fontanes et Chateaubriand. Ce fut elle qui, en 1802, présenta le *Génie du Christianisme* au Premier consul; elle était intervenue en faveur de Chateaubriand lors de sa radiation de la liste des émigrés et avait aidé à sa nomination à Rome.

7. Louis de Fontanes (1757-1821). D'une famille noble et protestante, il embrassa d'abord la Révolution. Mais ce royaliste modéré se rangea « dans un de ces partis stationnaires qui meurent, toujours déchirés par le parti du progrès qui le tire en avant, et le parti rétrograde qui le tire en arrière. » (*M.O.T.*, livre XI, chap. 3.)

Ses protestations contre la Terreur à Lyon l'obligèrent à l'exil. Nommé à l'Institut, sous le Directoire, il fut proscrit au 18 fructidor. Il séjourna alors quelque temps à Londres, de janvier à juillet 1798, où il se lia d'amitié avec Chateaubriand, dont il favorisa la fortune littéraire et diplomatique : « Travaillez, écrivait-il à Chateaubriand dans une lettre du 28 juillet 1798, devenez illustre, [...] ne doutez pas que lorsque je pourrai me promener librement dans ma patrie, je vous y prépare une ruche et des fleurs à côté des miennes. » Rentré en France en 1798, il s'occupa de la rédaction du *Mercure* puis se fit remarquer par son *Éloge de Washington*. Lié à Élisa et à Lucien Bonaparte, il devint rapidement l'un des hiérarques du nouveau régime, président du Corps législatif et surtout grand maître de l'Université en 1808.

Chateaubriand sait gré au grand maître d'avoir été « guidé par les maximes des anciens jours », en rattachant « de toutes parts à l'Université les membres des anciens corps enseignants. [...] Des hommes respectables par leur rang, leur vertu, leurs lumières entrèrent dans le conseil de l'Université, M. de Bonald, M. l'évêque d'Allais, aujourd'hui cardinal de Beausset ». (In *le Conservateur*, juin-juillet 1819.)

Pair de France sous la Restauration il soutint d'abord Decazes avant d'opérer un rapprochement avec les ultras. (Chateaubriand orthographie Beausset avec un *e*, aussi bien dans *le Conservateur* que dans les *M.O.T.*, ce qui est une erreur.)

8. Capitale du Valais. Le conseil de la ville de Sion, en apprenant la nomination de Chateaubriand, exprima combien il était heureux de recevoir un « employé dont le choix doit plaire particulièrement à un peuple religieux ». (*M.O.T.*, livre XVI, chap. 1, p. 532.)

9. « M. de Talleyrand disait qu'il était assiégé des demandes des personnes forcées. » (Note de l'auteur.)

On lit à ce propos dans les *Mémoires* de Mme de Boigne : « Il n'y a guère eu de forcés que ceux qui voulaient l'être », (t. I, p. 225). À cette attitude opposons le jugement de Chateaubriand : « Une grave leçon est à tirer de la vie de Bonaparte. Deux actions toutes deux mauvaises ont commencé et amené sa chute : la mort du duc d'Enghien, la guerre d'Espagne. Il a beau passer dessus avec sa gloire, elles sont demeurées là pour le perdre. » (*M.O.T.*, livre XVI, chap. 9, p. 567.)

10. Cet hôtel situé au 31, rue de Miromesnil (ex-119), fut habité par Fersen, le diplomate suédois dévoué à Marie-Antoinette. Cette jolie demeure était à l'époque,

dans un site campagnard, au pied de la Butte-aux-Lapins. Les Chateaubriand s'y installèrent pour un an. Mme de Custine habitait tout près, rue Verte (aujourd'hui rue de Penthièvre).

11. Anne-Louise de Montmorency épousa vers 1787 Alexandre-Louis, duc de Rohan-Chabot.

12. « Autrefois, pendant les vendanges, je visitais à Villeneuve M. Joubert; je me promenais avec lui sur les coteaux de l'Yonne; il cueillait des oronges dans les taillis et moi des veilleuses dans les prés. Nous causions de toutes choses et particulièrement de notre amie, Mme de Beaumont, absente pour jamais. » (*M.O.T.*, livre XIII, chap. 7, p. 453.) Le frère de Joubert nous révèle la gaieté de ces séjours « que la tranquillité d'âme et une certaine bonhomie rendaient presque habituelle alors dans la maison de Joubert ». Chateaubriand et sa femme firent de longs séjours dans la propriété que les Joubert possédaient à Villeneuve, particulièrement en 1804, après l'exécution du duc d'Enghien et la démission de Chateaubriand de ses fonctions diplomatiques.

La propriété de M. et Mme Joubert était fréquentée par Fontanes, Molé, M. et Mme de Chateaubriand qui appréciaient l'atmosphère simple et cordiale qui y régnait. La partie de la maison où séjournèrent les Chateaubriand, et notamment la chambre verte où Chateaubriand rédigea le troisième livre des *Martyrs*, est conservée, intacte, avec les meubles, les tentures, et les cadeaux offerts par l'écrivain.

13. Lucile de Chateaubriand (1764-1804), dame de Caud (Mme de Chateaubriand l'orthographie à tort de Cau*x*), était plus qu'une sœur pour François-René; elle était une amie ardente et romanesque. Enfants puis adolescents, ils partagèrent jeux, lectures et promenades, leurs pensées et leurs émotions.

En 1796, « pour avoir du pain », Lucile épousa le chevalier de Caud, âgé de soixante-neuf ans, qui mourut peu de temps après. Sa santé et sa raison s'altérèrent au cours des années. Après avoir trouvé refuge auprès de sa sœur Julie, elle vint retrouver son « protecteur », François-René, à Paris à l'automne 1804. Mais rien ne parvenait à la consoler ou à la distraire. Le 9 novembre 1804 elle mourut à Paris pendant un séjour de son frère chez Joubert à Villeneuve-sur-Yonne. Elle était devenue presque folle. Il n'est pas impossible qu'elle se soit suicidée. Elle « aspirait à l'ange » écrit Chateaubriand. Après avoir adoré sa belle-sœur Céleste, elle s'était mise à la haïr, peut-être tout simplement parce que René l'avait épousée pour obéir à ses injonctions.

« La mort de Lucile atteignit aux sources de mon âme : c'était, écrit Chateaubriand, mon enfance au milieu de ma famille [...] Mme de Chateaubriand, toute meurtrie encore des caprices impérieux de Lucile, ne vit qu'une délivrance pour la chrétienne [...] la hauteur du génie et les qualités supérieures ne sont pleurées que des anges. Mais je ne puis entrer dans la consolation de Mme de Chateaubriand. » (*M.O.T.*, livre XVII, chap. 6, p. 599.)

14. « Peu à peu mon intelligence fatiguée du repos, dans ma rue de Miromesnil, vit se former de lointains fantômes. *Le Génie du christianisme* m'inspira de faire la preuve de cet ouvrage, en mêlant des personnages chrétiens à des personnages mythologiques. Une ombre, que longtemps après j'appelais Cymodocée, se dessina vaguement dans ma tête. » (*M.O.T.*, livre XVII, chap. 2, p. 577.)

15. La Constitution de l'An XII, dans son Titre I, confiant « le gouvernement de la République à un empereur », fut soumise à plébiscite, et adoptée par 3 561 695 voix, contre 2 597 votes négatifs. Les résultats furent proclamés par le Sénat, six mois plus tard, le 6 novembre 1804.

16. Fontanes avait le rôle suivant à remplir à la fin de cette cérémonie : « Le président du Sénat, accompagné des présidents du Corps législatif et du Tribunat, apportera à Sa Majesté la formule du serment constitutionnel. L'Empereur assis, la couronne sur la tête et la main levée sur l'Évangile, prononcera le serment. » (Règlement du cérémonial, *Journal des Débats*, 30 novembre 1804.)

17. Le pape Pie VII séjourna à Paris du 28 novembre 1804 au 4 avril 1805.

18. On disait qu'à Notre-Dame, « Bonaparte était couvert debout » (de boue), « sous un trône sans glands » (sanglant). (Note du manuscrit A.)
Mme de Chateaubriand ne donne ici qu'une partie de ce sot calembour; moins réservé, le chevalier de Cussy le reproduit en entier (*Souvenirs*, t. I, p. 63).

19. Avant son départ pour Paris, le pape réunit le 29 octobre 1804, à Rome, le Sacré Collège, pour lui annoncer son voyage. « Ce puissant prince, dit-il, qui a si bien mérité de la religion catholique, notre très cher fils en Jésus-Christ, Napoléon, Empereur des Français, nous a fait connaître qu'il désirait vivement recevoir de nous l'onction sainte [...]. Nous nous sommes déterminé [à entreprendre ce voyage] pour notre sainte religion et par des sentiments particuliers de reconnaissance pour ce très puissant Empereur qui, après avoir employé toute son autorité pour restaurer la profession libre et publique de la religion catholique en France, nous témoigne, dans ces circonstances, un grand désir de favoriser ses projets et sa gloire. » (Cité par Beuner : *Histoire des deux concordats*, t. II, Paris, p. 182.)

20. Mathieu-Louis, comte Molé (1781-1855), fut auditeur au Conseil d'État en 1806, préfet, ministre de la Justice (1813) et pair des Cent-Jours, dignité que confirma Louis XVIII à sa rentrée. Fils d'un président au parlement de Paris, guillotiné en 1794, il épousa en 1798 Charlotte Joséphine de La Live de La Briche.
Familier du salon de Mme de Beaumont, ami de Chateaubriand à cette époque, il lui rendit souvent visite à Paris ou à la Vallée-aux-Loups. Ensemble, les deux amis se livrèrent à des jeux de collégiens, s'amusèrent à se poursuivre en se jetant des brocs d'eau à la tête; ensemble, ils se promenèrent en 1807 sur la « butte aux lapins », près de la rue de Miromesnil, parlant de Delphine de Custine ou de Natalie de Noailles. Mais la politique et la liaison de Chateaubriand avec Mme de Castellane amenèrent un refroidissement sensible dans leurs relations. Sous la Restauration, l'appartenance de Molé au Cabinet Decazes, en tant que ministre de la Marine, creusa encore leur inimitié. Molé fut ministre des Affaires étrangères et président du Conseil, à plusieurs reprises, sous la monarchie de Juillet. Ses *Mémoires* dénotent une malveillance constante à l'égard de Chateaubriand. Des raccommodements furent tentés entre les anciens amis. En 1820, notamment, Céleste en fait le rapport à Joubert avec beaucoup de sel :

« A M. JOUBERT. 3 février 1820.

« Je vous dirai, pour nouvelle de haute politique, qu'après une trêve de huit jours, la paix a été signée hier 2 février dans ma chambre, à quatre heures précises de l'après-midi, entre les deux grandes puissances Mathieu Molé et François-Auguste de Chateaubriand. Les deux rois, voulant se donner au plus tôt des preuves de leur bonne intelligence et en assurer la durée par de fréquentes visites, ont arrêté entre eux qu'ils feraient démanteler toutes leurs places frontières et qu'ils pourraient pénétrer l'un chez l'autre, sans rencontrer hérauts, gardes et retranchements, ni femmes, si cela est possible. On dit qu'il y a quelques articles secrets, mais on ne les connaîtra qu'en cas de rupture. »

(P. de Raynal, *les Correspondants de J. Joubert*, p. 57.)

21. Étienne Pasquier, duc, dit longtemps « le baron » (1767-1862). Fils d'un ancien magistrat décapité en 1794, émigré, rallié au consulat, il fit partie de la « petite

société » réunie autour d'elle, en 1800, par Pauline de Beaumont; il se lia d'amitié avec Fontanes, Joubert et Chateaubriand.

Conseiller d'État, préfet de police en 1810, il fut à plusieurs reprises sous la Restauration, garde des Sceaux (1817-1818), ministre des Affaires étrangères (1819-1821); pair de France en 1821, il combattit la politique de Villèle et se rallia, comme de coutume, au régime suivant. Président de la Chambre des pairs en 1830, chancelier de France (1837-1848), il fut fait duc en 1844. Pasquier était réputé pour être l'homme de France qui avait « le plus de serments de rechange dans sa poche ». Ce fut un des familiers de la Vallée-aux-Loups puis de l'Abbaye-aux-Bois. Malgré ce qu'en dit Mme de Chateaubriand, Pasquier fit, en plusieurs occasions, preuve d'une certaine indépendance, notamment lors de la mort du duc d'Enghien.

22. Marie-Anne-Louise de Mailly, marquise de Coislin (1732-1817). Cousine de la comtesse de Mailly et de la duchesse de Chateauroux, favorite de Louis XV. Chateaubriand a laissé d'elle un savoureux portrait. Elle habitait depuis 1776 l'hôtel qui se trouve à l'angle de la rue Royale et de la place de la Concorde, au n° 4, et dont Chateaubriand avait loué « l'attique ». Dans l'été 1805, Chateaubriand alla rejoindre Céleste à Vichy « où Mme de Coislin l'avait menée ».

23. Le domaine de Méréville en Hurepoix, à dix-sept kilomètres au sud d'Étampes, avait été acheté en 1784 par le riche banquier de cour, Jean-Joseph de Laborde, qui fit agrandir le château par l'architecte Bellanger et aménager le parc par Hubert Robert; « Oasis créée par le sourire d'une muse, mais d'une de ces muses que les poètes gaulois appellent les *doctes Fées* » écrit Chateaubriand. Confisqué à la Révolution, il fut restitué à la famille. Les fabriques qui ornaient le parc ont été transportées à la fin du XIXe siècle à Jeurre. Certaines plantes offertes aux Chateaubriand pour la Vallée-aux-Loups proviennent des serres de Méréville.

24. Louis-Alexandre-Joseph, comte de Laborde (1773-1842); émigré, puis attaché à l'ambassade de Joseph Bonaparte en Espagne (1800), là où il réunit les éléments de son *Voyage pittoresque et historique en Espagne*, relation qui donna à Chateaubriand l'occasion de son célèbre article dans le *Mercure*, de juillet 1807. Comte d'Empire, député de Paris puis d'Étampes, (1822-1824 et 1827-1842), il fit partie de l'opposition au ministère Polignac et compta au nombre des 221.

25. « J'étais appelé dans des châteaux qu'on rétablissait [...]. A Champlatreux, Molé faisait refaire de petites chambres du second étage. Son père, tué révolutionnairement, était remplacé, dans un grand salon délabré, par un tableau dans lequel Mathieu Molé était représenté, arrêtant une émeute avec son bonnet carré : tableau qui fait sentir la différence des temps. » (*M.O.T.*, livre XIV, chap. 1, p. 472.) Champlatreux se trouve au nord de Paris, près de Luzarches.

26. « Mme de Coislin, avare de même que beaucoup de gens d'esprit, entassait son argent dans des armoires. Elle vivait toute rongée d'une vermine d'écus qui s'attachait à sa peau : ses gens la soulageaient. Quand je la trouvais plongée dans d'inextricables chiffres, elle me rappelait l'avare Hermocrate qui dictant son testament, s'était institué son héritier. Elle donnait cependant à dîner par hasard; mais elle déblatérait contre le café que personne n'aimait, suivant elle, et dont on n'usait que pour allonger le repas. » (*M.O.T.*, livre XVII, chap. 2, p. 579.)

27. « Mme de Chateaubriand fit un voyage à Vichy avec Mme de Coislin et le marquis de Nesle; le marquis courait en avant et faisait préparer d'excellents dîners. Mme de Coislin venait à la suite et ne demandait qu'une demi-livre de cerises. Au départ, on lui présentait d'énormes mémoires, alors c'était un train affreux. Elle ne voulait entendre qu'aux cerises; l'hôte lui soutenait que, soit que l'on mangeât ou

qu'on ne mangeât pas, l'usage, dans une auberge, était de payer le dîner. » (*Ibid.*, p. 579.)

28. « Mme de Coislin s'était fait un illuminisme à sa guise. Crédule et incrédule, le manque de foi la porta à se moquer des croyances dont la superstition lui faisait peur. Elle avait rencontré Mme de Krüdner ; la mystérieuse Française n'était illuminée que sous bénéfice d'inventaire ; elle ne plut pas à la fervente Russe, laquelle ne lui agréa pas non plus. Mme de Krüdner dit passionnément à Mme de Coislin : " Madame, quel est votre confesseur intérieur ? " — " Madame, répliqua Mme de Coislin, je ne connais point mon confesseur intérieur ; je sais seulement que mon confesseur est dans l'intérieur de son confessionnal ". Sur ce, les deux dames ne se virent plus. » (*Ibid.*, p. 579.)

29. Louis-Claude de Saint-Martin, dit le philosophe inconnu, (1743-1803), avocat puis soldat, fut envoyé en garnison à Bordeaux où il rencontra Martinez de Pasqualis, qui professait la théurgie. Installé à Paris, il soutint les controverses contre le sensualiste Garat et publia plusieurs ouvrages (*le Ministère de l'homme-esprit*) où l'on sent l'influence de Swedenborg, avec lequel il était en relation constante. Il résida un temps dans les parages de la Vallée-aux-Loups et Chateaubriand le rencontra en 1803, à un dîner chez le peintre Neveu : « M. de Saint-Martin avait cru trouver dans *Atala* certain argot dont je ne me doutais pas et qui lui prouvait une affinité de doctrines avec moi [...]. » (*M.O.T.*, livre XIV, chap. 1, pp. 473-474.)

30. « Elle n'avait aucune lettre et s'en faisait gloire. » (*Ibid.*, p. 654.)

31. « Madame de Coislin avait-elle eu des liaisons avec Louis XV ? elle ne me l'a jamais avoué : elle convenait pourtant qu'elle en avait été fort aimée, mais elle prétendait avoir traité le royal amant avec la dernière rigueur. »
« Madame de Coislin m'avait montré ce qui restait de la cour de Louis XV, sous Bonaparte et après Louis XVI [...] » (*Ibid.*, p. 581.)

32. « [Mme de Coislin] écrivait en tous sens ses pensées : elle n'achetait point de papier, c'était la poste qui le lui fournissait. » (*Ibid.*, p. 655.)

33. Dans *Chateaubriand et son temps*, le comte de Marcellus, qui fut premier secrétaire d'ambassade à Londres en 1822, rapporte les propos de Chateaubriand au sujet de cette romance du « Montagnard émigré » : « Je n'ai eu, me disait-il, en tout cela d'autre mérite que de mettre en tête de l'air, une fois noté, adagio à la place d'allegretto, en ralentissant la mesure au gré de la mélancolie. L'hilarité du pâtre se changeait en complainte de l'exilé. Les paroles alors me sont venues d'elles-mêmes. » En vérité, l'air inspiré d'une bourrée gaillarde d'Auvergne, métamorphosé à la fin du règne de Louis XVI en une chanson troubadour, triste, plaintive, aux jolies paroles archaïsantes, par Stanislas de Clermont-Tonnerre, avait été communiqué à Chateaubriand par le comte de Montlosier, député aux États généraux, « féodalement libéral », amateur de romances « indigènes » et que Chateaubriand a beaucoup fréquenté pendant son exil à Londres. Cette romance, publiée dans le Mercure de France (1806), puis mise dans la bouche du chevalier Lautrec dans *les Aventures du dernier Abencérage* (1826), connut une vogue extraordinaire pendant tout le XIXe siècle. Le 18 juillet 1848, lors des obsèques de Chateaubriand à Saint-Malo, la mélodie de la célèbre romance fut jouée à l'orgue de la cathédrale pendant le service funèbre : « Combien j'ai douce souvenance du joli lieu de ma naissance. » Le duc de Bordeaux, en exil, portait gravé sur le chaton de sa chevalière : « Mon pays sera mon amour toujours. » (*Cf.* L. Maurice-Amour, « " Le Montagnard émigré ", une version inédite », *Bulletin de la Société Chateaubriand*, n° 32, 1989 ; Chateaubriand, *le Voyage de Clermont* (1976), introduction et notes par J.-M. Gautier, Clermont-Ferrand, 1976, pp. 11 et suiv.)

34. Pierre-Simon Ballanche (1778-1847), né à Lyon; il entra en relation avec Chateaubriand par l'intermédiaire de Fontanes lors de la parution du *Génie du Christianisme* dont son père et lui imprimèrent les premières éditions. Ils se lièrent lors du voyage de l'automne dans le Midi. En 1803, Mme de Chateaubriand eut part dans cette amitié qui ne se démentit pas. Il accompagna le couple en août 1805 dans ses voyages à Genève, à Coppet et à la Grande-Chartreuse, et, en 1806, gagna Venise d'où il ramena Mme de Chateaubriand. Ami de Mme Récamier dont il était le « hiérophante » selon le mot de Chateaubriand, il fut l'un des piliers de l'Abbaye-aux-Bois. Ses ouvrages dont sa célèbre *Palingénésie sociale* (1827-1829) et *le Vieillard et le Jeune Homme* (1819) font de lui un penseur politique original, à la fois théocrate et libéral.

35. Mme de Chateaubriand n'a pas donné suite à ce projet. En revanche, dans les *Œuvres complètes*, au tome VII de l'édition Ladvocat, Chateaubriand insérera un *Voyage au Mont-Blanc*, dans lequel, prenant le contre-pied de Jean-Jacques Rousseau, il estime que les montagnes ne sont belles que comme horizon : « Elles veulent, écrira-t-il à Germaine de Staël, une longue perspective; autrement, elles se rapetissent à l'œil qui manque d'espace pour les voir et pour les juger. Elles partagent le sort de toutes les grandeurs. Il ne faut les voir que de loin; de près, elles s'évanouissent. » (1er septembre 1805.)

36. « Lorsqu'on est sur la mer de Glace, la surface qui vous paraissait unie du haut de Montanvert, offre une multitude de pointes et d'anfractuosités [...]. C'est comme le relief en marbre blanc des montagnes environnantes. On pourrait prendre la mer de Glace pour des carrières de chaux et de plâtre; ses crevasses seules offrent quelques teintes du prisme, et quand les couches de glace sont appuyées sur le roc, elles ressemblent à de gros verres de bouteilles. » (In *Voyage au Mont-Blanc*, éd. Ladvocat, pp. 300 et suiv.)

37. Marc-Théodore Bourrit (1735-1815) passa la plus grande partie de sa vie à explorer les Alpes, dont il reproduisit les sites au lavis et qu'il décrivit dans de nombreux ouvrages.

« M. Bourrit a comparé ce glacier [celui des Bossons] pour sa blancheur et la coupe allongée de ses cristaux, à une flotte à la voile; j'ajouterai, au milieu d'un golfe bordé de vertes forêts. » (In *Voyage au Mont-Blanc, op. cit.*, p. 300.)

38. Ce détail a frappé Chateaubriand, qui ne l'oublie pas dans son *Voyage au Mont-Blanc* (p. 142) : « C'est sur le mélèze que l'abeille cueille ce miel ferme et savoureux qui se marie si bien avec la crème et les framboises de Montanvert. »

39. Chateaubriand écrivait à Mathieu Molé, le 20 septembre 1805 : « Mme de Staël dit donc que j'ai passé je ne sais combien de temps chez elle? J'y ai été trois heures tout au plus et Mme de Chateaubriand n'y a pas mis le pied. Ce n'est pas au moins que je veuille me défendre d'avoir vu cette chère femme, je ne renie point les gens qui ont pour moi quelques bontés et qui m'ont rendu des services; je rétablis seulement la vérité des faits. Quant aux idées libérales que je dois avoir en commun avec cette chère femme, vous entendrez ce qu'elle a voulu dire. Tout le monde sait que quand je suis avec elle, je passe ma vie à la gourmander. Encore à Coppet même, je l'ai reprise vivement, et même grossièrement sur l'article religion. » (Chateaubriand, *Correspondance générale*, t. I, p. 374.)

40. Jean-Guillaume, baron Hyde de Neuville (1776-1857), fut l'un des agents les plus actifs des Bourbons pendant la Révolution et sous le Consulat; inculpé par Fouché dans la conspiration de la « machine infernale », il se cacha près de Lyon, étudia et propagea la vaccine sous le nom du Dr Rolland. Réfugié en Suisse, il s'exila

en 1807 aux États-Unis où il acheta une maison à New York près de celle du général Moreau. Rentré en 1814 il fut élu à la Chambre introuvable et remplit diverses missions diplomatiques, aux États-Unis (1816) et au Portugal. Ami politique de Chateaubriand, il entra dans le cabinet Martignac après la chute de Villèle, en tant que ministre de la Marine, portefeuille que Chateaubriand avait refusé pour lui-même.

Mme de Chateaubriand commet ici une erreur. Hyde de Neuville rencontra Chateaubriand pour la première fois en Espagne quelques mois plus tard et lui fut peut-être présenté par Natalie de Noailles. Chateaubriand écrit : « [...] je crus le reconnaître sans l'avoir jamais vu. »

41. A comparer avec ce qu'en dit Chateaubriand dans les *Mémoires*: « Cet antique et maigre garçon, jadis marié, portait une casquette verte, un habit de camelot gris, un pantalon de nankin, des bas bleus et des souliers de castor. Il avait vécu beaucoup à Paris et s'était lié avec Mlle Devienne [...] » « Certains jours, à Sainte-Foix, on étalait une certaine tête de veau marinée pendant cinq nuits, cuite dans le vin de Madère et rembourrée de choses exquises; de jeunes paysannes très jolies servaient à table; elles versaient l'excellent vin du cru renfermé dans des dames-jeannes de la grandeur de trois bouteilles. Nous nous abattions, moi et le chapitre en soutane, sur le festin Saget; le coteau en était tout noir. » (*M.O.T.*, livre XVII, chap. 5, pp. 587-588.)

42. L'abbé de Bonnevie (1761-1849). Aumônier à l'armée des princes, il était chanoine du chapitre de Lyon. Les Chateaubriand l'appelaient volontiers le comte de Lyon. En 1803 il assista Pauline de Beaumont dans ses derniers instants. Il demeura l'un des familiers des Chateaubriand.

43. « M. de Chateaubriand va vous parler de notre voyage; pour moi je n'y entends rien. Nous avons vu le Mont-Blanc, le Valais, le pays de Vaux, enfin Mme de Staël; tout cela en douze jours. Nous voudrions aussi aller voir la Grande-Chartreuse, mais nous craignons que cela ne soit trop bien fait; c'est tout ce qui nous arrête [...] Un million de tendresse, je vous prie, à Mme Joubert [...] Je souhaite bien signer la gazelle, mais les guides du Mont-Blanc m'ont surnommée le chamois. » (Mme de Chateaubriand à Joseph Joubert, Lyon, 1er septembre 1805, *Correspondance générale*, t. I, p. 419).

44. Moins discret que sa femme, Chateaubriand nomme ce devancier qui s'est rendu à la Chartreuse : M. Chaptal; « porté en palanquin comme un radjah, M. Chaptal, jadis apothicaire puis sénateur, ensuite possesseur de Chanteloup, et inventeur du sucre de betterave, l'avide héritier des beaux roseaux indiens de la Sicile [...] ». (*M.O.T.*, livre XVII, chap. 5, p. 589.)

45. « Un frère lai était demeuré là pour prendre soin d'un solitaire infirme qui venait de mourir : la religion avait imposé à l'amitié la fidélité et l'obéissance. Nous vîmes la fosse étroite fraîchement recouverte : Napoléon, dans ce moment, en allait creuser une immense à Austerlitz. » *(Ibid.)*

46. « Nous n'eûmes pas plus tôt atteint la porte de la vallée qu'un orage éclate; un déluge se précipite et des torrents troublés détalent en rugissant de toutes les ravines. Mme de Chateaubriand, devenue intrépide à force de peur, galopait à travers les cailloux, les flots et les éclairs. Elle avait jeté son parapluie pour mieux entendre le tonnerre; le guide lui criait : " Recommandez votre âme à Dieu! Au nom du Père, du Fils et du Saint-Esprit! " » *(Ibid.)*

47. « On apercevait au loin dans la campagne l'incendie d'un village, et la lune arrondissant la partie supérieure de son disque au-dessus des nuages, comme le front pâle et chauve de saint Bruno, fondateur de l'ordre du Silence. M. Ballanche, tout

dégouttant de pluie, disait avec sa placidité inaltérable : " Je suis comme un poisson dans l'eau ". Je viens en cette année 1838, de revoir Voreppe; l'orage n'y était plus : mais il me reste deux témoins, Mme de Chateaubriand et M. Ballanche. » (*M.O.T.*, livre XVII, chap. 5, pp. 589-590.)

48. Ici se trouve dans le manuscrit A une page blanche portant en titre *Portrait de Fontanes*.

49. Ainsi, parlant du salon de la princesse de Vaudémont, Pasquier remarque : « Son salon rouvert sous le Consulat réunissait les hommes de tous les partis : M. Fouché et M. de Talleyrand qui assuraient sa sécurité, M. de La Valette, aide de camp de l'Empereur, et aussi les royalistes les plus intransigeants. » (Pasquier, *Mémoires*, t. I, publiés par le duc d'Audiffret-Pasquier, Plon, 1893, p. 205.)

50. Chateaubriand allait en Orient « chercher des images ». Il travaillait aux *Martyrs* et sentait le besoin de donner un cadre vécu à son œuvre. Il dira encore dans les premières pages de *l'Itinéraire*, qu'il voulait accomplir le pèlerinage de Jérusalem et qu'il est le dernier Français sorti de son pays pour voyager en Terre sainte, avec les idées, le but et les sentiments d'un ancien pèlerin.

51. Bénigne-Jeanne de Chateaubriand (1761-1848), comtesse Jean-François de Québriac, puis vicomtesse de La Celle de Chateaubourg; la seule à ne pas avoir été tentée par la littérature et avoir mené une vie de mère de famille nombreuse.

52. C'était le premier grand voyage que Céleste effectuait avec son mari qui l'avait si longtemps négligée. Chateaubriand évoque ce petit voyage en Bretagne, dans une lettre à Joubert : « J'ai revu mes bruyères. Je ne suis qu'à sept lieues du château de Combourg ou de Velléda [...] Je songe à ma pauvre Lucile, à mon père, à ma mère. J'ai les larmes aux yeux en vous écrivant [...]. Ma femme est gentille, pleine de joie et toute triomphante. Nous partons ce soir pour la campagne de ma sœur [...] » (Fougères, 2 juin 1806, *Correspondance générale*, pp. 381-382.) Mais, quelques jours après, Chateaubriand quittait son épouse pour une escapade longtemps retardée auprès de Mme de Custine à Fervaques.

53. Chateaubriand relate ainsi l'événement dans une lettre à Joubert du 18 juillet : « Eh bien! Le Loup et le Cerf, vous avez pensé ne plus revoir le Chat et la Chatte. En quittant Lyon mercredi, un de mes pistolets est parti sur son repos. La Chatte s'est trouvée mal quoique personne ne fût blessé. Je descends avec elle. La foule s'assemble sur la place Bel Cour, lieu de la scène. Tandis que l'on s'empresse autour de nous, on crie que le feu est à la voiture, et on fuit. Je me rappelle alors qu'il y avait quatre ou cinq livres de poudre avec les armes. Je ne perds point la tête. Je rentre dans la voiture, et grâce à ma présence d'esprit et à mon courage, je saisis la boîte fatale au moment où les cordons étaient en feu. Un moment plus tard je sautai en l'air avec la pauvre Chatte. » (*Ibid.*, t. I, p. 385.)

Pierre Riberette précise que Chateaubriand avait acquis pour huit cents francs d'armes de toute sorte, pistolets, carabines, espingoles, qu'il avait dissimulées dans sa voiture pour les soustraire « aux yeux très pénétrants de Mme de Chateaubriand » qui lui avait déclaré [...] qu'en voyage « elle aimait mieux voir un brigand qu'un pistolet ». (Joubert à Mme de Vintimille, *in* P. de Raynal, *op. cit.*, p. 155.)

54. Horace Sébastiani (1772-1851), ambassadeur à Constantinople de 1802 à 1807, prit part, à son retour, aux campagnes de l'Empire. Député sous la Restauration, il s'unit à Chateaubriand dans sa lutte contre Villèle et devint, après 1830, ministre des Affaires étrangères, ambassadeur à Naples et à Londres, maréchal de France. Chateaubriand estimait sa capacité d'homme de gouvernement. (*M.O.T.*, livre XXXII, chap. 7, p. 391.)

55. Jean-Baptiste Armani (1768-1815), d'abord soldat puis fonctionnaire, à cause de sa mauvaise santé, il publia plusieurs ouvrages et composa des tragédies qui n'eurent pas de succès. Au moment de l'arrivée de Chateaubriand à Venise, il s'occupait de faire imprimer une traduction en italien du *Génie du Christianisme*.

56. De Venise, le 26 juillet 1806, Chateaubriand écrit à Mme de Talaru : « [...] Ma femme est charmée de l'Italie, où cependant elle ne voudrait pas demeurer. Elle est raisonnable, aimable, gentille; [...] elle meurt d'envie d'en être à la partie *fixe* de notre vie. Je lui jure que je ne voyagerai plus et je tiendrai ma parole. » (*Correspondance générale*, t. I, p. 638.)

57. « Remueur de tout », Napoléon s'avisa de réunir à Paris, sous la présidence de Champagny, une assemblée des principaux juifs, afin de mettre leur code religieux en harmonie avec le code civil. Le Grand Sanhédrin se tint le 9 février 1807 avec le concours de soixante et onze délégués dont les deux tiers de rabbins. Les délégués de Venise furent Foa Ventura, Jacob Cracovia et Aaron Latis, auquel Mme de Chateaubriand fait sans doute allusion.

58. Chateaubriand quitta Venise le 28 juillet à 10 heures du soir, arriva à Trieste le 29 et s'embarqua le 1er août. Mme de Chateaubriand qui n'avait pu obtenir l'autorisation de le suivre, écrivit à Mme Joubert une lettre affligée. (P. de Raynal, *op. cit.*, p. 217.)

59. « Écoutez la triste aventure [...] Hier à quatre heures, le matin, je partais gaiement pour Villeneuve, lorsqu'à Charenton je me suis aperçue que l'on avait volé ma malle. Je ne pouvais décemment arriver chez vous sans chemises. Il a donc fallu revenir à Paris, où tout le jour je n'ai fait autre chose que courir de chez le commissaire de police à la grande police, de la grande police à la petite, et de la petite police je ne sais où. Enfin, on voulait ce matin me faire sortir de ma chère paresse [...] Mais il n'en sera pas ainsi, je ne l'abandonnerai que pour reprendre la route de Villeneuve, qui est cependant une chienne de route, quoiqu'elle conduise au paradis [...] » (*Ibid.*, pp. 221-222.)

60. Mme de Chateaubriand ne resta pas aussi longtemps sans nouvelles, mais un certain nombre de lettres ne lui arrivèrent qu'après le retour de son mari. Une lettre datée du 12 août 1800 et écrite de Coron, est attestée par Mme de Chateaubriand elle-même dans sa correspondance à Joubert.

61. C'est le seul endroit des *Cahiers* où Mme de Chateaubriand révèle ses goûts littéraires. Alors qu'elle se garde de porter le moindre jugement sur l'œuvre de son mari — ce dernier prétendra, à tort, qu'elle n'avait pas lu deux lignes de lui de peur d'y trouver des idées contraires aux siennes — Céleste marque ici une admiration sincère, qui s'adresse, non au poète Fontanes, mais à l'orateur officiel de l'Empire. Ainsi la vive et impertinente Céleste prisait-elle, à notre grand étonnement, les pièces académiques, leurs amples balancements oratoires, leurs épithètes nobles, leurs périodes arrondies, tous ornements de style Empire, auxquels, reconnaissons-le, le Chateaubriand de cette époque n'échappe point, qu'il s'agisse des articles du *Mercure*, ou du pamphlet de 1814 : *De Buonaparte et des Bourbons*.

Le passage évoqué par Mme de Chateaubriand se trouve, en réalité, dans le discours que Fontanes prononça, le 17 mai 1807, à l'occasion de la translation aux Invalides de l'épée de Frédéric-le-Grand. Le lecteur jugera : « [...] que ce grand homme [Napoléon], qui nous est si nécessaire, vive longtemps pour affermir son ouvrage.

« Que ses frères également chéris dans son Sénat ou dans ses camps, au milieu de la France ou sur les trônes étrangers qu'il leur partage, que des enfants, que des neveux, dignes de lui, transmettent aux nôtres le fruit de ses institutions et le souvenir de ses exemples! Mais hélas! Quand je forme, bien moins pour lui que pour nous, ces vœux accueillis par tous les cœurs français, un enfant royal vient d'entrer dans la tombe; et les regrets de son auguste famille se mêlent à nos chants de victoire!

« Peut-être, en ce moment, le héros qui nous sauva pleure dans sa tente, à la tête de trois cent mille Français victorieux et de tant de princes et de rois confédérés qui marchent sous ses enseignes. Il pleure, et ni les trophées accumulés autour de lui, ni l'éclat de vingt sceptres qu'il tient d'un bras si ferme et que n'a point réunis Charlemagne lui-même, ne peuvent détourner ses pensées du cercueil de cet enfant dont ses mains triomphantes ont aidé les premiers pas et devaient cultiver un jour l'intelligence prématurée. Ah! Chut. Qu'il n'ignore pas au moins que ses malheurs domestiques ont été sentis comme un malheur public et qu'ainsi tout témoignage de l'intérêt national lui porte quelques consolations! Toutes nos alarmes pour l'avenir sont des hommages de plus que nous lui rendons. Puisse surtout la fortune se contenter de cette jeune victime qu'elle a frappée, et qu'en secondant toujours les projets du plus grand des souverains, elle ne lui fasse plus payer sa gloire par de semblables malheurs! » (In *Œuvres de monsieur de Fontanes*, Paris, 1839, pp. 328-329.)

62. Le 5 juin, à trois heures de l'après-midi, sur la place Louis-XV.

CHAPITRE 2

63. L'article parut dans le *Mercure* du 4 juillet 1807. Sous couvert de rendre compte du *Voyage pittoresque et historique de l'Espagne*, de M. Alexandre de Laborde, Chateaubriand saisissait « le tyran déifié », « au milieu de ses prospérités et de ses merveilles ». On y trouve la célèbre phrase qui commence par : « Lorsque, dans le silence de l'abjection, l'on n'entend plus retentir que la chaîne de l'esclave et la voix du délateur : lorsque tout tremble devant le tyran [...] l'historien paraît chargé de la vengeance des peuples. » L'article s'achevait par une évocation mélancolique des filles de Louis XV, mortes en exil à Trieste. Napoléon, furieux, menaça de « faire sabrer l'écrivain sur les marches des Tuileries », et se vengea en ordonnant la fusion du *Mercure* et de la *Décade philosophique*, organe des idéologues. On mariait ainsi les survivants du siècle des lumières avec les adeptes de la jeune école romantique, chrétienne et secrètement monarchiste. Chateaubriand, quant à lui, jugea plus prudent de s'éloigner de Paris.

Joubert écrivait à ce propos : « Le pauvre garçon [Chateaubriand] a eu sa part de tribulations. L'article qui m'avait tant mis en colère, a resté quelque temps suspendu sur sa tête; mais, à la fin le tonnerre a grondé, le nuage a crevé, et la foudre en propre personne a dit à Fontanes que si son ami recommençait, il serait frappé. Tout cela a été vif, et même violent, mais court. Aujourd'hui tout est apaisé; seulement on a grêlé sur le *Mercure.* » (Paris, 1er septembre 1807.)

64. Napoléon était alors à Tilsitt; il rentra à Paris le 27 juillet au matin.

65. Joseph Fesch (1763-1839), oncle de Napoléon, ordonné prêtre avant la Révolution, renonça à l'état ecclésiastique et fut employé dans l'administration de la Guerre, jusqu'au 18 brumaire, époque où il reprit le costume ecclésiastique. Archevêque de Lyon (1802), cardinal, ambassadeur à Rome, il ne put s'entendre avec Chateaubriand; grand-aumônier, sénateur, il tomba en disgrâce lors du concile de 1811 où il avait soutenu le pape contre l'Empereur et fut relégué à Lyon. Retiré à Rome après Waterloo, il refusa de se démettre de son archevêché. Ambassadeur à Rome en 1825, Chateaubriand le traita avec courtoisie et délicatesse, car, explique-t-il, « les petites mésintelligences qui existèrent autrefois entre lui et moi à Rome, m'obligent à des convenances d'autant plus respectueuses que je suis à mon tour dans le parti triomphant, et lui dans le parti abattu ». (*M.O.T.*, livre XXXI, chap. 8, p. 349.)

66. « [...] quand je croyais devoir agir par les inspirations de mon honneur, je me trouvais chargé de ma responsabilité personnelle et des chagrins que je causais à ma femme. Son courage était grand, mais elle n'en souffrait pas moins, et les orages, appelés successivement sur ma tête troublaient sa vie. Elle avait tant souffert pour moi durant la Révolution ! Il était naturel qu'elle désirât un peu de repos. D'autant plus que madame de Chateaubriand admirait Bonaparte sans restriction ; elle ne se faisait aucune illusion sur la Légitimité ; elle me prédisait sans cesse ce qui arriverait au retour des Bourbons. » (*M.O.T.*, livre XVIII, chap. 5, p. 630.)

Toujours cette même contention de langage : rien ne transparaît de ses alarmes ; point d'épanchement. Seuls quelques rares intimes en sont les confidents (Joubert, Clausel de Coussergues). Le cahier s'en tient au rapport des faits. Et pourtant !

67. A comparer avec le propre texte de Chateaubriand : « Il y a quatre ans qu'à mon retour en Terre sainte, j'achetai près du hameau d'Aulnay, dans le voisinage de Sceaux et de Châtenay, une maison de jardinier, cachée parmi les collines couvertes de bois. Le terrain inégal et sablonneux dépendant de cette maison, n'était qu'un verger sauvage au bout duquel se trouvait une ravine et un taillis de châtaigniers. » (*M.O.T.*, livre Ier, chap. 1, p. 5.)

Chateaubriand songeait à se retirer depuis longtemps « dans quelque hutte, sur le coteau de Marly ». Exilé en Angleterre, alors qu'il résidait dans le Suffolk, Chateaubriand s'était vu proposer, très généreusement, par le révérend Bacon Bedingfeld, « un petit temple » dans le parc de Ditchingham Hall. Il avait refusé : « J'aurais été sans cesse assiégé d'importuns et de visiteurs [...] Je voulais une retraite plus petite et plus tranquille, des gens honnêtes et aimables et non des Grands », écrit-il dans « l'exemplaire confidentiel » de l'*Essai sur les révolutions* (1797). Le petit texte fut publié pour la première fois par Sainte-Beuve, dans *Chateaubriand et son groupe littéraire sous l'Europe*, Paris, 1861.

68. André-Arnoult Aclocque (1748-1802). Cette anecdote invérifiable appartient au légendaire de la Vallée-aux-Loups. Il est possible qu'Aclocque eût l'occasion, commandant d'une des légions de la garde nationale, de faire preuve de son dévouement à l'égard de Louis XVI et de la famille royale. En tout cas, il jugea plus prudent, après la chute de la royauté, de chercher refuge à Sens et de vendre la Vallée. Au sortir de la Terreur il consolida sa fortune en prenant une participation dans la fabrique de vinaigre et de moutarde Maille, déjà fort renommée.

C'est à Aclocque que l'on doit la construction du bâtiment principal, l'aménagement du jardin au bas duquel il fit converger les eaux de diverses sources pour enfermer un ru, ainsi que l'édification d'une petite fabrique hexagonale auquel le nom de Velléda est aujourd'hui attaché.

69. « M. de Lavalette, trapu, vêtu d'un habit prune-de-monsieur, et marchant avec une canne à pomme d'or, devint mon homme d'affaires, si j'ai jamais eu d'affaires. Il avait été officier au gobelet chez le Roi, et ce que je ne mangeais pas, il le buvait. » (*M.O.T.*, livre XVIII, chap. 5, p. 631.)

70. Chateaubriand reprend presque mot pour mot le texte de sa femme. (*Ibid.*, p. 631.)

71. « La maison, pleine d'ouvriers qui riaient, chantaient, cognaient, était chauffée de copeaux et éclairée par des bouts de chandelles. » (*Ibid.*, p. 631.)

72. Mesnil fut pendant vingt ans le cuisinier des Chateaubriand. Vivant dans un perpétuel état d'ébriété, il « gargottait à merveille », selon l'expression de Mme de Chateaubriand : crèmes, frites, biscuits de Savoie et de mystérieux « gâteaux de plomb » dont l'hôtesse régalait en espérance les Joubert.

73. Le parallélisme entre les deux récits se poursuit. Qu'on en juge : « Charmés de trouver deux chambres passablement arrangées, et dans l'une desquelles on avait préparé le couvert, nous nous mîmes à table. Le lendemain, réveillé au bruit des marteaux et des chants des colons, je vis le soleil se lever avec moins de souci que le maître des Tuileries. » (*Ibid.*, p. 631.)

74. Chateaubriand avait commencé en littérature par une *Lettre sur l'art du dessin dans le paysage*, écrite à Londres en 1795. Son érudition en matière de botanique, nourrie aux meilleures sources, Linné, Tournefort, Solander, Jussieu, semble infaillible. Son amour pour les arbres le jette dans des « enchantements sans fin ». Il écrit à Mme de Duras : « Je pars pour la Vallée; quel bonheur de rentrer dans la paix et de retrouver mes petits arbres! »; ou encore à la même « [...] j'ai fait deux cents fois le tour de cette petite vallée [...] et j'aime tant mes arbres [...] que je ne puis les perdre de vue un instant... »

75. Ces arbres proviennent de Méréville, d'Ussé, de Malmaison. Un certain jour, à onze heures du matin, en frac, M. de Chateaubriand se rendit chez l'ex-impératrice Joséphine pour y recevoir un petit magnolia à fleurs pourpres. Mme de Duras, quant à elle, était dépêchée chez Noisette, cultivateur de plantes rares du faubourg Saint-Antoine, chez Cels, célèbre pépiniériste de Montrouge. En 1814, la « chère sœur » fut sollicitée non seulement pour favoriser les ambitions politiques du grand homme mais aussi pour obtenir du duc de Blacas, ministre de la Maison du Roi, l'autorisation de prélever de la terre de bruyère dans le bois de Verrières! « Si mes pins, mes sapins, mes mélèzes, mes cèdres tenant jamais ce qu'ils promettent, la Vallée-aux-Loups, deviendra une véritable chartreuse [...] », écrira Chateaubriand. (*M.O.T.*, livre I, chap. 1, p. 6.)

76. Le parc planté par Chateaubriand existe encore dans sa configuration originelle : autour du grand tapis vert se déploient les superbes frondaisons des feuillus et des résineux dont certains datent de Chateaubriand : cèdres du Liban, cyprès chauve de Louisiane, catalpas, hêtres pourpres. Aujourd'hui propriété du département des Hauts-de-Seine, cet ermitage qui appartint à Mathieu de Montmorency, puis aux La Rochefoucauld-Doudeauville pendant presque tout le XIXe siècle, enfin au Dr Le Savoureux, fondateur de la Société Chateaubriand, a recouvré tout son éclat sans perdre son mystère. C'est « la thébaïde des nymphes dans un bois de Thessalie » entrevue par le jeune Lamartine et l'un des hauts lieux de notre patrimoine littéraire.

77. « Au mois de juillet 1808, je tombai malade [...] les médecins rendirent la maladie dangereuse [...] Je payais le fruit des fatigues que j'avais éprouvées dans ma course au Levant. » (*M.O.T.*, livre XVIII, chap. 5, p. 633.)

78. Les *Mémoires* commencent par cet espoir déçu : « Si jamais les Bourbons remontent sur le trône, je ne leur demanderai, en récompense de ma fidélité, que de me rendre assez riche pour joindre à mon héritage la lisière des bois qui l'environne. » (*Ibid.*, livre I, chap. 1, p. 6.)

79. « Les prédictions de l'épouse inquiète, rapporte Marcellus, ne cessèrent qu'à leur accomplissement et, même en entrant sous les voûtes du ministère des Affaires étrangères, elle prévit une prompte disgrâce. » (*Chateaubriand et son temps, op. cit.*, p. 185.)

80. La publication, en septembre 1816, de *De la monarchie selon la Charte*, catéchisme constitutionnel, où Chateaubriand, après avoir affirmé que le roi règne et ne gouverne pas, prenait fortement partie contre la politique du ministère Richelieu-Decazes, et notamment contre l'ordonnance portant dissolution de la Chambre

introuvable, eut sur sa situation personnelle les conséquences les plus dommageables. Déchu de son titre de ministre d'État, et ainsi privé d'une pension de vingt-cinq mille francs qui constituait le plus clair de ses ressources, il fut obligé de jeter en pâture aux créanciers la bibliothèque qui garnissait les rayonnages de la tour Velléda, puis de vendre la Vallée. Il la mit en loterie. Ce fut un échec. Après quelques tractations auxquelles Juliette Récamier fut loin d'être étrangère, le domaine sera mis aux enchères et adjugé à Mathieu de Montmorency pour la somme de cinquante mille cent francs.

81. Comte du Plessis-Parscau (1762-1831), lieutenant de vaisseau en 1789, avait épousé la sœur de Mme de Chateaubriand dont il eut treize enfants; émigré, il fut envoyé par le comte d'Artois aux îles Saint-Marcouf, pour armer et faire passer en France les royalistes qui rejoignaient Frotté. Rentré en France à la Restauration, il se trouva ensuite à Gand, en même temps que Chateaubriand avec qui il eut toujours d'excellents rapports. Nommé commandant des élèves de la marine à Brest, il finit sa carrière avec le grade de contre-amiral. En 1817, Céleste s'indigne contre le ministre Molé, qui fut ami des Chateaubriand sous l'Empire : « Votre ami Molé veut éterniser la mémoire de son règne. Par son ordonnance qui chasse de la marine les hommes qui ont trente ans, il n'y a pas un émigré, pas un échappé de Quiberon qui ne soit à mourir de faim, et entre autres mon beau-frère, qui atteint l'âge de proscription. » « Mais », ajoute-t-elle avec un sarcasme « si nous perdons l'ancienne marine, celle de Bonaparte nous reste, et, si elle n'a pu garder nos colonies, elle prendra bien l'île Sainte-Hélène. » (In *les Correspondants de Joubert, op. cit.*, p. 243.)

82. Comte de Mesnard (1762-1842), officier avant 1789, il émigra et fut attaché à Monsieur, puis au duc de Berry, en Angleterre (1804-1814). Premier écuyer de la duchesse de Berry (1816), pair de France, il accompagna la princesse en exil et en Vendée après 1830.

83. *Judas trahit son maître,*
Puis le sot se pendit;
Plus sage que ce traître
Ma foi je me suis dit :
Eh! mais oui-dà,
Comment peut-on
Trouver du mal à ça?

A part ma conscience
J'ai, je le dis tout franc,
Vendu beau lys de France
Quarante mille francs
Eh! mais oui-dà, etc.,

J'ai servi Bonaparte
J'ai servi les Bourbons
Que Louis XVIII parte
Vive Napoléon!
Eh! mais oui-dà, etc.,

(Note du manuscrit B.)

84. Il s'agit sans doute de Charles, comte de Forbin-Janson (1785-1844). D'abord auditeur au Conseil d'État (et non chambellan), il entra au séminaire de Saint-Sulpice en 1808. Ordonné prêtre en 1811, il fut grand vicaire de Chambéry puis évêque de Nancy; il avait fondé avec l'abbé de Rauzan des missions à Beauvais, et devint l'un des piliers de la Congrégation. Il tenait Mme de Chateaubriand pour une « femme supérieure, incomparable ». (*Cf.* Pailhès, *Madame de Chateaubriand*, p. 69.)

85. Le portrait fut exposé au Salon de 1810, sous le titre : *Un homme méditant sur les ruines de Rome*, sans nommer le modèle qui était en disgrâce. En 1840, Chateaubriand écrit : « Madame de Chateaubriand possède le seul portrait qui existe de moi. C'est un chef-d'œuvre de Girodet. Il le fit en 1807, à mon retour de Terre sainte. Je le laisserai par testament à mon île maternelle. » Cette huile sur toile se trouve au musée de Saint-Malo.

86. « Bonaparte avait horreur de la basse flatterie; Denon, qui n'en manquait pas, crut faire merveille en faisant mettre le portrait de M. de Chateaubriand dans un coin obscur du Salon. Bonaparte, s'apercevant de la ruse, dit, en parcourant la galerie : " Où est donc le portrait de M. de Chateaubriand? On m'a dit qu'il était à l'exposition ", et le portrait sortit du cachot. » (Note du manuscrit B.)

Même version dans les *Mémoires*, avec ce point d'orgue : « Bonaparte dont la bouffée généreuse était exhalée, dit, en regardant le portrait : " Il a l'air d'un conspirateur qui descend par la cheminée ". » (*M.O.T.*, livre XVIII, chap. 5, p. 633.)

87. « Je fis quelques additions à la chaumière; j'embellis sa muraille de briques d'un portique soutenu par deux colonnes de marbre noir et deux cariatides de femmes de marbre blanc : je me souvenais d'avoir passé par Athènes. Mon projet était d'ajouter une tour au bout de mon pavillon; en attendant je simulai des créneaux sur le mur qui me séparait du chemin : je précédais ainsi la manie du moyen-âge qui nous hébète à présent. » (*Ibid.,* p. 632.)

88. Dans le curieux escalier à double branche, « disposé pour y mettre des fleurs » (Prospectus de mise en loterie de 1817) et orgueil de la maison, se serait passé ce petit mélodrame domestique relaté ici par Mme de Chateaubriand. Mlle Victoire méritait l'indulgence car elle était encore au service du ménage en 1819.

89. A l'annexion des États de l'Église décrétée par Napoléon, le 17 mai 1809, Pie VII signa d'abord une protestation solennelle, puis, après avoir consulté le cardinal Pacca, successeur de Consalvi, signa la bulle d'excommunication : « Un prêtre de soixante et onze ans, sans soldat, tenait en échec l'empire. Murat dépêcha sept cents napolitains [...] Radet, général de gendarmerie qui se trouvait à Rome, fut chargé d'enlever le pape et le cardinal Pacca. » (*M.O.T.*, livre XX, chap. 9, p. 765.)

Pie VII fut détenu à Savone, puis transféré à Fontainebleau, le 20 juin 1812.

90. Mme de Chateaubriand écrit par erreur, 1809.

91. Mlle de Kergariou avait épousé, en 1799, le comte de Las Cases, auteur du célèbre *Mémorial de Sainte-Hélène*.

92. Claire-Louise-Rose-Bonne de Kersaint, duchesse de Duras (1777-1828), fille de l'amiral de Kersaint, député girondin à la Convention qui mourut sur l'échafaud en 1793; elle se réfugia en Amérique puis en Angleterre où elle épousa Amédée de Durfort, plus tard duc de Duras.

Chateaubriand lui fut présenté par Natalie de Noailles à Méréville en 1809. La duchesse de Duras fut séduite et, sachant que son manque de beauté ne lui permettait pas de prétendre à l'amour de l'écrivain, elle lui voua une amitié profonde et mit tout son crédit en jeu pour obtenir du roi et de ses ministres les postes qu'il ambitionnait. Elle tint un premier salon au pavillon de Flore où son mari, premier gentilhomme de la chambre du roi, occupait un logement de fonction. Auteur de romans de société, *Ourika*, que Louis XVIII appelait plaisamment une « Atala de salon », *Édouard* et *Olivier*. Chateaubriand l'appelait « sa chère sœur ». Il entretint avec elle une correspondance assidue.

93. Armand de Chateaubriand du Plessis (1769-1809), officier avant 1789, il émigra et fut employé par le prince de Bouillon comme émissaire de l'agence royaliste établie à Jersey. Après plusieurs missions réussies sur le continent, il fut fait prisonnier, le 8 janvier 1809, par des douaniers, alors que l'embarcation sur laquelle il devait retourner à Jersey, déroutée par la tempête, l'avait rejeté sur la côte du Cotentin. On trouva sur la plage, près de Carteret, une liasse de papiers que Chateaubriand avait jetés à la mer, avant d'atterrir. Grâce aux renseignements contenus dans ces documents, on arrêta aussitôt Guyon à Brest, Boisé-Lucas père, à Saint-Cast et son fils, à Paris. Armand de Chateaubriand, conduit à Rennes, fut écroué à La Force dans la nuit du 5 février et interrogé par Réal, sorte de vice-ministre de la police de Napoléon. L'écrivain mit tout en œuvre, en vain, pour sauver son cousin.

94. Delphine de Sabran (1770-1826), mariée au général de Custine, qui fut guillotiné en 1794; elle fut elle-même incarcérée pendant la Terreur. « Reine des roses », « héritière des longs cheveux de Marguerite de Provence, femme de Saint-Louis dont elle avait du sang », châtelaine de Fervaques, elle inspira à Chateaubriand une vive passion.

L'amitié de Mme de Custine pour Fouché servit plus d'une fois Chateaubriand, notamment à la parution des *Martyrs*. Le régicide était alors « le grand ami ». Mais au moment de la mort d'Armand, Fouché sut faire la part de la politique dans l'amitié, et s'abstint.

95. Armand de Chateaubriand avait pris le nom de Terrier, ce qui explique la fausse raison, délibérément invoquée par Fouché.

96. Cette lettre effectivement retrouvée fait justice de l'allégation de Sainte-Beuve, selon laquelle Chateaubriand se serait abstenu d'écrire à Napoléon, croyant sa dignité offensée.

97. Armand de Chateaubriand et deux de ses complices furent fusillés dans la plaine de Grenelle, le 31 mars 1809, jour du vendredi saint.

D'après une lettre d'Astolphe de Custine à Sainte-Beuve, datée du 24 septembre 1849, Chateaubriand avait apporté à Mme de Custine un mouchoir trempé dans le sang de son cousin.

Pour les *Mémoires*, Chateaubriand écrira superbement : « Tout se mêla de ce malheur, qui ne frappait que des personnages inconnus; on eût dit qu'il s'agissait de la chute d'un monde : tempêtes sur les flots, embûches sur la terre, Bonaparte, la mer, les meurtriers de Louis XVI, et peut-être quelque *passion*, âme mystérieuse des catastrophes du monde. On ne s'est pas même aperçu de toutes ces choses; tout cela n'a frappé que moi et n'a vécu que dans ma mémoire. Qu'importait à Napoléon des insectes écrasés par sa main sur sa couronne? » (*M.O.T.*, livre XVIII, chap. 7, p. 642.)

98. Jean-Baptiste-Auguste de Chateaubriand, comte de Combourg (1759-1794), conseiller au parlement de Rennes, il présenta son frère à la cour de Louis XVI, en 1787; la même année, il épousa Mlle Le Peltier de Rosambo, petite-fille de Malesherbes; ses opinions contre-révolutionnaires l'avaient fait surnommer l'*enragé* Chateaubriand; il émigra à Bruxelles. Rentré en France, pour sauver les biens de sa famille, il fut emprisonné avec Malesherbes, et guillotiné ainsi que ses beaux-parents et sa femme, le 22 avril 1794.

99. Avec cette page, Mme de Chateaubriand entame sa longue antienne sur l'ingratitude des Bourbons, qui fait d'elle une bien curieuse légitimiste, une sorte de préfiguration féminine du *Maître de Santiago* de Montherlant : de vives convictions pétries de fidélité et de dégoût pour ceux que l'on sert.

100. Geoffroi-Louis, comte de Chateaubriand (1790-1873), commandant du 4e régiment de chasseurs pendant la campagne d'Espagne (1823), il fut, par ordonnance royale, institué héritier présomptif de la pairie de son oncle, Chateaubriand, qui n'avait pas d'enfant. Il démissionna en 1830, après avoir accompagné Charles X jusqu'à Cherbourg.

101. Sont visés Decazes, le baron Louis, Corvetto, Pasquier, *etc.*, qui, tous « formés à l'école de Bonaparte », se prétendaient, non sans raison, beaucoup plus habiles au maniement des affaires publiques, que les royalistes purs qui n'avaient que trop montré leur incapacité lors de la première Restauration. À cela l'auteur de *la Monarchie selon la Charte* rétorque : « La fidélité est du talent, comme l'instinct du bon La Fontaine était du génie. »

Au chapitre VII du *Congrès de Vérone*, Chateaubriand écrit : « [...] Une des plus dangereuses erreurs serait vouloir tout ramener au *positif* : résoudre les problèmes de l'ordre social par des chiffres, c'est se proposer un autre problème insoluble ; les chiffres ne produisent que des chiffres. »

Pour les *esprits spéciaux* la France n'est qu'un « tableau de chiffres ». Dans son célèbre article « De la morale intérêts matériels et de celle des devoirs » (1818), il dénoncera les « esprits positifs », « spéciaux », les « petits machiavels » qui veulent « remiser le pauvre passé aux Invalides », nient la morale, et prétendent restaurer la monarchie en affaiblissant le sens de l'honneur. Qu'il s'agisse des « sophistes », « docteurs de la science embrouillée » qui veulent réformer la société sur la base d'abstractions, ou des « technocrates » « qui savent combien de millions d'œufs rapportent les poules de France » (*le Conservateur*, 13 avril 1819), même propension à considérer la société comme une « chose » obéissant à des lois purement physiques. Une telle conception qui favorise tous les opportunismes est un facteur de dissolution sociale. Les « esprits spéciaux sont, dit Chateaubriand, des joueurs d'échecs qui ne voient que le premier coup, et qui n'ont pas assez de force de tête pour calculer la série des coups renfermés dans le mouvement qu'ils font. Il faut leur apprendre que c'est le devoir qui est un fait, et l'intérêt une fiction. Sinon nous ne léguerons à nos successeurs qu'une civilisation matérielle et inféconde ».

102. Élie, duc Decazes (1780-1860), succéda au duc de Blacas dans la faveur de Louis XVIII qui le nomma tour à tour préfet, puis ministre de la Police. En 1817 Decazes, sous la présidence du général Dessoles, forma un cabinet dont il devint lui-même président en 1819. Écarté, sur la pression d'ultraroyalistes et de Monsieur, non sans un grand déchirement de cœur de Louis XVIII pour « son cher fils », Decazes fut nommé ambassadeur à Londres où Chateaubriand lui succéda en 1822. Rallié à la monarchie de Juillet, il se retira en 1848. C'est lui qui ordonna la saisie de la *Monarchie sur la Charte* (1816). Chateaubriand le combattit vivement et avec succès, dans son recueil périodique, *le Conservateur*, de 1818 à 1820. En poursuivant avec les mêmes hommes et les mêmes méthodes qui ont servi sous Napoléon, Chateaubriand reproche au prétendu réaliste qu'est Decazes, de compromettre la mission historique de la Restauration : rendre à la France la liberté dont l'avaient frustrée la monarchie absolue, le despotisme révolutionnaire et la tyrannie impériale.

103. Baron Capelle (1775-1843), préfet de Livourne, de Genève sous l'Empire, il fut ensuite préfet de Seine-et-Oise (1828) et ministre des Travaux Publics dans le cabinet Polignac (1830; il signa les ordonnances de Juillet et fut condamné par contumace à la prison perpétuelle. Il rentra en France après l'amnistie de 1836. (*Cf. infra* p. 246, note 507.)

104. Claude-Emmanuel Pastoret (1756-1840), issu d'une ancienne famille de magistrats marseillais, conseiller à la Cour des aides (1781), maître des requêtes (1788) il sera ministre de la Justice puis de l'Intérieur en 1790. En 1791 il sera le pre-

mier président de la Législative, laissant à l'Allemand Raabe le sentiment d'un « législateur à deux faces, républicain par philosophie, royaliste par remords et par conscience ». Après le 10 août il se cacha pour ne reparaître qu'aux lendemains de Thermidor, membre du conseil des Cinq-Cents (1796). Pastoret se rapprocha alors des monarchistes du club de Clichy, qui, en liaison avec le prétendant, s'estimaient capables de reconquérir le pouvoir par les élections. Proscrit au coup d'État de Fructidor, il s'enfuit en Italie où il rencontra Louis XVIII à Vérone. Rallié à Bonaparte il sera comblé de charges et d'honneurs mais ne participera pas directement au gouvernement. Comte d'Empire (1808) en rémission sans doute de ses attaques de jadis contre la noblesse, professeur de « droit des gens » au Collège de France, sénateur, Pastoret votera la déchéance de l'Empereur et se ralliera aux Bourbons, geste dont il n'aura pas à se repentir : pair héréditaire (1814) il représentera à la Chambre haute le vieux carré des sénateurs modérés et constitutionnels. D'une ambition insatiable il n'aura de cesse d'être marquis (1817). Le lendemain même de sa nomination, raconte Molé, « je vis arriver chez moi M. Pastoret à sept heures du matin..., [il était] plus pâle et plus blafard encore qu'à l'ordinaire, les larmes aux yeux, et me reprochant amèrement de ne pas lui avoir fait partager la grâce accordée au maréchal Marmont [qui avait reçu le titre de ministre d'État] [...] Rien n'apaise Pastoret ». (*Le Comte Molé (1781-1855). Sa vie, ses mémoires*, t. III, Paris, Champion, p. 169.) Le 17 décembre 1829 il deviendra chancelier de France en remplacement de Dambray. La fin de sa vie s'achèvera dans la fidélité aux Bourbons. Dépouillé de ses charges et pensions pour avoir refusé de prêter serment à Louis-Philippe, il gardera son titre de chancelier car « il est, dit-il, inhérent à moi ». A soixante-seize ans, la duchesse de Berry le nomma dans son fantomatique conseil de Régence (avec Chateaubriand). En 1834 il acceptera d'assurer la tutelle des enfants de France à raison des biens qu'ils possédaient en France. Son mélange d'habileté et de douceur a provoqué la verve de ses contemporains : « Il y a du chat et du veau dans cette tête mais le veau domine » s'exclamera Talleyrand. S'applique tout particulièrement à lui cette charge de Chateaubriand : « Comme on compte l'âge des vieux cerfs aux branches de leurs ramures, on peut compter les places d'un homme par le nombre de ses serments. »

105. Dans les pages qui suivent, Céleste s'institue historien de la Congrégation. Mais le rappel des faits dégénère vite en philippique. Elle rejoint ainsi les libéraux anti-cléricaux et le « féodal » anti-jésuite Montlosier, tous agents propagandistes du mythe de la Congrégation. Comme eux, elle y voit une sorte de « main noire » étendant son emprise à toute la France, et dénonce cette théocratie occulte, avide, intolérante, distribuant les faveurs de cour, et prébendes, sous l'égide du « roi-prêtre », Charles X. Elle confond en cela la Congrégation au sens strict, fondée par le R P. Bourdier-Delpuits, en 1801, vouée à la catéchèse et à l'enseignement, et les Chevaliers de la foi, association secrète et laïque, créée en 1810 par Ferdinand de Bertier, fort implantée dans les milieux de l'aristocratie du faubourg Saint-Germain, et qui, empruntant ses méthodes à la franc-maçonnerie, s'était donné comme objectif le rétablissement de la dynastie des Bourbons. La confusion entre les deux entités s'explique : de nombreuses personnalités du parti ultra appartenaient aux deux. Ainsi Mathieu de Montmorency fut-il en 1810 préfet de la Congrégation, puis grand-maître de l'ordre secret qu'il contribua à répandre sous le couvert d'activités de bienfaisance. Mme de Chateaubriand ignore visiblement les Chevaliers de la foi; ne lui apparaissent que la puissance et le mystère d'une société secrète réprouvée, où le romantisme d'écrivains tels que Balzac et Stendhal, puisera une riche pâture. (Voir G. de Grandmaison, *la Congrégation* [1801-1830], Paris. 1890 et G. de Bertier de Sauvigny, *le Comte de Bertier et l'Énigme de la Congrégation*, Paris, 1948.)

106. Soult (1764-1851), sous-lieutenant en 1792, général de brigade (1794) puis de division (1799), il fut fait sous Napoléon maréchal d'Empire et duc de Dalmatie.

Rallié à Louis XVIII, il afficha alors un royalisme inattendu, ostentatoire, mais fructueux. Ministre de la Guerre il proposa d'ériger un monument commémoratif en souvenir des émigrés morts au débarquement de Quiberon. Au retour de l'empereur il lança une proclamation fulminante contre « l'usurpateur », vite remplacée par une autre, non moins violente, contre les Bourbons, lorsque Napoléon le nommera chef d'état-major des armées, en remplacement de Berthier. Exilé après Waterloo, il attendra 1819 pour rentrer en France, non sans avoir renié Napoléon, qu'il avait toujours détesté, du moins l'affirme-t-il. Sous Charles X, il siégera à la Chambre des pairs, recherchant la faveur royale en suivant dévotement les processions, un cierge à la main. Après 1830, « l'illustre épée », connaît une gloire ministérielle quasiment sans éclipse; il sera ministre de la Guerre (1830-1832; 1840-1845), des Affaires étrangères (1839-1840), et président du Conseil de 1832 à 1834, puis de 1839 à 1840. Son apothéose aura lieu en 1847, où, en récompense de ses « bons et loyaux services », il recevra le titre de maréchal général que seuls avant lui avaient porté Turenne, Villars, et Saxe!

Chateaubriand se moque plaisamment du duc de Dalmatie qui, s'il fut un assez bon général, se signale comme le plat adulateur de tous les régimes et par son goût du lucre : « Notre maréchal qui n'est ni Antipater, ni Antigonus, ni Séleucus, ni Antiochus, ni Ptolémée, ni aucun des capitaines-rois d'Alexandre, est un soldat distingué, lequel a pillé l'Espagne en se faisant battre, et auprès de qui des capucins ont rédimé leur vie pour des tableaux. Mais il est vrai qu'il a publié, au mois de mars 1814, une furieuse proclamation contre Bonaparte, lequel il recevait en triomphe quelques jours après : il a fait depuis ses pâques à Saint-Thomas-d'Aquin. On montre pour un shilling, à Londres, sa vieille paire de bottes. » (*M.O.T.*, livre XXVII, chap. 3, p. 79.)

107. « Je m'adressai à Madame de Rémusat. Je la priai de remettre à l'impératrice une lettre en demande de justice ou de grâce à l'empereur. Madame la duchesse de Saint-Leu [la reine Hortense] m'a raconté à Arenenberg, le sort de ma lettre : Joséphine la donna à l'empereur; il parut hésiter en la lisant, puis, rencontra un mot dont il fut blessé et il la jeta au feu avec impatience. » (*Ibid.*, livre XVIII, chap. 7, p. 642.)

108. François-Benoit Hoffmann (1760-1828) : « L'exécuteur de la justice des vanités fut M. Hoffmann, à qui Dieu fasse paix! *Le Journal des débats* n'était plus libre; ses propriétaires n'y avaient plus de pouvoir, et la censure y consigna ma condamnation. » (*Ibid.,* livre XVIII, chap. 6, p. 634.)

109. *Le Journal des débats et décrets*, fondé en août 1789 par Baudoin, imprimeur de l'Assemblée nationale, puis par Lacretelle, Jeune et Louvet, fut acheté en 1799 par les frères Bertin qui inventèrent le feuilleton. Le 27 messidor an XIII, il prit le titre de *Journal de l'Empire*. Après plusieurs confiscations, *les Débats* reparurent sous la seconde Restauration où ils ne ménagèrent pas Decazes. Leurs attaques leur valurent même une suspension. Le journal fut intraitable sur deux points : le gouvernement représentatif et la liberté de la presse. Aussi Chateaubriand y était-il chez lui. Les *Débats* (vingt-sept mille abonnés), qui avait quitté l'opposition en 1820 avec l'entrée dans le cabinet de Villèle et Corbière, y rentra au lendemain de la disgrâce de Chateaubriand (juin 1824), et mena dès lors une guerre très rude à Villèle, dont la chute fut un peu son œuvre. Il deviendra sous la monarchie de Juillet le très puissant organe de l'orléanisme.

110. Cet imprimeur édita notamment, en février 1808, un ouvrage de l'abbé Proyard : *Louis XVI et ses vertus aux prises avec la perversité de son siècle*. Le volume fut saisi et l'auteur arrêté.

111. Claude-Hypolyte Clausel de Montals (1769-1857); emprisonné sous la Terreur, évêque de Chartres (1824), il était le frère de Clausel de Coussergues. Mme de

Chateaubriand commet ici une légère erreur : Hypolyte Clausel de Montals n'était pas grand vicaire d'Amiens mais seulement chanoine honoraire.

Chateaubriand écrit à son propos : « Et ce fut l'évêque de Chartres qui se chargea de faire justice des horribles impiétés de l'auteur du *Génie du Christianisme* ». Aumônier de la duchesse d'Angoulême, ce fut lui qui prononça l'oraison funèbre du duc de Berry. Polémiste ultra, il fut l'une des bêtes noires des libéraux sous la Restauration.

112. Marie-Jean de Broglie (1766-1821). Aumônier de Napoléon, évêque de Gand (1807), emprisonné à Vincennes pour avoir combattu les idées de Napoléon au concile de 1811, il démissionna et fut interné à Beaune, puis aux îles Sainte-Marguerite où il signa une renonciation à son diocèse, qu'il désavoua l'année suivante, après être rentré à Gand (1814).

113. Joseph Michaud (1767-1839), journaliste royaliste sous la Révolution, il fut proscrit au 13 vendémiaire comme rédacteur du journal *la Quotidienne*, avant d'être « fructidorisé » par le Directoire. Il tira de ses malheurs un récit publié en 1803 et intitulé *le Printemps d'un proscrit*, dont Chateaubriand rendit compte dans le *Mercure de France*. Sous l'Empire, il célébra en vers la naissance du roi de Rome, entra à l'Académie française, puis se rallia avec enthousiasme aux Bourbons. Député de l'Ain à la Chambre introuvable, il dirigea *la Quotidienne*, journal le plus lu du clergé et de l'aristocratie. Après la disgrâce de Chateaubriand, cet homme indépendant et peu ministériel d'inclination, entra dans la contre-opposition royaliste à Villèle. Il refusa de se rallier à Louis-Philippe.

114. Comte Hulin (1758-1841). Garçon limonadier, il participa à la prise de la Bastille. Emprisonné comme modéré sous la Terreur, il servit avec dévouement Bonaparte au 18 brumaire et présida en 1804 la commission militaire qui jugea le duc d'Enghien. Banni en 1816, il se livra à des entreprises commerciales en Allemagne. Rentré en France en 1819, et devenu aveugle, il mourut dans la misère.

À son propos, Chateaubriand écrit : « Étrange enchaînement des destinées! Le général Hulin, commandant d'armes de Paris, nomma la commission qui fit sauter la cervelle d'Armand; il avait été, jadis, nommé président de la commission qui cassa la tête du duc d'Enghien. N'aurait-il pas dû s'abstenir, après sa première infortune, de tout rapport avec un conseil de guerre? » (*M.O.T.*, livre XVIII, chap. 7, p. 643.)

115. Pauline-Louise-Françoise de Paule Charpentier d'Ennery, duchesse de Lévis : c'était « une personne très belle, très bonne, aussi calme que madame la duchesse de Duras était agitée. Elle ne quittait point madame de Chateaubriand; elle fut à Gand notre compagne assidue. Personne n'a répandu dans ma vie plus de quiétude [...] Les moments les moins troublés de mon existence sont ceux que j'ai passés à Noisiel, chez cette femme dont les paroles et les sentiments n'entraient dans votre âme que pour y ramener la sérénité ». (*Ibid.*, livre XXIII, chap. 9, p. 943.)

116. Mme de Chatillon avait épousé le duc de Chatillon-Montmorency qui périt dans un naufrage pendant l'émigration.

« La grande et légère duchesse » selon l'expression de Chateaubriand, faisait partie des « Madames » qui encensaient l'écrivain et qui entouraient sa femme de mille prévenances. Celle-ci, tout en les raillant, ne témoignait pas trop d'irritation, car « ces hommages de fort grande dame ne lui déplaisaient pas », ajoute perfidement Mme de Boigne. (Mme de Boigne, *op. cit.*, t. I, p. 305.)

117. Charlotte de Montmorency-Luxembourg épousa en 1788 Adrien de Montmorency, plus tard duc de Laval, diplomate et familier de Mme Récamier.

118. Zélie d'Orglandes avait épousé, le 8 octobre 1811, Louis-Geoffroy de Chateaubriand, qu'elle avait connu par sa sœur cadette mariée à Louis Le Peletier de Rosanbo, oncle du côté maternel de Louis et Christian de Chateaubriand. A l'occasion de ce mariage, Chateaubriand avait composé un charmant épithalame :

Cher orphelin, image de ta mère
Au ciel pour toi je demande ici-bas
Les jours heureux retranchés à ton père
Et les enfants que ton oncle n'a pas.

Chateaubriand aimait beaucoup sa nièce à qui il écrivait en badinant : « [...] je suis assez vieux pour radoter de vous toute ma vie. Voici ce qu'il faudra pour obtenir ma succession : me tricoter des gilets de laine et de grands bonnets de coton à mèche, me promener à midi au soleil en automne [...] me faire mon thé le soir; écouter patiemment les longues histoires que je vous aurai contées cent fois; trouver mon vilain chat galeux le plus beau et le plus gracieux des matous; enfin si j'allai me mettre en tête d'avoir un perroquet, m'aider à lui apprendre à crier : " Zélie! Zélie! " » (*Correspondance générale*, t. II, p. 129.)

119. Mme de Tocqueville, une des trois filles du président de Rosanbo, avait épousé en 1805 M. de Tocqueville, le père de l'auteur de *la Démocratie en Amérique*. Le château, situé entre Médan et Meulan, appartenait à la sœur de Malesherbes, grand-tante du comte de Tocqueville. « M. de Tocqueville, beau-frère de mon frère et tuteur de mes neveux orphelins, habitait le château de madame de Senozan : c'était partout des héritages d'échafaud. » (*M.O.T.*, livre XVII, chap. 2, p. 576.)

120. Louis Le Peletier, marquis de Rosanbo (1777-1856), nommé pair de France le même jour que Chateaubriand, donna sa démission le même jour que lui.

121. Adélaïde de La Briche (1755-1844), nièce de M. Le Maistre qui avait fait une grande fortune dans le commerce des toiles et qui lui légua le château du Marais; elle épousa M. de La Live de Jully, introducteur des ambassadeurs et frère de Mme d'Houdetot qui appartenait au monde des fermiers généraux. Veuve à vingt-six ans, elle combla sa solitude par des séjours annuels au Marais où elle « perfectionna la vie de château ». Là, dit Alexandre de Laborde, « on retrouve tous les agréments de la campagne, sans perdre de vue les relations de la ville et l'intérêt des affaires publiques ». Y passeront toutes les célébrités du temps : Morellet, Florian, La Harpe, Lacretelle, Joubert, Chateaubriand, Fontanes, *etc.* De par ses liens de famille étendus et ramifiés, et grâce au ton de parfaite urbanité qui régnait dans sa maison, elle saura réunir les personnalités les plus diverses, du bonapartiste Norvins à l'ultra Frénilly; elle mariera ses deux filles, l'une à Mathieu Molé, l'autre à Prosper de Barante.

122. Chateaubriand écrivait en 1816 dans *la Monarchie selon la Charte* : « La plupart des places étaient et sont encore entre les mains des partisans de la révolution, ou de Bonaparte. Les ministres correspondent avec les hommes en place [...] ces hommes ne manquent pas de répondre que leurs administrés pensent comme eux, hors une petite poignée de chouans, et de vendéens. Comptez l'armée des douaniers, des employés de toutes les sortes, des commis de toutes espèces, et vous reconnaîtrez que l'administration dans sa presque totalité, tient aux intérêts révolutionnaires. » (*Op. cit.,* p. 48.)

123. Édouard, duc de Fitz-James (1776-1838), pair de France en 1814, suivit Louis XVIII à Gand et siégea jusqu'en 1831, à la Chambre haute. Après avoir collaboré au *Conservateur*, il se sépara de l'écrivain pour soutenir le cabinet Villèle et combattre ensuite le ministère Martignac dont Hyde de Neuville faisait partie. Sous la monarchie de Juillet, Fitz-James démissionna de la Chambre des pairs quand on supprima l'hérédité (1831).

Il fut arrêté avec Chateaubriand au moment de la tentative de soulèvement de la duchesse de Berry. En 1835, il entra à la Chambre des députés où il fut l'un des chefs de file de l'opposition légitimiste. Cette attitude fut critiquée par ses amis carlistes, partisans d'une sorte d'« émigration intérieure », sauve de toute compromission avec le régime né de la révolution de Juillet.

124. Cette anecdote relève, dit Pierre Riberette, « du légendaire napoléonien qui nous montre l'Empereur, tel autrefois le calife Haroun-Al-Raschid des *Mille et Une Nuits*, visitant incognito les différentes parties de ses états et laissant après lui les marques de son passage, soit en espèces sonnantes et trébuchantes, soit en cadeaux symboliques comme le gant et le laurier ». (*Bulletin de la Société Chateaubriand*, 1986.)

125. Au coin de la place Vendôme et de la rue des Capucines, hôtel de Rome. Les Chateaubriand étaient venus se loger tout près de leur ami Joubert.

126. Au mois de mars 1811.

127. 194, rue de Rivoli. La maison existe encore. Chateaubriand, qui avait reçu son congé de Natalie de Noailles en janvier 1812, devint locataire de son frère Alexandre de Laborde. L'appartement donnait sur la première grille des Tuileries. « On voyait encore, écrit Chateaubriand, les arcades bâties par le gouvernement, et quelques maisons isolées s'élevant çà et là avec leur dentelure de pierres d'attente. » (*M.O.T.*, livre XXII, chap. 9, p. 853.) Mais les Chateaubriand ne s'installèrent là qu'en octobre 1813 ; les faits relatés par Céleste — publication de l'*Itinéraire*, mort de Marie-Joseph Chénier, maladie pour laquelle Laennec ne trouve rien — remontent à l'époque de l'hôtel de Rome.

128. René-Théophile Laennec (1781-1826), médecin célèbre, découvrit l'« auscultation médiate » (1816), ouvrant ainsi une ère nouvelle dans l'art du diagnostic et du traitement de nombreuses affections du thorax. Catholique et royaliste fervent, il s'était fait admettre dès l'Empire dans la Congrégation sous l'influence du père jésuite Delpuits. Choyé par la Restauration, médecin de la duchesse de Berry, professeur au Collège de France, il fut nommé en 1828 à la chaire de clinique interne à la faculté de médecine. Il fut le médecin de Mme de Staël mourante et de M. et Mme de Chateaubriand, qu'il suivit de 1809 à 1826. Lui, avait des palpitations cardiaques qui lui faisaient craindre un anévrisme (Laennec assura que ce n'était rien), elle, une dilatation des bronches avec hémoptysies et surinfection qu'on prenait (sauf Laennec) pour de la phtisie. Céleste recommandait Laennec à Clausel de Coussergues, et quand elle eut la rougeole, au cours de l'été 1817 à Montboissier, chez la comtesse de Colbert-Maulévrier, on fit venir d'urgence Laennec qui « acheva de guérir nos têtes », annonce Chateaubriand à son fidèle Le Moine.

129. Denis-Luc Frayssinous (1765-1841), groupa autour de lui plusieurs élèves du séminaire de Saint-Sulpice où il avait fait ses études et prêcha dans l'église des Carmes des catéchismes raisonnés qui obtinrent un vif succès. Ce fut l'origine des célèbres conférences, commencées en 1803, suspendues en 1809 et reprises en 1814.
Sous la Restauration, il devint pair de France, ministre des Affaires ecclésiastiques en 1824. Il démissionna en 1828 et déconseilla les ordonnances qui provoquèrent la Révolution de 1830. Aumônier de Louis XVIII et de Charles X, qu'il suivit à Prague, il fut précepteur du duc de Bordeaux de 1833 à 1838.

130. Pierre-Joseph Picot de Clorivière (1735-1820). D'abord marin puis jésuite, il se rendit en Angleterre lors de l'expulsion de son ordre (1764), puis revint en France pour occuper la cure de Paramé. Compromis dans l'affaire de la « machine infernale », il ne fut libéré qu'en 1809 ; il rentra alors dans la Compagnie de Jésus et

s'occupa activement de la fondation des maisons d'éducation dirigée par les Jésuites. Il avait eu, dès 1790, l'idée de la Congrégation.

131. Adélaïde-Marie Champion de Cicé (1740-1818) entra d'abord au couvent de la Visitation à Rennes, puis en sortit pour raison de santé. A Dinan, elle rencontra le père de Clorivière, qui l'aida dans les bonnes œuvres qu'elle continua à Paris où elle se rendit en 1791. Compromise dans l'affaire de la « machine infernale », à cause de ses relations avec les émigrés et parce qu'elle avait recueilli un des complices, Carbon, elle fut acquittée.

132. Jean-Baptiste Bourdier-Delpuits (1736-1811). Entra dans la compagnie de Jésus à dix-huit ans et devint, après la dispersion de l'ordre, vicaire général de Consérans puis d'Angoulême, enfin, chanoine de l'église du Saint-Sépulcre à Paris, grâce à la protection de l'archevêque Christophe de Beaumont; il fonda la Congrégation en 1801 et la dirigea jusqu'à sa mort. Il en réunissait les membres chez lui, 27, rue Saint-Guillaume.

133. Mathieu, duc de Montmorency-Laval (1767-1826). Après avoir participé à la guerre d'Indépendance des États-Unis, il fut élu aux états généraux et siégea parmi les royalistes constitutionnels. Il émigra en 1792 et rentra en France dès 1795. Il s'occupa peu de politique sous l'Empire, mais ses relations avec Mme de Staël et Mme Récamier l'exposèrent aux persécutions de Napoléon. Vers 1810, il fut exilé de Paris. A la même époque, il entra dans l'association secrète des Chevaliers de la foi, créée par Ferdinand de Bertier de Sauvigny sur le modèle de la franc-maçonnerie, avec pour but la restauration des Bourbons et la défense de Pie VII. Aide de camp du comte d'Artois (1814), pair de France, ministre des Affaires étrangères dans le gouvernement Villèle (1821-1822) il eut pour successeur Chateaubriand. Gouverneur du duc de Bordeaux (1826), il mourut peu après, frappé d'une attaque d'apoplexie au cours des exercices religieux du vendredi saint, dans l'église de Saint-Thomas-d'Aquin à Paris. Il avait, en 1818, racheté à Chateaubriand la Vallée-aux-Loups. (*Cf. infra* p. 242, note n° 475.)

134. Alexis de Noailles (1783-1835), fils du Noailles qui avait réclamé dans la nuit du 4 Août, l'abolition des droits féodaux; se révéla, sous l'Empire, ardent chrétien et royaliste. Membre des Chevaliers de la foi, il fut arrêté par la police, libéré, et se réfugia en Suisse puis en Suède où il fut aide de camp de Bernadotte. Il accompagna Talleyrand au congrès de Vienne; élu deux fois député, en 1815 et 1824, il siégea parmi les ultras « les plus pointus ».

135. Charles-François Riffardeau, duc de Rivière, (1763-1828). Dès le début de la Révolution, il suivit le comte d'Artois à Turin; il se verra confier plusieurs missions périlleuses en Vendée et sera de la conspiration de Cadoudal. Arrêté et condamné à mort, il ne devra qu'à l'intervention de Joséphine de ne passer finalement que quatre ans au fort de Joux. Nommé ambassadeur à Constantinople, il y demeurera jusqu'en 1819; c'est à lui qu'on doit la découverte de la *Vénus* de Milo dont il fit don à son souverain en 1822. Fait duc en 1827, il succède à Mathieu de Montmorency comme gouverneur du duc de Bordeaux. Confident de Monsieur, il était l'un « des plus zélés sectateurs de la chevalerie secrète » (R.P. de Bertier), en même temps que l'un des plus importants membres de la Congrégation mariale, dont la Société des bons livres est une des filiales avouées.

136. Le cardinal Fesch, archevêque de Lyon, donna aux Jésuites, sous le nom de Pères de la Foi, la direction du séminaire de Largentière; il favorisa aussi leur installation à Roanne et à Belley.

137. *Cf. supra*, p. 186, note 105.

138. Pierre Ronsin (1771-1846). Le duc de Doudeauville l'avait choisi pour diriger l'éducation du vicomte de La Rochefoucauld; en 1803 on le retrouve enseignant au collège de Belley des Pères de la Foi, dispersés en 1808. Il se retire alors dans sa ville natale et s'enrôle dans la Compagnie de Jésus dans laquelle il est admis le 23 juillet 1814. Le père de Clorivière le nomme alors directeur de la Congrégation. Au plus fort de l'agression anti-congréganiste, les attaques se cristallisèrent sur son nom; on écrivit même, dit-on, une *Ronsiade*. Les autorités ecclésiastiques de Paris l'engagèrent alors à démissionner de son poste le 2 février 1828 et à s'éloigner quelque temps de la capitale. On lui donna pour successeur le duc de Rohan, grand vicaire de Paris, puis l'abbé Mathieu, futur archevêque de Besançon. A la révolution de Juillet, le père Ronsin dut de nouveau quitter Paris; après un retour infructueux en 1832 qui montra la vivacité du mythe de la Congrégation, il fit définitivement, et sans regimber, retraite à Toulouse.

139. L'appartement du père Delpuits, devenant trop petit pour contenir les congréganistes, ceux-ci se réunirent régulièrement, non dans les souterrains des missions étrangères mais dans une pièce du troisième étage qui, par les soins de l'abbé Dejardins, curé des missions étrangères fut transformé en oratoire.

140. Les Dames de la Foi s'installèrent à Amiens en octobre 1801.

141. Sur la route de Noyon, à 1 km d'Amiens, la maison de Saint-Acheul avait été instituée par l'évêque en petit séminaire diocésain qui compta parmi ses élèves les plus grands noms de l'aristocratie. Elle fut fermée en 1828 et transformée en école de théologie de la Compagnie de Jésus.

142. Mme de Beaudémont avait été nommée supérieure de la maison d'Amiens; elle se sépara de Mme Barat et, sous l'influence de l'abbé de Saint-Estève, fonda à Rome le couvent de Saint-Denis (1815). La reconnaissance de cette maison par le pape, donnait à la directrice pleins pouvoirs sur les établissements de France. Mme Barat protesta contre Mme de Beaudémont qui signait « Supérieure des Dames de l'Instruction Chrétienne »; celle-ci finit cependant par se soumettre tout en continuant à diriger la maison qu'elle avait créée.

143. Louis Barat (1768-1844), se lia avec le père Bourdier-Delpuits qui l'encouragea à rentrer chez les Jésuites. Tout en enseignant la langue hébraïque, il faisait de nombreuses prédications qui soulevaient parfois de violentes polémiques, notamment à propos de sermons prêchés en 1822 dans une congrégation de militaires de Versailles. Il était le frère de Mme Barat.

144. « Mademoiselle Barat était la fille d'un simple vigneron de Bourgogne. » (Note du manuscrit A.)

Madeleine-Sophie Barat (1771-1805), fille d'un vigneron de Joigny, vint en 1795 à Paris sous la conduite de son frère. Obéissant à sa vocation religieuse, elle fonda avec quelques compagnes, l'ordre des Dames du Sacré-Cœur sous le nom de Dames de la foi (1800). Mme Barat dirigea la première maison fondée à Amiens et créa des établissements à Grenoble, Paris, etc. L'ordre prospéra surtout sous la Restauration; Louis XVIII fit de nombreux dons à cette institution, reconnue seulement par Charles X en 1827, après que le pape Léon XII en eut approuvé les statuts définitifs.

L'ordre se répandit non seulement en France mais aussi en Belgique, en Italie et en Amérique. Il avait pour but de faire, pour l'enseignement des jeunes filles, ce que les Jésuites faisaient pour celui des garçons. En jugeant sévèrement cette institution, Mme de Chateaubriand subissait l'influence de certains pamphlets dirigés contre les

Jésuites. (Montlosier, *Mémoire à consulter sur un système religieux et politique, tendant à renverser la religion, la société et le trône*, Paris, A. Dupont et Roret, 1826.)

A signaler, pour mieux comprendre, que le *Génie* était proscrit de la bibliothèque des couvents, sans doute parce que son auteur prenait quelque licence poétique avec le dogme.

145. Les Dames de la Foi s'établirent d'abord rue des Postes, dans un immeuble voisin de celui des Jésuites (1806), puis, faute de place, elles installèrent leur noviciat en 1819, dans une maison voisine, rue de l'Arbalète.

146. Marie-Charlotte de Boisgelin, comtesse de Gramont (1766-1836), dame d'honneur de la reine Marie-Antoinette; en 1814 elle prit le voile, au couvent du Sacré-Cœur, et mourut supérieure du couvent du Mans. Ses deux filles Antoinette et Eugénie de Gramont l'avaient précédée dans l'Ordre.

147. Catherine-Antoinette de Gayardon du Fenoyl (1765-1839). Veuve très jeune du comte de Marbeuf, gouverneur de la Corse, elle entra en 1820 au Sacré-Cœur, qu'elle protégeait depuis longtemps. Ce fut par son intermédiaire que Louis XVIII donna à l'ordre du Sacré-Cœur une partie des fonds nécessaires à l'achat de l'hôtel de Biron.

148. L'hôtel de Biron, construit pour un conseiller au Parlement, fut acheté en 1820 par les Dames du Sacré-Cœur pour un prix de beaucoup supérieur à celui que donne Mme de Chateaubriand. Louis XVIII promit cent mille francs, et le reste de la somme fut couvert par l'emprunt. Cette fort belle demeure située rue de Varenne fut transformée par les religieuses; les boiseries furent retournées contre le mur et recouvertes de papiers et de tentures; la chapelle fut somptueusement décorée. Louis XVIII donna l'autel et la gloire qui le surmonte.

Les religieuses s'y installèrent le 4 octobre 1820; elles recevaient fréquemment les visites des plus hauts personnages, celles notamment du duc de Bordeaux et de sa sœur, Mlle Louise; actuellement musée Rodin.

149. Frénilly écrit avec quelque perfidie : « Le roi était veuf de son Narcisse à figure et épaules de laquais [Decazes], et, quoique la nature l'eût exempté de passion, il lui fallait de petites inclinations *in partibus*. Mme du Cayla arriva ainsi par degrés jusqu'à la plus tendre intimité. Elle avait de l'esprit, de l'intrigue et des opinions nettement aristocratiques. » (*Souvenirs du baron de Frénilly, pair de France*, introduction et notes par A. Chuquet, Paris, Plon, 1909.)

150. Villèle, au cours de son séjour à l'île Bourbon (ancien nom de l'île de la Réunion), épousa en 1799 Mlle Desbassins, fille d'un riche habitant de l'île. Elle eut plusieurs enfants, dont Henriette et Sophie. C'est à ces deux dernières, beaucoup plus jeunes, que fait sans doute allusion Mme de Chateaubriand.

151. Comte de Chabrol-Volvic (1773-1843). Il participa à l'expédition d'Égypte comme ingénieur des Ponts et Chaussées, puis entra dans l'administration où il fut nommé préfet de la Seine en 1806. Louis XVIII le conserva dans ses fonctions en 1814, disant spirituellement : « Chabrol a épousé la ville de Paris, et j'ai aboli le divorce. » Resté à l'écart pendant les Cent-Jours, il reprit son poste au retour des Bourbons et le garda jusqu'en juillet 1830, époque où il donna sa démission.

152. Les Dames du Sacré-Cœur s'établirent à Rome dans le couvent de la Trinité-des-Monts, bâti par Charles VIII après la bataille de Fornoue. Mme de Chateaubriand doit être particulièrement bien informée sur toute cette affaire, car son mari, pendant son ambassade, eut à en connaître. (*Cf. infra*, p. 239, note 454.)

153. Mme de Chateaubriand ne peut s'empêcher de comparer *in petto* le luxe ostentatoire de ces institutions choyées du pouvoir avec la pauvreté d'autres, et peut-être la relative gêne qui fut celle de l'Infirmerie Marie-Thérèse en dépit du zèle de sa fondatrice.

154. Conspirateur républicain dont le coup d'État contre Napoléon Ier, au moment de la campagne de Russie, faillit réussir. « [...] Les droits de Napoléon fondés sur la force s'anéantissaient en Russie avec sa force, tandis qu'il avait suffi d'un seul homme pour les mettre en doute dans la capitale. » (*M.O.T.*, livre XXI, chap. 5, p. 821.)

CHAPITRE 3

155. Baron de Humboldt (1769-1859), naturaliste, voyageur et écrivain, né à Berlin, il fit avec Bonpland un voyage scientifiquement très fécond dont il publia les résultats dans son *Voyage aux régions équinoxiales du nouveau continent*, de 1799 à 1804, auquel Chateaubriand conserva quelque part dans un article du *Conservateur* (23 décembre 1819). Chateaubriand, qui le traite à ce propos d'« illustre ami » lui commanda des végétaux pour la Vallée-aux-Loups.

156. « M. de Fontanes a été, avec Chénier, le dernier écrivain de l'école classique de la branche aînée [...] Si quelque chose au monde devait être antipathique avec M. de Fontanes, c'était ma manière d'écrire. En moi commençait, avec l'école dite romantique, une révolution dans la littérature française : toutefois, mon ami, au lieu de se révolter contre ma barbarie, se passionna pour elle [...]. Je reçus de lui d'excellents conseils; je lui dois ce qu'il y a de correct dans mon style; il m'apprit à respecter l'oreille; il m'empêcha de tomber dans l'extravagance d'inventions et le rocailleux d'exécution de mes disciples... » (*M.O.T.*, livre XI, chap. 3, pp. 389-390.)

157. A la Chambre des pairs, lors de la discussion du projet de loi sur le sacrilège (1825) qui prévoyait la mort en cas de profanation des hosties, Bonald laissa tomber ces paroles atroces : « On se récrie sur la peine de mort appliquée au sacrilège. Osons proclamer ici des vérités fortes. Si les bons doivent leur vie à la société comme service, les méchants la lui doivent comme exemple [...] En punissant le sacrilège, que fait-on si ce n'est de le renvoyer devant son juge naturel? » (R. P. de Bertier de Sauvigny, *Au soir de la monarchie*, Flammarion, 1974, pp. 378-379.)

158. Le vicomte de Bonald (1754-1840), futur théoricien des ultras, était très lié aux Chateaubriand. Céleste qui, jusqu'en 1808, le mettait au nombre de ses « anciens amis », changea brusquement d'attitude vers 1809, peut-être parce qu'il s'était rapproché de l'Empire. Dans une lettre à Clausel de Coussergues, de juillet 1811, elle ne manque pas de l'égratigner au passage : « M. de Bonald est ici [à la Vallée-aux-Loups] depuis un mois, mais nous ne l'avons point vu, du moins chez moi. M. de Chateaubriand l'a rencontré l'autre jour, chez le restaurateur; on dit qu'il s'est livré aux petits littérateurs; il les a choisis pour ses amis et pour ses juges. Il a grand tort pour l'avenir, il a raison pour le présent [...] »

159. Bonald rejette la séparation des pouvoirs chère à 1789, qu'il nomme « polygamie politique ». Toutefois la « monarchie royale » qu'il préconise, bien qu'unique et indivisible, est organisée il est vrai selon un système ternaire : le roi au sommet, à la base la masse des sujets et, entre les deux, les médiateurs que sont les ministres. Ce sont les corps intermédiaires qui empêchent la monarchie royale de dégénérer en despotisme. Bonald condamne la *Déclaration des droits de l'homme* — pour lui le peuple n'a qu'un droit, celui d'être gouverné — et déplore que la Révolution,

en abolissant les corps et les privilèges, ait fait de la France une société formée de « grains de sable ». Napoléon qui fit grand cas de la *Théorie du pouvoir*, publiée en 1796 à Constance et proposa même de faire rééditer le livre aux frais de l'État, reprendra cette image en conseil d'État, se proposant de « jeter sur le sol de France quelques masses de granit ».

Bonald ne visait pas le préceptorat du roi de Rome; mais Louis Bonaparte, roi de Hollande, lui avait proposé de se charger de l'éducation de son fils.

160. Mme de Boigne écrit à ce propos : « Nous voisinions beaucoup; nous retrouvions [Chateaubriand], écrivant sur le coin d'une table du salon, avec une plume à moitié écrasée, entrant difficilement dans le goulot d'une mauvaise fiole qui contenait son encre. Il faisait un cri de joie en nous voyant passer devant sa fenêtre, fourrait ses papiers sous les coussins d'une vieille bergère qui lui servait de portefeuille et de secrétaire, et, d'un bond, arrivait au-devant de nous avec la gaieté d'un écolier émancipé de classe. » (*Mémoires,* t. I, p. 297.)

161. Pasquier. (Note du manuscrit A.)

162. Molé. (Note du manuscrit A.)

163. Le comte d'Artois, plus tard Charles X.

164. Adolphe Thiers (1797-1877), qui avait combattu le ministère Polignac dans le *National*, journal qu'il avait fondé avec Armand Carrel et le banquier Laffitte. Principal artisan de l'accession de Louis-Philippe au pouvoir, aidé en cela par l'ardente ambition de la sœur du prince, Mme Adélaïde, il est, estime Chateaubriand, « le seul homme que la révolution ait produit [...] Il doit promptement croître ou décroître; il y a des chances pour que M. Thiers devienne un grand ministre ou reste un brouillon ». Mais il ajoute, non sans perfidie : « Et voilà comment, entraîné par ma plume, j'ai consacré plus de pages à un homme incertain d'avenir, que je n'en ai donné à des personnages dont la mémoire est assurée [...] Ces mémoires diminuent d'intérêt avec les jours survenus [...] » (*M.O.T.*, livre XLIII, chap. 2, pp. 869 et suiv.)

165. François Guizot (1787-1874), issu d'une vieille famille de souche protestante, nourrissait, lors de son arrivée à Paris en 1805, une vive admiration pour l'auteur du *Génie* auquel il avait, anonymement, adressé une épître en vers. Secrétaire général du ministère de l'Intérieur lors de la première Restauration, il rejoignit Louis XVIII à Gand où sa présence donne la réplique à celle de Benjamin Constant auprès de Napoléon. Professeur en Sorbonne à vingt-cinq ans, député en 1830, il accédera au premier plan avec la monarchie de Juillet, s'identifiant si bien avec elle que, la défaite venue, sa personne et son œuvre s'en trouveront injustement discréditées. Ministre pendant treize ans, chef de gouvernement pendant sept, il réussira à libéraliser le système napoléonien.

166. Félix Barthe (1795-1863) plaida sous la Restauration pour plusieurs accusés des complots militaires (« Les quatre sergents de la Rochelle »). Il prit une part active à la Révolution de 1830, devint ministre de l'Intérieur dans les cabinets Laffitte et Casimir Périer (1830-1834). Pair de France, premier président de la Cour des comptes, sénateur sous Napoléon III.

167. Importée d'Italie vers 1820, la Charbonnerie était une société secrète d'activistes républicains, regroupés sur tout le territoire au sein de cellules locales, les « ventes ». A la tête de l'association, on trouvait les chefs de l'opposition libérale : La Fayette, Voyer d'Argenson, Laffitte, Barthe, etc. Partisan de la manière forte pour

renverser le régime, les carbonari qui, à leur apogée, comptèrent près de quarante mille adhérents, agitèrent la France, à plusieurs reprises, notamment en 1822, lors du complot des « quatre sergents de La Rochelle »; mais toutes leurs tentatives échouèrent; les « ventes » locales, composées d'anciens militaires, d'étudiants, d'employés de commerce, accusèrent les « Messieurs de Paris » d'être très forts pour pousser en avant les malheureux comparses et de se dérober eux-mêmes au moment du danger.

168. Mme de Chateaubriand veut parler du Sénat conservateur. Mais ce fut le Corps législatif qui manifesta avec le plus de force sa désapprobation de la politique impériale à l'occasion de l'examen des pièces relatives aux négociations de Francfort (décembre 1813). Dans un rapport, dont Rovigo empêcha l'impression, Lainé, futur ministre de Louis XVIII, demanda à l'Empereur de conclure la paix au plus vite, et réclama pour la nation, « l'exercice de ses droits politiques ». Le 31 décembre, Napoléon, irrité, ajournait le Corps législatif, traitant les membres de la commission « d'agents payés par l'Angleterre ». (*M.O.T.*, livre XXII, chap. 7, p. 849.)

169. On peut y voir une allusion ironique à Joseph de Maistre qui considérait Bonaparte comme l'instrument de la colère divine, envoyé sur terre pour punir les hommes de leur corruption; thèse reprise dans le feu de l'action par Chateaubriand dans son pamphlet *De Buonaparte et des Bourbons* (mars 1814).

170. « Je ne cessais de m'occuper de ma brochure; je la préparais comme un remède lorsque le moment de l'anarchie viendrait à éclater. Ce n'est pas ainsi que nous écrivons aujourd'hui, bien à l'aise, n'ayant à redouter que la guerre des feuilletons : la nuit je m'enfermais à clef; je mettais mes paperasses sous mon oreiller, deux pistolets chargés sur ma table; je couchais entre ces deux muses. » (*M.O.T.*, livre XXII, chap. 11, p. 856.)

171. Ce paragraphe est cité intégralement dans les *M.O.T.*, livre XXII, chap. 10, p. 856. Chateaubriand précise qu'il provient des notes de sa femme.

172. Propos attribués par Chateaubriand, non à Napoléon, mais à Louis XVIII : « Louis XVIII déclara [...] que ma brochure lui avait plus profité qu'une armée de cent mille hommes. » (*M.O.T.*, livre XXII, chap. 15, p. 868.)

173. Chateaubriand salua le retour des Bourbons avec enthousiasme (voir *Compiègne 1814*). N'en était-il pas un peu l'artisan? Il pouvait nourrir l'espoir de tenir une grande place dans l'État. Certes il sera pair de France, ministre, ambassadeur, mais il sera amené à combattre presque tous les gouvernements de la Restauration. Il s'alliera d'abord avec les ultras contre Richelieu et Decazes qui gouvernent avec les hommes et selon les méthodes autoritaires héritées de Napoléon. Après son renvoi du ministère (1824), il entrera de nouveau dans l'opposition, menant au gouvernement Villèle, « étranger à son siècle » et qui étouffe la liberté de la presse, une guerre sans merci et finalement victorieuse. Son *credo* se trouve dans une brochure de 1827 où il écrit : « Vieux capitaine d'une armée qui a déserté ses tentes, je continuerai, sous la bannière de la religion, à tenir d'une main l'oriflamme de la monarchie, et de l'autre le drapeau des libertés publiques. Aux antiques cris de la France de Saint-Louis et de Henri IV, " vive le roi! " " Monjoie! " " Saint-Denis! " je joindrai les cris nouveaux de la France de Louis XVIII et de Charles X, " tolérance! ", " lumières! ", " liberté! ". » (*Marche et effets de la censure*, *Œuvres complètes* t. XXVIII, p. 98.)

174. « Que les romaines ne voulaient pas de corse, même pour esclave. » (Note du manuscrit A.)

175. Charles-Alexandre, comte Pozzo di Borgo (1764-1842), député de la Corse à l'Assemblée législative, se réfugia après l'insurrection de Paoli à Londres, à Vienne, puis en Russie où il se mit au service d'Alexandre Ier. Il combattit Napoléon de toutes ses forces et donna à Alexandre le conseil de s'emparer de Paris, certain que la capitale prise, Napoléon ne pourrait plus lutter. Ambassadeur de Russie à Paris (1814-1835) puis à Londres (1835).

Chateaubriand qui ne l'aimait guère, écrit de lui : « Les espions titrés, à prétentions exorbitantes, qui se mêlent de tout pour se donner une importance qui leur échappe, ne servent qu'à troubler les cabinets près desquels ils sont accrédités et à nourrir leurs maîtres d'illusions. » (*M.O.T.*, livre XXXIV, chap. 2, p. 447.)

176. En vérité, le 1er avril.

177. Le 20 mars, Napoléon, après avoir repris Soissons et Reims, tint tête aux alliés à Arcy-sur-Aube. C'est le 31 mars seulement que les coalisés firent leur entrée à Paris, acclamés par les royalistes qui arboraient la cocarde blanche.

178. Le tsar Alexandre voulait s'établir au palais de l'Élysée, mais craignant à tort, que le palais ne soit miné, il accepta l'offre de Talleyrand de venir dans son propre hôtel, rue Saint-Florentin; habile proposition qui mettait Talleyrand au cœur même des transactions. « Je n'assistai point aux conciliabules, écrit Chateaubriand, on peut les lire dans les récits de l'abbé de Pradt et des divers tripotiers qui maniaient dans leurs sales petites mains le sort de l'un des plus grands hommes de l'histoire. » (*M.O.T.*, livre XXII, chap. 17, p. 879.)

179. Née à Pondichéry, Mlle Werlée (1732-1835), aventurière anglaise, épousa d'abord un Suisse, M. Grant. Elle s'introduisit dans la société mélangée du Directoire et vécut publiquement avec Talleyrand jusqu'au jour où le Premier consul força le ministre à régulariser sa situation. Talleyrand finira par la reléguer à Londres en raison de son incorrigible bêtise. (*Cf.* Mme de Boigne, *op. cit.*, t. I, p. 396.) Lacour-Gayet (*Talleyrand*, t. III, p. 58) a cité le méchant quatrain qui circula en 1816, quand Talleyrand se débarrassa de sa femme.

Au diable soient les mœurs !... disait Chateaubriand,
Il faut auprès de moi que ma femme revienne.
Je rends grâces aux mœurs, répliquait Talleyrand,
Je puis enfin répudier la mienne.

180. « Mme de Talleyrand, que Bonaparte avait attachée à son mari comme un écriteau, parcourait les rues en calèche, chantant des hymnes sur la pieuse famille des Bourbons. Quelques draps pendillants aux fenêtres des familiers de la cour impériale faisaient croire aux bons Cosaques qu'il y avait autant de lis dans les cœurs des bonapartistes convertis que de chiffons blancs à leurs croisées [...] Les impérialistes entraient jusque dans nos maisons et nous faisaient, nous autres bourbonistes, exposer en drapeau sans tache les restes de blanc renfermés dans nos lingeries : c'est ce qui arriva chez moi; mais Madame de Chateaubriand n'y voulut entendre, et défendit vaillamment ses mousselines. » (*M.O.T.*, livre XXII, chap. 23, pp. 902-903.)

181. Avec la vente de la Vallée-aux-Loups, en 1818.

182. Louis-François Sosthène de La Rochefoucauld-Doudeauville (1785-1864), député ultra (1815 et 1827-1830), il fut nommé par Villèle directeur des Beaux-Arts, des théâtres royaux et des manufactures. Ce « bon Sosthène », esprit brouillon, intrigant, la « mouche du coche », disait-on, « passera à la postérité, dit Frénilly, dans le

cadre de ses ridicules ». Sa maladresse, sa pudibonderie — ne voulait-il pas recouvrir de plâtre la nudité des statues des Tuileries? — l'exposèrent aux railleries des libéraux et aux quolibets des artistes « Jeune France ». Il fut propriétaire de la Vallée-aux-Loups à la mort de son beau-père, Mathieu de Montmorency.

183. Comte de Sémallé, ancien page de Louis XVI, mêlé aux conspirations royalistes sous l'Empire, il devint par la suite gentilhomme ordinaire de la Chambre du Roi.

184. Sosthène de La Rochefoucauld et ses amis, désireux de prouver aux alliés le royalisme des Parisiens, entraînèrent le peuple place Vendôme. On attacha une corde au cou de la statue de Napoléon, mais les efforts étant impuissants pour l'abattre, elle fut démontée quelques jours plus tard sur l'ordre du gouverneur de Paris. (Voir *Souvenirs sur la révolution, l'Empire et la Restauration par le général comte de Rochechouart*, Paris, Plon, 1899, pp. 341 et suiv.)

185. « A Charenton. » (Note du manuscrit A.) Lire Châtillon.
Le Congrès de Châtillon (4 février-17 mars 1814) fut la dernière réunion diplomatique entre Napoléon, représenté par Caulaincourt, et les Alliés. Paris capitula le 31 mars.

186. Après avoir entretenu, sous le Directoire, des agents de renseignements souvent douteux, opérant à l'instigation du comte d'Antraigues, Louis XVIII, à l'époque du Consulat, constitua une sorte de conseil royal regroupant des royalistes modérés « constitutionnels », tels que Clermont-Gallerande, Royer-Collard, Montesquiou, d'André, pour citer les plus notables. Il communiqua avec le roi au moyen de lettres apparemment anodines, mais couvertes d'encre sympathique et adressées à des négociants allemands.
Contrairement à ce que prétend Mme de Chateaubriand, ces hommes qui avaient tous des auxiliaires en province, permirent à Louis XVIII de ne pas perdre contact avec ce qui se passait en France, lui fournissant un moyen pacifique pour essayer d'influer sur les personnes et les événements. Ils se bercèrent sans doute de l'illusion qu'à l'exemple de l'Angleterre, Bonaparte serait un nouveau Monk, travaillant au rétablissement de la dynastie légitime. Sur ce point, ils furent cruellement déçus.

187. *Cf. infra,* p. 232, note 406.

188. Pierre-Paul Royer-Collard (1763-1845). Elu membre du Conseil des Cinq-Cents, il représenta les idées des royalistes constitutionnels, avec Camille Jordan, Corbière, et Quatremère de Quincy. Visé par le coup d'État du 18 fructidor, son élection cassée, il dut se cacher. Rallié à Louis XVIII qui en fit un directeur de la Librairie, doyen de la faculté des lettres, il prêta néanmoins serment à Napoléon aux Cent-Jours, tout en dépêchant Guizot à Gand au nom des royalistes constitutionnels.
Député de la Marne, président de la commission de l'Instruction publique, il succéda à Fontanes à la tête de l'Université. Président de la Chambre des députés en 1827. Spiritualiste, légitimiste et chef de file des « doctrinaires », il exerça une influence considérable sur la vie de la politique de la Restauration. Rallié à Louis-Philippe en 1830, il se retira bientôt de la vie publique.

189. François-Louis Becquey (1760-1849), député à l'Assemblée législative, au Corps législatif, et de 1815 à 1830, conseiller d'Université et directeur des Ponts et Chaussées (1816), il collabora avec Villèle dans tous les grands travaux d'équipement entrepris par la Restauration (routes, premiers essais de chemins de fer, etc.). Ses adversaires raillaient son activité féconde. « C'est un écureuil dont le gouvernement est la cage », disaient-ils.

190. Hartwell, château dans le comté de Buckingham, à soixante kilomètres de Londres, où Louis XVIII résida de 1811 à 1814.

191. Le 6 avril fut connue la constitution que le Sénat de Napoléon avait rédigée à l'instigation du tsar Alexandre. Il était temps pour Louis XVIII de quitter l'Angleterre. A Calais, Boulogne, Abbeville, l'accueil de la population fut assez chaleureux. L'étape de Compiègne y prendra un relief particulier, car l'y attendaient les maréchaux et le Corps législatif. Louis XVIII y recevra Talleyrand et le tsar venus tout exprès de Paris pour le convaincre d'accepter la constitution sénatoriale. Mais le roi était décidé à rejeter ce projet fondé sur le principe de la souveraineté nationale.

Toutefois, si Louis XVIII refusait de négocier avec le Sénat, il était prêt à transiger avec l'esprit du temps. La « Déclaration de Saint-Ouen », du 2 mai 1814, bien que commençant par la formule : « Louis, par la grâce de Dieu, Roi de France et de Navarre », n'en confirmait pas moins de façon explicite les principaux acquis de la Révolution (séparation des pouvoirs, égalité en droit, libertés publiques, etc.).

192. Prosper de Barante écrit dans ses *Souvenirs* : « Au premier moment on ne savait pas bien ce qu'on faisait en rédigeant la Charte. Personne n'avait foi en l'œuvre dont on s'occupait. C'était pour tous, comme une formalité exigée par les circonstances et qui ne devait pas durer davantage [...]. Les libéraux voyaient avec quelle répugnance et, conséquemment, avec combien peu de foi, on se soumettait à cette nécessité révolutionnaire. Aussi les garanties constitutionnelles étaient-elles réclamées par eux comme des places de sûreté contre un pouvoir ennemi. » Quant à Chateaubriand, il note : « Chacun aussi savait mal le langage constitutionnel; les royalistes faisaient des fautes grossières en parlant Charte; les impérialistes en étaient encore moins instruits [...] On entendait des aides de camp du dernier tyran militaire discuter de la liberté inviolable des peuples, et des régicides soutenir le dogme sacré de la légitimité. » (*M.O.T.,* livre XXII, chap. 22, p. 900.)

193. La Charte était un « dangereux édifice » pour les ultras, partisans du rétablissement de la monarchie absolue; ce n'était qu'une concession temporaire et réversible, dictée par les circonstances et le désir de revenir au pouvoir. Pour Chateaubriand, au contraire, la Charte est le « traité de paix » entre les deux France, une garantie de paix civile pour les Français, et de pérennité pour les Bourbons. Il « idolâtre sa Dame », mais se sent bien isolé, entre les « exclusifs », les « purs » du pavillon de Marsan, groupés autour de Monsieur, et les « impériaux », nostalgiques de l'autocratie napoléonienne.

194. Mme de Chateaubriand confond la déclaration de Saint-Ouen (2 mai 1814) et la Charte octroyée, dont le Corps législatif eut connaissance le 4 juin.

195. Le comte d'Artois occupait aux Tuileries le pavillon de Marsan, d'où le nom donné à la coterie dont il était le centre.

196. François-Xavier de Montesquiou-Fézensac (1757-1832), émigré après le 10 août 1792, servit le comte de Provence en Angleterre. Membre du gouvernement provisoire en 1814 et pair de France. Ce duc-abbé, peu pratiquant, était, dit Chateaubriand, un « homme ardent comme un poitrinaire, d'une certaine facilité de parole, [il] avait l'esprit étroit et dénigrant, le cœur haineux, le caractère aigre. Un jour que j'avais péroré au Luxembourg pour la liberté de la presse, le descendant de Clovis passant devant moi, me donna un grand coup de genou dans la cuisse, ce qui n'était pas de bon goût; je le lui rendis ce qui n'était pas poli ». (*M.O.T.*, livre XXIII, chap. 5, p. 93.)

Rentré en France après Thermidor, il fit partie des conseillers occultes, qui avec Becquey et Royer-Collard, informaient Louis XVIII sur l'état des esprits dans la

France consulaire. Montesquiou était plutôt de tendance modérée et constitutionnelle encore qu'il « ait mis dans la Charte plus de liberté qu'il n'avait l'intention de le faire, car il voulait que les chambres ne fussent que des conseils ». (*Journal du maréchal de Castellane*, 1804-1862, t. II, Paris, Plon, 1895-1897, p. 490.)

197. La commission de rédaction de la Charte, nommée le 18 mai, et que présidait le chancelier Dambray, était composée de trois commissaires royaux : Montesquiou, Ferrand, Beugnot, et comprenait neuf sénateurs et neuf députés, dont Clausel de Coussergues.

198. « Le 12 avril, le comte d'Artois arriva en qualité de lieutenant-général du royaume [...] Il charmait par sa bonne grâce [...] Les Français reconnaissaient avec plaisir dans sa personne leurs anciennes mœurs, leur ancienne politesse et leur ancien langage. » (*M.O.T.*, livre XXII, chap. 19, p. 882.)

Dans un autre passage des *Mémoires*, on peut lire ce portrait : « [...] Doux quoique sujet à la colère, bon et tendre avec ses familiers, aimable, léger, sans fiel, ayant tout du chevalier, la dévotion, la noblesse, l'élégante courtoisie, mais entremêlé de faiblesse, ce qui n'exclut pas le courage passif et la gloire de bien mourir [...] »

199. Armand-Augustin-Louis, marquis de Caulaincourt (1772-1827), général de division (1805), ambassadeur à Saint-Pétersbourg (1807), duc de Vicence (1808), sénateur (1813), il devint ministre des Relations extérieures, et fit d'inutiles efforts au congrès de Châtillon pour obtenir une paix acceptable. Il avait été accusé d'avoir participé à l'arrestation du duc d'Enghien; Chateaubriand reconnaît qu'il n'est coupable que d'avoir « exécuté l'ordre d'arrestation ».

Colère partagée par Chateaubriand : « Et chez qui dînait en arrivant le lieutenant général du royaume? Chez les royalistes, et avec des royalistes? Non. Chez l'évêque d'Autun et avec M. de Caulaincourt. » (*M.O.T.*, livre XX, chap. 24, p. 902.)

200. Les noms des quelques ministres, qui ont été laissés en blanc par Mme de Chateaubriand sont placés entre parenthèses. Le ministère du 13 mai était complété par Dambray, chancelier et garde des Sceaux, le général Dupont, ministre de la Guerre, Vitrolles, ministre d'État et Beugnot, directeur général de la Police.

A propos de la passion de Céleste pour la politique, Mme de Marigny, sœur de Chateaubriand, écrit dans son journal : « Rébecca [Mme de Chateaubriand] est à rêver de la manière dont on organisera le gouvernement provisoire; elle a la goutte plus que jamais, et si le livre de son mari *[de Buonaparte, etc.]* a du succès, elle deviendra grenouille. »

201. Cette expression désigne le prototype du sot vaniteux : « A la veille de 1789, la bourgeoisie française personnifiait ce régime détesté [la monarchie] dans le marquis de Tuffières ou le vicomte de Moncade, et se croyant compromise par M. Jourdain, elle jouissait de l'égalité comme d'une vengeance. » (L. de Carné, *Souvenirs de ma jeunesse au temps de la Restauration*, Paris, 1872, p. 24.)

Derrière le brocard est visé le duc de Blacas (1770-1839), figure marquante de la première Restauration que Chateaubriand retrouvera à Prague en 1833 auprès de Charles X exilé. S'il remarque que M. de Blacas « est le plus modéré et le plus intelligent de la bande » il ne le condamne pas moins : « M. de Blacas est l'entrepreneur des pompes funèbres de la monarchie; il l'a enterrée à Hartwell, il l'a enterrée à Gand, il l'a réenterrée à Édimbourg et il la réenterrera à Prague ou ailleurs, toujours veillant à la dépouille des hauts et puissants défunts, comme ces paysans des côtes qui recueillent les objets naufragés que la mer rejette sur ses bords. » (*M.O.T.*, livre XXXIII, chap. 9, p. 690.)

202. « De Buonaparte et des Bourbons et de la nécessité de se rallier à nos princes légitimes pour le bonheur de la France et celui de l'Europe », par F.-Auguste de

Chateaubriand. Annoncé le 2 avril dans le *Journal des débats*, il parut le 5 et eut un succès considérable. L'interprétation que donne Mme de Chateaubriand de la brochure est toutefois surprenante quand on sait la violence de certaines pages sur Napoléon. Chateaubriand le reconnaît lui-même : « Je me jetai à corps perdu dans la mêlée pour servir de bouclier à la liberté renaissante. » (*M.O.T.*, livre XXII, chap. 15, p. 868.)

203. Allusion à la proclamation que le duc d'Orléans rédigea, le 31 juillet 1830, en acceptant, sur la prière des députés, la lieutenance générale du royaume : « La Charte sera désormais une vérité. »

204. Maxence, baron de Damas (1785-1862), servit dans l'armée russe pendant l'émigration. Réintégré par Louis XVIII dans l'armée française comme maréchal de camp, il seconda le duc d'Angoulême dans le Midi (1815). Pair de France, ministre de la Guerre (1823), il contribua à la chute de Chateaubriand qu'il remplaça aux Affaires étrangères. Gouverneur du duc de Bordeaux lors de la visite de Chateaubriand à Prague, en 1833, il composait avec Blacas et le cardinal de Latil le triumvirat honni de l'auteur des *Mémoires d'Outre-Tombe*. On sait que Chateaubriand aspirait à ce poste de gouverneur du prince dont il avait tracé le programme dans une lettre à la duchesse d'Angoulême. Il voulait faire du prétendant « l'homme le plus éclairé de son temps », « le roi des siècles, le passé couronné vivant au milieu de l'avenir ». L'entourage bigot « des veneurs et des douairières » qui entouraient le roi détrôné se ligua contre ce projet en jouant sur l'incurable défiance du vieux roi à l'égard de l'écrivain.

Le baron de Damas était l'une des bêtes noires de Mme de Chateaubriand.

205. Narbonne-Pelet (1771-1855), comte puis duc, en considération de sa femme qui charmait Louis XVIII, à Hartwell comme aux Tuileries; il fut ambassadeur auprès du roi des Deux-Siciles, pair de France et membre du conseil privé. Il quitta les affaires publiques en 1830.

206. Charles-Jean-Dominique de Lacretelle (1766-1855), collabora sous la Révolution au *Journal des débats* et à plusieurs publications. Condamné à la déportation après le 18 fructidor, on l'oublia pendant vingt mois dans sa prison. Membre du bureau de la presse en 1809, professeur d'histoire à la Sorbonne (1809-1849), censeur impérial (1810), membre de l'Académie française (1811), il attaqua violemment Napoléon en 1814. Il a laissé de nombreux ouvrages assez partiaux sur l'histoire de la Révolution, de l'Empire et de la Restauration, que Mme de Chateaubriand semble avoir lus. (*Cf. infra*, note 304.)

207. Nom laissé en blanc par Mme de Chateaubriand; il s'agit de la duchesse de Duras. « Une forte et vive amitié », écrira Chateaubriand, « remplissait alors mon cœur : la duchesse de Duras avait de l'imagination et un peu même dans le visage de l'expression de Mme de Staël... Au commencement de la Restauration, elle me prit sous sa protection; car, malgré ce que j'avais fait pour la monarchie légitime et les services que Louis XVIII confessait avoir reçus de moi, j'avais été si fort mis à l'écart que je songeais à me retirer en Suisse [...] Mme de Duras parla de moi à M. de Blacas. Il répondit que j'étais bien libre d'aller où je voudrais. Mme de Duras fut si orageuse, elle avait un tel courage pour ses amis qu'on déterra une ambassade vacante, l'ambassade de Suède. » (*M.O.T.*, livre XXII, chap. 25, p. 905.)

208. En 1811, Chateaubriand avait fait paraître *l'Itinéraire de Paris à Jérusalem*, récit de son voyage dans l'empire turc, monde mystérieux et farouche qui « retenait captifs les lieux où s'étaient formées les grandes civilisations, la Grèce et la Judée ». (V.-L. Tapié, *Chateaubriand*, Le Seuil, 1965.)

Visitant Constantinople il écrivait : « Ce qu'on [y] voit c'est un troupeau qu'un *iman* conduit et qu'un janissaire égorge [...], les yeux du despote attirent les esclaves comme les regards du serpent fascinent les oiseaux dont il fait sa proie. » (*Itinéraire*, éd. orig., t. II, p. 66.)

Animé d'un philhellénisme ardent qu'il communiquera à la jeune génération romantique, partisan en 1816 d'une « croisade contre les puissances barbaresques », Chateaubriand n'était guère désigné pour remplir ce poste.

209. Comte de Choiseul-Gouffier (1752-1817) diplomate et archéologue; auteur d'un *Voyage pittoresque en Grèce*, il représenta la France à Constantinople de 1784 à 1792, où il se fit accompagner d'une équipe de savants, d'hommes de lettres et d'artistes. En 1806 il recommanda Chateaubriand à Fauvel, alors consul à Athènes. Ministre d'État et pair de France sous la Restauration.

210. Le 8 juillet 1814, Chateaubriand fut nommé ambassadeur en Suède, poste qu'il n'occupera jamais. A Mme de Duras, il écrit, le 25 septembre : « Aujourd'hui ambassadeur en Suède. La belle fin! Quitter tout, travail, songes et le reste! Pauvre vallée! Quand reviendrai-je? [...] Que tout cela est loin de moi! » (*Corresp. générale*, t. II, p. 217.)

211. En réponse aux doléances « impudentes » du régicide et ancien conventionnel Carnot, Chateaubriand fit imprimer à l'instigation de Louis XVIII, les *Réflexions politiques* (27 octobre 1814). On en parla avec éloge. Le 20 novembre, Louis XVIII recevant les délégués de la Chambre des députés leur en recommanda la lecture, ajoutant que « les principes qui y étaient contenus devaient être ceux de tous les Français ».

« Le roi était toujours charmé des services que j'avais le bonheur de lui rendre; le ciel paraissait m'avoir jeté sur les épaules la casaque de héraut de la légitimité : mais plus l'ouvrage avait de succès, moins l'auteur plaisait à Sa Majesté. » (*M.O.T.*, livre V, chap. 9.)

Quoi qu'il en dise Chateaubriand était plutôt en faveur : le 5 août il est fait chevalier de l'ordre de Saint-Louis; le 2 avril il rejoindra le roi à Gand, en tant que ministre *in partibus*.

CHAPITRE 4

212. Affirmation confirmée par Chateaubriand : « Sous l'habile administration de M. Ferrand, M. de la Valette faisait la correspondance : les courriers de la monarchie portaient les dépêches de l'Empire. On ne se cachait plus; les caricatures annonçaient un retour souhaité. » (*M.O.T.*, livre XXII, chap. 25, p. 911.)

Le comte de La Valette, directeur général des Postes, ne reprit ses fonctions que le 20 mars 1815, et non quinze jours avant. Son successeur, Ferrand « avait été saisi d'une telle terreur le jour du retour de l'Empereur qu'il n'osait plus rester ni partir. Il demanda à monsieur de La Valette, [...] de lui signer un permis de chevaux de poste. Celui-ci s'en défendit longtemps, enfin il céda aux larmes de madame Ferrand et, pour calmer les terreurs du vieillard, il mit son nom au bas d'un permis fait à celui de monsieur Ferrand, dans son cabinet, et entouré de sa famille pleine de reconnaissance. C'est la seule preuve qu'on pût apporter qu'il eût repris ses fonctions avant le terme que fixait la loi ». (*Cf.* Mme de Boigne, *op. cit.*, t. II, pp. 114-115.)

Ce passeport, apporté par Ferrand au procès de La Valette après le retour de Gand, fut une des charges les plus accablantes pour l'accusé qui échappa à la mort grâce au seul dévouement de sa femme.

213. Le duc d'Orléans, quoique blâmant le projet, rejoignit, à Lyon, le 8 mars, le comte d'Artois et le maréchal Gouvion-Saint-Cyr. Ils trouvèrent la garnison prête à rejoindre Napoléon, malgré les exhortations des princes. Dans la place, il n'y

avait, « pas un canon, pas un fusil, pas une cartouche, pas un grain de poudre, et qui plus est, pas un écu ». (L.-P. d'Orléans, *Mon journal. Événements de 1815*, Paris, 1849.)

214. Étienne-Jacques-Joseph-Alexandre MacDonald, duc de Tarente (1765-1840), ancien aide de camp de Dumouriez, ayant servi sous les ordres de Pichegru et Moreau, il tomba dans une disgrâce qui dura jusqu'en 1808. Rappelé au service il se distingua à Wagram, où l'Empereur le fit maréchal, sur le champ de bataille, le 6 juillet 1809.

Chargé, avec Ney et Caulaincourt, de négocier avec les souverains alliés, l'abdication de Napoléon au profit du roi de Rome, il se rallia aux Bourbons, la « défection » de Marmont ayant rendu impossibles ces ultimes transactions. Aux Cent-Jours, il accompagna Louis XVIII à la frontière, puis revint à Paris pour s'engager comme simple grenadier, dans la Garde nationale. A la deuxième Restauration, il reçut le commandement de l'armée de la Loire, puis devint l'un des quatre majors généraux de la garde royale.

215. Henry-Jacques-Guillaume Clarke, comte d'Hunebourg, duc de Feltre (1765-1818); d'une famille originaire d'Irlande, général de brigade en 1793, secrétaire de Bonaparte après le coup d'État de Brumaire, gouverneur de Vienne (1805), il remplaça Berthier comme ministre de la Guerre en 1807. Rallié à Louis XVIII, il était ministre de la Guerre lors du débarquement de Napoléon. Il suivit Louis XVIII à Gand et reprit ses fonctions lors de la seconde Restauration. Il ternit sa mémoire par l'institution des cours prévôtales et la destitution en masse des anciens officiers (les « demi-soldes »). Il se démit de ses fonctions en décembre 1816. Les militaires l'appelaient « le maréchal d'Encre » parce que depuis des années il n'avait connu d'autre champ de bataille qu'un bureau de ministère. « On le retrouvait sous le roi tel qu'il avait été sous l'Empereur, dit Molé, adorant le despotisme et l'arbitraire, parce qu'ils dispensent de donner des raisons et d'avoir des idées. » En revanche, l'ultra Frénilly le jugeait, à l'instar de MacDonald, « bon, simple, loyal et suprêmement aristocrate ». (*Souvenirs*, p. 452.)

216. Comte de Labédoyère (1786-1815); commandait le 7e de ligne à Grenoble en 1815. Napoléon le prit pour aide de camp pendant les Cent-Jours. Arrêté au retour des Bourbons, il fut condamné à mort et exécuté.

217. Louis XVIII se disait prêt à mourir pour la défense de la patrie : « Je ne crains rien pour moi, mais je crains pour la France : celui qui vient allumer parmi nous les torches de la guerre civile y a porté aussi le fléau de la guerre étrangère. »

« Rempli d'espoir », Chateaubriand proposa un plan de défense de Paris qui plut au roi « par une certaine grandeur *Louis-quatorzième*; mais, ajoute l'écrivain, d'autres figures étaient allongées. On emballait les diamants de la couronne [...] » (*M.O.T.*, livre XXIII, chap. 3, p. 923.)

218. Duc de Duras (1771-1838), émigré, épousa en Angleterre Claire de Kersaint. Il reprit ses fonctions de premier gentilhomme de la chambre du roi en 1814. Pair de France, il se retira de la vie politique en 1830.

219. Armand-Emmanuel du Plessis, duc de Richelieu (1766-1822), prit du service en Russie pendant la Révolution et devint gouverneur d'Odessa qu'il avait fondée. Rentré en France en 1814, il suivit le roi à Gand et devint ministre des Affaires étrangères, président du Conseil à la seconde Restauration. Il travailla au relèvement matériel et moral de la France, aidé par la confiance du tsar. Il revint au pouvoir en 1820 et prit les mesures exigées par les royalistes après l'assassinat du duc de Berry, ce qui n'empêcha pas l'extrême droite de se coaliser avec la gauche pour l'obliger à quitter le ministère.

Chateaubriand combattit moins Richelieu que la politique de certains de ses ministres – Decazes et Gouvion Saint-Cyr – et lui rendra un bel hommage en écrivant : « Le seul moment où l'on retrouve l'esprit de la Restauration est au congrès d'Aix-la-Chapelle; les alliés étaient convenus de nous ravir nos provinces du Nord et de l'Est : M. de Richelieu intervint. Le tsar, touché de notre malheur, entraîné par son équitable penchant, remit à M. le duc de Richelieu la carte de France sur laquelle était tracée la ligne fatale. J'ai vu de mes propres yeux cette carte du Styx entre les mains de madame de Montcalm, sœur du noble négociateur [...] » (*M.O.T.*, livre XXXVIII, chap. 14, p. 703.)

Cette réflexion apaisée tranche sur les âpres polémiques de 1818-1820; il faut ici s'interroger sur l'influence de Céleste. Elle détestait Richelieu et semble, d'après sa correspondance, avoir soufflé sur un feu qui ne demandait qu'à prendre. Pierre Clarac remarque : « Fidèle à sa pensée, à ses inspirations profondes, Chateaubriand, dans ses jugements sur les hommes et dans les choix de ses alliances, se laissait moins guider par ses principes que par les préventions de son entourage ou les caprices de sa sensibilité. » (*Le Livre du centenaire*, Paris, 1948, p. 159.)

220. Mme de Chateaubriand « avait envoyé, le soir du 19, un domestique au Carrousel, avec ordre de ne revenir que lorsqu'il aurait la certitude de la fuite du Roi. A minuit le domestique n'étant pas rentré, je m'allais coucher. Je venais de me mettre au lit quand M. Clausel de Coussergues entra. Il nous apprit que Sa Majesté était partie et qu'elle se dirigeait sur Lille [...]. Mme de Chateaubriand me poussa dans sa voiture, le 20 mars, à quatre heures du matin. J'étais dans un tel accès de rage que je ne savais où j'allais ni ce que je faisais ». (*M.O.T.*, livre XXIII, chap. 4, p. 927.)

221. Charles-Henri Dambray (1760-1829). Avocat général au parlement de Paris avant la Révolution, élu député au conseil des Cinq-Cents il refusa de siéger et vécut dans la retraite sans jamais émigrer. Louis XVIII fit de cet homme de l'Ancien Régime, le premier garde des Sceaux et chancelier de France de la Restauration, tandis que M. de Barentin, son beau-père, dernier garde des Sceaux de Louis XVI, était nommé chancelier honoraire. Dambray ne conserva plus tard que la présidence de la Chambre des pairs. « Il endossa la simarre, écrit Frénilly, et la porta en bon père de famille, sans dignité, sans vues, faible, doux, complaisant, familier. » (*Souvenirs*, p. 356.)

222. Chateaubriand obtint cette somme qu'il toucha quelques jours plus tôt, à valoir sur ses appointements de ministre en Suède, sur les instances de Mme de Duras : celle-ci dut supplier Vitrolles, peu favorable à l'écrivain, et qui prétextait, pour refuser, que celui-ci n'était pas le seul dans une position aussi périlleuse.

223. « Morceau à refaire » (manuscrit A).

« La chaussée était défoncée, le temps pluvieux, madame de Chateaubriand malade : elle regardait à tout moment par la lucarne du fond de la voiture si nous n'étions pas poursuivis [...] » (*M.O.T.*, livre XXIII, chap. 4, p. 927.)

224. « Ayant envoyé demander des chevaux, le 22 au matin, le maître de poste les dit retenus pour un général qui portait à Lille la nouvelle de *l'entrée triomphante de l'empereur et roi à Paris*; madame de Chateaubriand mourait de peur, non pour elle, mais pour moi. » (*Ibid.*)

225. Mortier (1768-1835), prit part à toutes les campagnes de la Révolution et de l'Empire. Duc de Trévise (1808), il défendit Paris avec Marmont puis se rallia aux Bourbons. Pair de France, il prêta serment à Louis-Philippe qui le nomma ambassadeur à Saint-Pétersbourg. Il fut assassiné alors qu'il était ministre de la Guerre, dans l'attentat de Fieschi.

En 1814, quand Louis XVIII arriva à Lille, Mortier, qui commandait la 16e division militaire, lui représenta que les troupes étaient hostiles aux Bourbons et le supplia de partir. De plus, il avait, dit-on, reçu une dépêche lui enjoignant de faire arrêter le roi. Par loyauté il n'en fit rien, mais accompagna Louis XVIII jusqu'au glacis de Lille et le quitta après lui avoir remis sa démission. (*Cf.* L. P. d'Orléans, *op. cit.,* pp. 108 et suiv.)

226. « Arrivé à Tournai, j'appris que Louis XVIII était certainement entré dans Lille avec le maréchal Mortier et qu'il comptait s'y défendre. Je dépêchai un courrier à M. de Blacas, le priant de m'envoyer une permission pour être reçu dans la place. Mon courrier revint avec une permission du commandant, mais sans un mot de M. de Blacas. » (*M.O.T.*, livre XXIII, chap. 4, p. 927.)

227. Marie-Joseph de Bourbon, prince de Condé (1736-1818), maréchal de camp, prit une part active à la guerre de Sept Ans. Adversaire de la Révolution, il émigra et organisa l'armée dite de Condé. Rentré en France en 1814, il suivit le roi à Gand et après Waterloo, se retira à Chantilly. « Quant au vieux prince de Condé, l'émigration était son dieu Lare. Lui n'avait pas peur de monsieur de Bonaparte ; il se battait, si l'on voulait, il s'en allait si l'on voulait : les choses étaient un peu brouillées dans sa cervelle ; il ne savait pas trop s'il s'arrêterait à Rocroi pour y livrer bataille, ou s'il irait dîner au Grand-Cerf. Il leva ses tentes quelques heures avant nous, me chargeant de recommander le café de l'auberge à ceux de sa maison qu'il avait laissés derrière lui. Il ignorait que j'avais donné ma démission à la mort de son petit-fils ; il n'était pas bien sûr d'avoir eu un petit-fils ; il sentait seulement dans son nom un certain accroissement de gloire, qui pouvait bien tenir à quelque Condé qu'il ne se rappelait plus. » (*Ibid.,* chap. 5, p. 928.)

228. « Un des plus graves sujets de haine du duc d'Orléans contre la famille royale, c'est la manière dont le roi se comporta avec lui à Lille en lui ôtant le commandement de la place (ou des troupes). » (Note du manuscrit A.) Le duc d'Orléans se trouvait dans une position assez fausse. Déjà en 1814, son nom avait été prononcé pour recueillir la succession ouverte par la chute de Napoléon et, pendant la première Restauration, il avait été l'espoir des mécontents. Toutefois, le prince, au retour de Lyon où il s'était rendu à son corps défendant, avait été nommé au commandement des troupes stationnées dans le département du Nord. Il se trouvait à Lille quand y arriva le roi fugitif ; il ne fit rien pour tranquilliser Louis XVIII qu'il n'accompagna pas en Belgique. Il se retira en Angleterre, comme s'il entendait ne pas se solidariser avec la branche aînée, il demeura dans ce pays malgré les appels réitérés et impérieux du souverain. Avant de quitter Lille, il dit, en voyant la cocarde tricolore, arborée par ses troupes : « Je ne me suis jamais battu que pour celle-là. » Cette conduite ambiguë et les intrigues de Fouché, qui faillirent lui donner le trône après Waterloo, firent tenir le duc d'Orléans longtemps en suspicion sous la seconde Restauration. Cet opuscule, publié en Angleterre en 1816, n'était autre chose qu'un plaidoyer justificatif.

229. L'armée du duc de Berry se composait de 802 gardes du corps, 602 hommes de la Maison du Roi, 125 volontaires royaux, 58 cavaliers démontés et infanterie. On s'efforçait de provoquer la désertion dans les troupes françaises en promettant 80 francs aux cavaliers et 20 francs aux fantassins qui rejoindraient l'armée royale (*Cf.* H. Houssaye, *1815*, t. II, Paris, 1893, p. 475).

230. Claude-Victor Perrin, duc de Bellune (1766-1841), engagé volontaire en 1792, maréchal de France après Friedland, se rallia aux Bourbons qu'il suivit à Gand : « On le voyait à peine, écrit Chateaubriand, je ne sais si on lui fit la grâce et l'honneur de l'inviter une seule fois au dîner de Sa Majesté. » « Le bon duc de

Bellune » ressentit très vivement les procédés de Louis XVIII et de ses conseillers, qui pour le faire revenir près du Roi, durent employer l'intermédiaire des alliés. Pair de France, il fut dans le gouvernement Villèle l'un des collègues de Chateaubriand. Il resta fidèle aux Bourbons après 1830.

231. Maréchal Berthier, prince de Neuchâtel. Rallié aux Bourbons, pair de France, il ne servit pas Napoléon pendant les Cent-Jours et, après un court séjour à Gand, il se retira en Bavière, à Bamberg, où il mourut de façon dramatique restée mystérieuse.

232. Comte de Bordesoulle (1771-1837), général de la Révolution et de l'Empire, commandant en 1803 le corps de réserve de l'armée d'Espagne qui contribua à la prise du Trocadéro; pair de France.

233. Auguste-Frédéric-Louis Viesse de Marmont (1774-1852), maréchal de France, duc de Raguse; chargé par Napoléon, en 1814, de protéger Fontainebleau, passa avec ses troupes dans les rangs des Alliés. Pair de France, capitaine des gardes du corps, il suivit le roi à Gand. Disgracié un moment après l'insurrection de Lyon (1817), il représenta la France au couronnement du tsar Nicolas Ier (1826). Il essaya en vain, comme commandant de la place de Paris, de lutter contre la Révolution de 1830. Rayé de la liste des maréchaux par Louis-Philippe, il alla mourir à Venise, après avoir été chargé pendant quelque temps de l'instruction du duc de Reichstadt.

M. Pinkney porte le jugement suivant sur le maréchal Marmont, également malheureux au moment des événements de juillet 1830 : « Ce personnage, dont la capitulation avait précipité la chute de Napoléon en 1814, évoquait un souvenir d'humiliation nationale et de honte. » (D. H. Pinkney, *la Révolution de 1830 en France*, P.U.F., p. 316.)

234. Mme de Chateaubriand, en rapportant cette anecdote brièvement, la jugeait sans grande importance et son mari n'en fait aucune mention. L'état mental du prince de Condé expliquerait à lui seul le peu de véracité qu'on prêtait à cette nouvelle.

En 1816, lorsque Chateaubriand monta à la tribune de la Chambre pour demander que le souvenir de Louis XVII, « ce roi-enfant, ce jeune martyr », soit associé à celui de son père, dans la chapelle expiatoire qui serait élevée aux frais de la nation, se doutait-il qu'il allait susciter l'une des grandes énigmes de l'histoire, celle de la survivance de Louis XVII? Sans revenir sur les faits troublants qui entourèrent l'inhumation diligentée par Decazes, précisons seulement que Chateaubriand se refusa toujours à croire que Naundorff fût Louis XVII. Il écrivait à un certain M. Albouys, le 7 mai 1833 : « Je vous engage bien sincèrement à garder votre argent et à vous défier des fripons, fort communs dans ce bas monde. Les rois ne nous manquent pas, et il me semble que nous en avons un de trop » (voir *Bulletin de la Société Chateaubriand*, 1975, pp. 68 et suiv.)

235. Sur lord Wellington ce jugement sévère de Chateaubriand : « Quant aux capacités politiques du vainqueur de Waterloo : excepté cinq ou six génies à part, tous les grands capitaines ont été de pauvres gens : il n'est point de plus brillante renommée que la renommée des armes et qui vaille moins sa gloire. » (*Congrès de Vérone*, éd. originale, p. 59.)

236. Frédéric-Louis, marquis de La Tour du Pin Gouvernet (1758-1837), aide de camp de La Fayette en Amérique, où il se retira pendant la Révolution, devint préfet de l'Empire, se rallia aux Bourbons, et fut envoyé au congrès de Vienne comme secrétaire. Pair de France en 1815 et ministre plénipotentiaire à La Haye puis à Turin.

237. « Je ne sais s'il y fut. » (Note du manuscrit A).

De retour en France après la première Restauration, il prit le service de premier gentilhomme de la Chambre du Roi. Sa velléité de rentrer à Odessa lors du retour de Napoléon répond bien à son caractère instable, partagé entre le sens du service et du devoir et l'aspiration à une retraite du pouvoir que son administration paisible de la Crimée lui avait semble-t-il laissé entrevoir. L'un de ses biographes, J. Fouques-Duparc (*le Troisième Richelieu, libérateur du territoire en 1815*, Lyon, 1940), prétend qu'il « avait [...] décidé de rejoindre l'empereur Alexandre à Vienne, et de l'accompagner ensuite à Francfort [...] » ce qu'il n'eut pas le loisir de mettre à exécution du fait de son retour immédiat en France après Waterloo.

238. En parlant aussi sévèrement qu'elle le fait, Mme de Chateaubriand se souvenait de la disgrâce qui suivit la publication de *la Monarchie selon la Charte*, dans laquelle son mari attaquait le ministère Richelieu. « Il nous a fait un mal affreux », répondait Chateaubriand à Mme de Duras, qui lui annonçait la mort du duc et il appuyait son opinion de celle de sa femme. (A. Bardoux, *la Duchesse de Duras*, Paris, Calmann-Lévy, 1898, p. 323.)

239. Duc de Lévis (1764-1830), député à la Constituante, pair de France, suivit le roi à Gand. Membre du conseil privé et de l'Académie française, « [il] écrivait bien, avait l'imagination variée et féconde qui sentait sa noble race comme on la retrouverait à Quiberon dans son sang répandu sur les grèves ». (*M.O.T.*, livre XXIII, chap. 9, p. 943.)

240. Le comte d'Artois résidait à Gand, sur la place d'Armes, à l'hôtel des Pays-Bas. « A Gand, comme à Paris, le pavillon Marsan existait. Chaque jour apportait de France à Monsieur des nouvelles qu'enfantait l'intérêt ou l'imagination. » (*M.O.T.*, livre XXIII, chap. 10, p. 944.)

241. « On dit que le maréchal, étant soldat, avait le nom de Beau-Soleil. » (Note du manuscrit A.) Légende confirmée par Frénilly : « Bellune, ancien tambour (on l'appelait Beausoleil). » En vérité, Victor Perrin n'eut au régiment que le surnom de Victor, et il le garda.

242. « L'abbé Louis et M. le comte Beugnot descendirent à l'auberge où j'étais logé. Madame de Chateaubriand avait des étouffements affreux et je la veillais. Les deux nouveaux venus s'installèrent dans une chambre séparée seulement de celle de ma femme par une mince cloison [...] Entre onze heures et minuit les débarqués élevèrent la voix; l'abbé Louis, qui parlait comme un loup et à saccades, disait à monsieur Beugnot : " toi ministre? tu ne le seras plus! tu n'as fait que des sottises! " Je n'entendis pas clairement la réponse de monsieur le comte Beugnot, mais il parlait de trente-trois millions laissés au trésor royal. L'abbé poussa, apparemment de colère, une chaise qui tomba. A travers le fracas, je saisis ces mots : " le duc d'Angoulême? il faut qu'il achète du bien national à la barrière de Paris. Je vendrai le reste des forêts de l'État. Je couperai tout, les ormes du grand chemin, le bois de Boulogne, les Champs-Élysées : à quoi ça sert-il? hein! " » (*M.O.T.*, livre XXIII, chap. 5, p. 923.)

L'abbé Louis qui sera ministre des Finances à plusieurs reprises (1815, 1818, 1831), et Beugnot, qui avait été ministre de la Marine sous la première Restauration et qui continuera une belle carrière parlementaire sous la seconde, font partie de cette catégorie des *hommes spéciaux* que Chateaubriand déteste au plus haut degré. (*Cf. supra* p. 185, note 101.)

243. L'anecdote est reprise dans sa quasi intégralité dans les *Mémoires d'Outre-Tombe*, livre XXIII, chap. 5, p. 932.

Chateaubriand et sa femme logèrent d'abord à l'hôtel de Flandre, rue aux Draps, puis rue de la Croix dans la maison d'un des bourgeois de la ville. La famille Bertin habitait le même immeuble.

244. Léopold de Saxe-Cobourg fut appelé au trône de Belgique en 1831.

245. Guillaume Ier (1772-1843), fils du stathouder Guillaume V, dépossédé par les Français en 1794. Les stipulations du Congrès de Vienne changèrent son titre de prince souverain en celui de roi des Pays-Bas et réunirent la Belgique à la Hollande. La Révolution de 1830 ne lui laissa que la Hollande. Il abdiqua en 1840 et se retira à Berlin, où il mourut subitement.

246. L'anecdote est reprise par Chateaubriand qui compta à ce dîner neuf services. « Les Français seuls, ajoute-t-il, savent composer un dîner avec méthode comme eux seuls savent composer un livre. » (*M.O.T.*, livre XXIII, chap. 7, p. 937.)

247. Mme de Chateaubriand, séjournant chez les Lévis, à Noisiel, a tracé du duc ce croquis savoureux : « Voilà M. le duc de Lévis qui se promène dans son jardin, avec une vieille paire de pantoufles vertes, des bas et une culotte de soie noire, une veste de toile grise écrue, et par-dessus un spencer de drap bleu coupant les longues basques de la veste. Sa noble tête poudrée est coiffée d'un chapeau de paille; d'une main il tient une houlette et de l'autre une grappe de raisin. À ce costume de ville et campagne ajoutez une figure qui n'est d'aucun pays, et vous verrez, comme je le vois, le seigneur de Noisiel. » (*Les Correspondants de Joubert, op. cit.*, p. 250.)

248. La marquise de La Tour du Pin Gouvernet (1770-1853), a retracé dans son très vivant *Journal d'une femme de cinquante ans*, les péripéties d'une vie mouvementée qui, commencée dans les fastes de la cour de Versailles, puis dans les salons diplomatiques de l'Europe des lumières, se poursuivit en Amérique où la Révolution en fit une fermière à succès, suscitant l'étonnement admiratif de Talleyrand. Très proche de la famille impériale, elle n'en fréquentera pas moins la cour de Gand. Si elle ne parle pas des Chateaubriand, elle a tracé ce portrait de Mme de Duras dont elle fut l'une des intimes : « Elle était devenue [nous sommes en 1814] un des coryphées de la société anti-bonapartiste du faubourg Saint-Honoré. Ne pouvant se distinguer par la beauté du visage [...] elle visa à briller par l'esprit, chose qui lui était facile, car elle en avait beaucoup, et par la capacité, qualité indispensable pour occuper la première place dans la société où elle vivait... Son caractère naturellement présomptueux et dominateur la préparait par-dessus tout à jouer un tel rôle. » (P. 280, Paris, Berger-Levrault, 1954.)

249. Pour répondre aux attaques et aux proclamations de Napoléon tout en défendant la conduite du gouvernement de la Restauration, il avait été créé au début d'avril 1815, à Gand, une sorte de journal officiel du gouvernement royal, qui fut appelé *le Journal universel* (le nom de *Moniteur* avait été pris dans le premier numéro daté du 14 avril mais fut abandonné, sous l'observation du gouvernement hollandais que le véritable *Moniteur* continuait à être publié à Paris par le gouvernement des Cent-Jours). L'administration en avait été confiée aux amis de Chateaubriand, les frères Bertin, que Napoléon venait une seconde fois de déposséder des *Débats*. Chateaubriand y publia son *Rapport sur l'état de la France, fait au Roi dans son conseil*, qui est daté du 12 mai et auquel Chateaubriand tenait beaucoup, car il prouvait, disait-il, « que mes sentiments sur la liberté de la presse et sur la domination étrangère, ont, de tous temps, été les mêmes ».

250. Bertin l'Aîné représente une curieuse figure de royaliste constitutionnel et libre penseur. Lors de la seconde Restauration, son journal soutiendra de tout son

poids Chateaubriand dans ses combats contre Villèle, pour devenir sous la monarchie de Juillet l'organe officieux du régime. Cette défection des Bertin ne s'explique pas par l'ingratitude des Bourbons mais par l'adéquation psychologique, morale et intellectuelle entre la personnalité de Bertin et le juste-milieu. « N'est-ce pas révélateur de toute une époque », s'exclame Théophile Gautier devant le célèbre portrait d'Ingres qui le représente, « que cette magnifique pause de M. Bertin, appuyant ses belles et fortes mains sur ses genoux puissants avec l'autorité de l'intelligence, de la richesse et de la confiance en soi. On dirait un César bourgeois. » Son frère, Bertin de Vaux, collabora à la direction du journal dont il partagea toutes les vicissitudes. Secrétaire général du ministre de la Police (1815-1818), député, il sera pair de France en 1832.

251. Le duc de Feltre avait organisé, dès son entrée au ministère, une sorte de garde nationale, composée d'anciens chouans et de soldats fidèles au roi, encadrée par des officiers sûrs. Cette conception était gâtée par des détails minimes : l'idée d'habiller en sarreau bleu les recrues, produisit le plus déplorable effet; les paysans refusèrent cette couleur détestée et on ne put former qu'un bataillon. D'autre part, Feltre avait ordonné qu'il ne se fasse aucun mouvement en Vendée avant l'arrivée des Alliés, mais le soulèvement éclata quand même.

252. Charles Bayard, notaire royal à Armentières, se rendit à Gand pour apporter à Louis XVIII une somme de cinq cent mille francs recueillie par lui et que le roi refusa d'accepter. En 1819, il épousa Sophie de Withe, qui obtint d'être nommée nourrice du duc de Bordeaux; Bayard écrivit alors à Chateaubriand : « Monsieur le vicomte, un prince, un duc de Bordeaux! c'est le fils de Saint Louis, c'est le Roi! Tout tombe à ses pieds! [...] Dieu vient de confier à la France un Berry, et par-dessus tout le germe de la Légitimité prend sa nourriture sur le sein de ma chère épouse. » Remplacée quelques mois après, sous un prétexte de santé, Bayard demeura inconsolable. Il devint, dans la suite, garde-magasin des tabacs, et demeura toujours en excellentes relations avec Chateaubriand. Il lui proposa, en 1834, de se présenter au siège de député de Lille, l'écrivain n'accepta pas. (Cité par L. de Lacharrière, doc. inédit, *cf. infra* p. 252, note 546.)

253. Baron de Vitrolles (1774-1854), après avoir activement participé à la restauration des Bourbons en 1814, fut chargé d'organiser la résistance contre Napoléon dans le Midi. Emprisonné à Vincennes sur l'ordre de l'Empereur, il fut (après Waterloo) libéré par Fouché, qui s'en fit un auxiliaire utile auprès de Louis XVIII. Il perdit très vite son influence auprès du roi et ne conserva au lendemain de la seconde Restauration que le titre de ministre d'État, titre qu'il perdit en 1818 pour avoir rédigé, peu avant l'ouverture du congrès d'Aix-la-Chapelle, et à l'insu du roi, une *Note sur l'état du royaume*, destinée aux Alliés. L'appréciation que portait Vitrolles sur la situation intérieure de la France pouvait inciter les alliés à maintenir leurs troupes d'occupation sur le territoire national. Conseiller écouté de Monsieur, il préconisait un retour partiel à l'Ancien Régime, tempéré par quelques éléments inspirés du système représentatif à l'anglaise.

254. « Il est vrai que le misérable trahissait encore son ancien maître et, profitant du présent, il caressait, dans le cas d'une chute, le *dada* despotique de Monsieur. A Gand, il faisait croire, par l'organe de Vitrolles, que lui seul gouvernait Paris. Selon son ancien usage, il suscitait mille chicanes au faubourg Saint-Germain, dont ensuite il le délivrait. Aussi, le faubourg Saint-Germain en avait-il fait son idole, sans songer à la tête de Louis XVI. » (Note du manuscrit A.)

Quant à Chateaubriand, il écrit : « Quand je me rendais chez Monsieur, ce qui était rare, son entourage m'entretenait, à paroles couvertes et avec maints soupirs *d'un homme qui (il fallait en convenir) se conduisait à merveille : il entravait toutes les opérations de l'Empereur; il défendait le faubourg Saint-Germain,* etc., etc., etc. Le fidèle maréchal

Soult était aussi l'homme des prédilections de Monsieur, et, après Fouché, l'homme le plus loyal de France. » (*M.O.T.*, livre XXIII, chap. 10, p. 944.)

255. Guizot présent à Gand, remarque avec beaucoup de justesse : « La situation de M. de Chateaubriand à Gand était singulière. Membre du conseil du Roi, il en exposait brillamment la politique dans les pièces officielles et la défendait dans le *Moniteur de Gand* avec le même éclat. A mon avis, et soit alors, soit plus tard, ni le Roi, ni les divers cabinets n'ont bien compris la nature de M. de Chateaubriand, ni apprécié assez haut son concours ou son hostilité. Il était, j'en conviens, un allié incommode [...], c'était sa chimère de se croire aussi l'égal des plus grands maîtres dans l'art de gouverner, et d'avoir le cœur plein d'amertume quand on ne le prenait pour le rival de Napoléon [...] il fallait par prudence comme par reconnaissance, non seulement le ménager, mais le combler. Il était de ceux envers qui l'ingratitude est périlleuse autant qu'injuste, car ils la ressentent avec passion et savent se venger sans trahir. » (Guizot, *Mémoires pour servir à l'histoire de mon temps*, t. I, Paris, 1858-1867, p. 88.)

256. Mme de Vitrolles joua en 1815, après l'arrestation de son mari, le rôle d'émissaire de Fouché auprès de la cour de Gand : « Un jour, une voiture s'arrêta à la porte de mon auberge, j'en vois descendre madame la baronne de Vitrolles : elle arrivait chargée des pouvoirs du duc d'Otrante. Elle remportait un billet écrit de la main de Monsieur, par lequel le prince déclarait conserver une reconnaissance éternelle à celui qui sauva M. de Vitrolles. Fouché n'en voulait pas davantage; armé du billet, il était sûr de son avenir en cas de restauration. » (*M.O.T.*, livre XXIII, chap. 10, p. 944.)

257. « [...] l'embarras était de faire goûter au Roi, le nouveau rédempteur de la monarchie ». (*Ibid.*, p. 944.)

258. « Vitrolles, Pasquier, Molé. » (Note du manuscrit A).

259. Sur de nombreux points, le comte d'Artois paraissait se soucier fort peu de l'avis de Wellington; celui-ci, très partisan des formes constitutionnelles, n'hésitait pas à contredire le prince, notamment sur « la nécessité qu'il ne paraisse au Conseil que des hommes solidairement nommés et responsables ». Aussi des difficultés incessantes s'élevaient-elles entre les deux personnages.

260. Le prince d'Orange, plus tard Guillaume Ier, roi des Pays-Bas, montrait une extrême défiance à l'égard de la cour de Gand, reprochant à Louis XVIII le caractère trop officiel que le souverain détrôné avait donné à son installation dans les États du prince.

261. « Louis XVIII sortait chaque après-dînée dans un carrosse à six chevaux avec son premier gentilhomme de la chambre et ses gardes pour faire le tour de Gand, tout comme s'il eût été dans Paris. S'il rencontrait dans son chemin le duc de Wellington, il lui faisait en passant un petit signe de tête de protection. » (*M.O.T.*, livre XXIII, chap. 9, p. 940.)

262. En 1814, Louis XVIII ne semble pas avoir fait grande attention à ménager la susceptibilité des alliés. A Compiègne, Alexandre Ier fut reçu avec une froide étiquette, avec si peu d'abandon et de cordialité, qu'il rentra le soir même à Paris. Chateaubriand écrit : « A Paris, quand Louis XVIII accordait aux monarques triomphants l'honneur de dîner à sa table, il passait sans façon le premier devant ces princes dont les soldats campaient dans la cour du Louvre; il les traitait comme des vassaux qui n'avaient fait que leur devoir en amenant des hommes d'armes à leur seigneur suzerain. » (*Ibid.*)

263. Chateaubriand se contentait de plaisirs plus rustiques : « On pêche, dans les rivières de Gand, un poisson blanc fort délicat : nous allions, *tutti quanti*, manger ce bon poisson dans une guinguette, en attendant les batailles et la fin des empires. » (*M.O.T.*, livre XXIII, chap. 5, p. 933.)

264. « C'est une expression dont lui-même se servit (sans savoir qu'elle était dans l'Écriture) un jour qu'il était en fureur contre M. de Chateaubriand. « Comment, dit-il à Fouché, Chateaubriand veut me résister, à moi qui ai des rois dans mes antichambres ! » (Note du manuscrit A.)

265. Michel Ney (1769-1815), engagé volontaire, prit part à toutes les campagnes de la Révolution et de l'Empire, se rallia aux Bourbons puis à l'Empereur pendant les Cent-Jours. Réfugié dans le Lot après la seconde abdication, il fut arrêté, ramené à Paris et fusillé, après être passé en jugement devant la Chambre des pairs, transformée en cour de justice. « Le maréchal Ney baise les mains du Roi, jure de lui ramener Bonaparte enfermé dans une cage de fer, et il livre à celui-ci tous les corps qu'il commande. » (*Ibid.,* chap. 3, p. 925.) Chateaubriand, pair de France, vota la mort du maréchal Ney.

266. Ladreit de Lacharrière remarque justement que cette relation d'événements, rédigée beaucoup plus tard, et sans pièces officielles, comporte des erreurs. Mme de Chateaubriand n'évalue pas très exactement la force des combattants, sauf pour l'armée de Wellington sur laquelle elle avait peut-être été mieux renseignée. Napoléon pouvait opposer au début de la campagne 124 000 hommes et 370 bouches à feu à plus de 400 000 alliés.

267. « Ce fut à ce combat que fut tué le duc de Brunswick. » (Note du manuscrit A.) Son père était le signataire du célèbre *Manifeste* auquel il a laissé son nom (25 juillet 1792).

268. « Wellington arriva trop tard et, sans Blücher, qui le 15 juin avait soutenu seul le feu de l'ennemi, il n'aurait pas été vainqueur à Waterloo. » (Note du manuscrit A.)

269. Comte de Bourmont (1773-1846), prit part aux insurrections de Vendée. Il entra ensuite dans l'armée impériale puis se rallia aux Bourbons; pendant les Cent-Jours il redemanda du service à Napoléon qui le plaça, non sans crainte, à la tête d'une division. Il passa à l'ennemi le 15 juin 1815. Sous la Restauration, il combattit en Espagne, fut nommé maréchal de France et ministre de la Guerre dans le cabinet Polignac. A ce titre, il dirigea le débarquement et la prise d'Alger (1830). En 1832 il tentera d'organiser le soulèvement de la Vendée en faveur de la duchesse de Berry. Nouvel et ultime échec. Amnistié, il ne rentrera en France qu'en 1840.

270. Sur la bataille de Waterloo, voir *M.O.T.*, livre XXIII, chap. 17, pp. 964 et suiv.

CHAPITRE 5

271. Les chiffres entre crochets laissés en blanc par l'auteur, sont fournis par une lettre de Pozzo di Borgo à Nesselrode. (Pozzo di Borgo, *Correspondance*, t. I, p. 173.)

272. Louis XVIII avait autorisé Chateaubriand à le rejoindre à Gand. Il fut alors chargé de faire au roi des rapports sur la situation intérieure en France. Est-ce à dire

qu'il ait été nommé ministre de l'Intérieur par intérim, rien n'est moins sûr. Tous les actes officiels émanant de la cour de Gand ne le désignent que sous le titre de « ministre de Sa Majesté très chrétienne près la cour de Suède ». Dans une lettre à son ami Frisell du 3 juin 1815, Chateaubriand après s'être lamenté sur sa mauvaise santé et de celle de sa femme lui annonce : « [...] vous savez que je suis dans le conseil du roi, mais jusqu'ici sans titre et sans position déterminée; j'ai seulement ordre de parler au roi de l'*intérieur*; cela veut-il dire que si nous retrouvons jamais un *intérieur*, on me chargera de ce ministère? » (*Correspondance générale*, t. II, p. 37). En fait il en faisait fonction; Mme de Boigne prétend que le crédit de Mme de Duras : « [...] l'y avait fait ministre de l'Intérieur du roi fugitif, et elle ne comprenait pas comment le Roi rétabli ne confirmait pas cette nomination » (*Mémoires,* t. II, p. 98).

Louis XVIII rentrera à Paris le 8 juillet; Chateaubriand sera nommé le lendemain ministre d'État, charge purement honorifique mais lucrative.

273. Lamarque (1770-1832), général de la Révolution et de l'Empire, défit les vendéens soulevés à La Roche Servière, et signa avec leurs chefs, Sapinaud et La Rochejacquelein, un traité de paix à Cholet. Exilé jusqu'en 1819, député à partir de 1828, ses obsèques donnèrent lieu à des manifestations qui précédèrent de quelques jours les émeutes de juin 1832.

274. Fouché, élu le 22 juin membre du Gouvernement provisoire, en devint le président le lendemain, après en avoir écarté Carnot.

275. « Voir dans David, chap. ..., le portrait des rois régicides » (note du manuscrit A); reprise du thème maistrien du caractère providentiel des révolutions.

276. Louis XVIII arriva à Mons le 24 juin. La rapidité avec laquelle le roi rentra en France mit les Alliés devant le fait accompli et contribua à déjouer l'intrigue orléaniste.

277. A la nouvelle du débarquement de Napoléon, Talleyrand fit signer une déclaration par laquelle les puissances, réunies à Vienne, s'engageaient à ne déposer les armes qu'après avoir assuré la paix à la France en chassant Napoléon « ennemi et perturbateur du repos du monde » (13 mars 1815).

278. « M. de Talleyrand, dans tout l'orgueil d'une négociation qui l'avait enrichi, prétendait avoir rendu à la légitimité les plus grands services et il revenait en maître... [il] entra dans Mons vers six heures du soir... il refusa d'abord d'aller chez Louis XVIII, répondant par cette phrase ostentatrice : " Je ne suis jamais pressé; il sera temps demain. " Je l'allai voir; il me fit toutes les cajoleries... » (*M.O.T.,* livre XXIII, chap. 19, p. 976.)

279. « M. de Talleyrand, ne pouvant se persuader que le Roi s'en irait, s'était couché : à trois heures on le réveille pour lui dire que le Roi part; il n'en croit pas ses oreilles : " Joué! Trahi! " s'écria-t-il. On se lève [...] Il arrive devant l'hôtel du Roi; les deux premiers chevaux de l'attelage avaient déjà la moitié du corps hors de la porte cochère [...] on ouvre la portière, le Roi descend en se traînant dans son appartement, suivi du ministre boiteux. Là M. de Talleyrand commence en colère une explication. Sa Majesté l'écoute et lui répond : " Prince de Bénévent, vous nous quittez? Les eaux vous feront du bien : vous nous donnerez de vos nouvelles. " [...] M. de Talleyrand bavait de colère [...] » (*Ibid.,* chap. 19, pp. 975-976.)

280. « Louis XVIII était dans ses grandes douleurs : il s'agissait de se séparer de M. de Blacas; celui-ci ne pouvait rentrer en France; l'opinion était soulevée contre lui [...] » Talleyrand « [...] regardait M. de Blacas comme un fléau de la

monarchie; mais ce n'était pas là le vrai motif de son aversion; il considérait dans M. de Blacas le favori, par conséquent le rival. » (*M.O.T.*, livre XXIII, chap. 19, p. 973.)

281. « Chateaubriand n'était qu'un ennemi généreux; personne n'avait plus que lui à se plaindre de M. de Blacas qui lui avait déjà joué tous les tours possibles. » (Note du manuscrit A.)

282. Le baron Vincent était entré au service de l'Autriche et fut l'un des négociateurs du traité de Campo-Formio; il était ministre plénipotentiaire d'Autriche à Paris en 1814. A ce titre, il suivit Louis XVIII à Gand.

283. « M. de Talleyrand au milieu de ses flatteurs était plus monté que jamais. L'abbé Louis, qui mordait tout le monde, me dit en secouant trois fois sa mâchoire : " Si j'étais le prince, je ne resterais pas un quart d'heure à Mons. " » (*Ibid.*, p. 975.)

Ce furent surtout les démarches de Pozzo di Borgo qui décidèrent Talleyrand à revenir sur sa décision. Les proches du comte d'Artois en voulurent à Chateaubriand d'avoir aidé au retour de Talleyrand, ce qu'ils voulaient éviter à tout prix.

284. Favorable à Talleyrand, « bêtement », reconnaît-il, car il le connaissait à peine, ne l'estimait guère et ne l'admirait point, Chateaubriand avait cependant été sensible aux succès diplomatiques du prince, à Vienne. Revenu de son erreur il en indiquera les raisons, en 1816, dans la *Monarchie selon la Charte* : « La plus belle carrière s'ouvrait devant lui [Talleyrand]; il pouvait achever son ouvrage et consolider le trône qu'il avait contribué puissamment à relever. Il lui suffisait de bien sentir sa position, de renoncer franchement à la Révolution et aux révolutionnaires, d'embrasser avec franchise la monarchie constitutionnelle, mais en l'asseyant sur les bases de la religion, de la morale et de la justice; en lui donnant pour guides des hommes irréprochables, nécessairement fixés dans les intérêts de la couronne. [...] Le nom de ce ministre, ses talents, son expérience des affaires, son crédit en Europe, tout l'appelait à remplir ce rôle [...] »

En revanche, Chateaubriand était tout à fait hostile à Fouché, le « féal régicide » qui, « protégeant et effrayant tour à tour les diverses factions », cherchait à s'imposer aux Bourbons. « Il avait créé, écrit-il, une terreur factice, supposant des dangers imaginaires » pour se rendre indispensable; « Le chef-d'œuvre eût été d'isoler le Roi ». (*M.O.T.*, livre XXIII, chap. 20.) Il séduisait Hyde de Neuville, persuadait Vitrolles, annonçait que, sans lui, le retour de Louis XVIII provoquerait des troubles à Paris.

285. Chateaubriand resta auprès de Talleyrand médusé au lieu de suivre le roi qui « [lui] avait pour ainsi dire offert ou plutôt donné le ministère de la Maison du Roi et qui fut blessé de [son] obstination à rester à Mons [...] » Il en tire amèrement la leçon : « [...] j'avais encouru l'amitié de M. de Talleyrand pour ma fidélité à un caprice de son humeur [...] je préférai la turpitude d'un homme sans foi à la faveur de Sa Majesté : il était trop juste que je reçusse la récompense de ma stupidité, que je fusse abandonné de tous, pour les avoir voulu servir tous. Je rentrai en France n'ayant pas de quoi payer ma route [...] » (*Ibid.*, p. 977.)

286. « M. de Lévis se jeta dans une carriole de louage qui portait le chancelier de France : les deux grandeurs de la monarchie capétienne s'en allèrent côte à côte la rejoindre, à moitié frais, dans une *benne* mérovingienne. » (*M.O.T.*, livre XXIII, chap. 20, p. 976.)

287. « Aussi malgré le Champ-de-Mai et les Cent-Jours passés au service de l'Empereur, cette famille fut comblée par les Bourbons. Le maréchal fut fait... et sa femme première dame d'honneur de madame la duchesse de Berry. » (Note du manuscrit A.)

Mme de Chateaubriand se montre injuste envers le maréchal qui refusa de servir « deux maîtres à la fois » et se retira ostensiblement dans ses terres. Lors de la seconde Restauration il reçut le commandement en chef de la garde nationale qu'il conserva jusqu'à la dissolution de ce corps en 1827. Il était en 1823 à la tête du premier corps de l'armée des Pyrénées conduite par le duc d'Angoulême. Son fils, le colonel, démissionna en 1815 et ne reprit du service qu'en 1835.

288. « [...] nous demeurâmes dans la rue au milieu des feux de joie, de la foule circulant autour de nous et des habitants qui criaient : " Vive le Roi! " » (*M.O.T.*, livre XXIII, chap. 20, p. 978).

289. Louis-François Chamillard, marquis de La Suze (1751-1833), « maréchal des logis du temps de Fénelon » (Chateaubriand), lieutenant-général, pair de France; il refusa de prêter serment à Louis-Philippe.

290. « Un étudiant, ayant appris que j'étais là, nous conduisit auprès de sa mère » (*ibid.,* p. 978).

291. A remarquer la forte concordance de points de vues entre les deux époux. Dans les *Mémoires*, Chateaubriand écrit : « Les amis des diverses monarchies de France commençaient à paraître [...] ils accouraient pour mettre aux pieds du Roi leurs fidélités successives et leur haine de la Charte : passeport qu'ils jugeaient nécessaire auprès de Monsieur [...] nous sentions déjà la jacobinerie. » (*Ibid.,* p. 979.)

292. « C'était l'expression des ultras qui ne voulaient pas accuser M. de Chateaubriand de jacobinisme. » (Note du manuscrit A.)

293. Marquis de Jaucourt (1757-1852), colonel avant la Révolution, député à l'Assemblée législative, sénateur et comte d'Empire, fit partie du gouvernement provisoire en 1814, devint ministre et pair de France sous Louis XVIII qui lui confia l'intérim des Affaires étrangères pendant le séjour de Talleyrand à Vienne. Ce « commensal » de Talleyrand — selon l'expression de Chateaubriand — fut son ministre de la Marine, au retour de Gand.

294. « Il faut rendre justice à Louis XVIII : en nommant Fouché, il ne fit que céder aux importunités de son frère et presqu'aux ordres des étrangers, surtout du duc de Wellington » (note du manuscrit A). Ce qui est tout à fait exact.

Aux premières ouvertures qui lui avaient été faites, le roi avait répondu par un refus énergique. « Sa Majesté rougit et s'écria en frappant des deux mains les deux bras de son fauteuil : " Jamais! " Jamais de vingt-quatre heures. » (*Ibid.,* p. 979.)

295. Pour mettre au pas Lyon la rebelle, la Convention dépêcha deux représentants en mission, Collot d'Herbois et Fouché, qui noyèrent la ville dans le sang : jugements sommaires, exécutions collectives par mitraillades... (novembre 1793-mars 1794).

296. Maurice Cousin, dit comte de Courchamps, personnage excentrique dans le genre de l'abbé de Choisy, au XVIIe siècle. Auteur des prétendus *Mémoires de la marquise de Créqui*.

297. « M. de Galiffet avait un grand col d'une hauteur extrême et tout à fait ridicule. » (Note du manuscrit A).

298. Donatien de Sesmaisons (1781-1842) premier gentilhomme du comte d'Artois; député en 1827, il combattit Villèle et se rallia à Louis-Philippe.

299. « Crime » ourdi par le comte d'Artois et sa coterie, mais aussi illusion partagée par le faubourg Saint-Germain : « [...] on criait de toutes parts : " Sans Fouché point de sûreté pour le Roi, sans Fouché point de salut pour la France; lui seul a déjà sauvé la patrie, lui seul peut achever son ouvrage. " La vieille duchesse de Duras était une des nobles dames les plus animées à l'hymne; le bailli de Crussol, survivant de Malte, faisait chorus. [...] Pendant plus de trois mois les salons du faubourg Saint-Germain me regardèrent comme un mécréant parce que je désapprouvais la nomination de leurs ministres. Ces pauvres gens, ils s'étaient prosternés aux pieds des *parvenus*; ils n'en faisaient pas moins des cancans de leur noblesse, de leur haine contre les révolutionnaires, de leur fidélité à toute épreuve, de l'inflexibilité de leurs principes, et ils adoraient Fouché! » (*M.O.T.*, livre XXIII, chap. 20, p. 984.)

300. « [...] la maîtresse de l'auberge prit Mme de Chateaubriand pour Mme la Dauphine; elle fut portée en triomphe dans une salle où il y avait une table mise de trente couverts... l'hôtesse ne voulait pas recevoir de payement, et elle disait : " Je me regarde de travers pour n'avoir pas su me faire guillotiner pour nos rois. " » (*Ibid.*, p. 979.)

301. « Le général Lamothe, beau-frère de M. Laborie, vint, envoyé par les autorités de la capitale, nous instruire qu'il nous serait impossible de nous présenter à Paris sans la cocarde tricolore. » (*Ibid.*, p. 979.)

302. Antoine-Anasthase Roux-Laborie, 1769-1842, se mêla aux agitations royalistes sous la Révolution, aida les Bertin à fonder le *Journal des débats* et devint, grâce à la protection de Talleyrand, secrétaire du gouvernement provisoire (1814), député (1815), préfet de la Somme (1827).

303. Par ordonnances royales du 15 juin 1814, avaient été rétablis : les chevau-légers, les mousquetaires gris, les mousquetaires noirs, les gendarmes de la garde; chacun de ces corps privilégiés, dans lequel le simple soldat avait rang de sous-lieutenant, était noble. Cette « résurrection de l'Ancien Régime » suscita la jalousie et la colère des soldats de Napoléon.

De nombreux duels s'ensuivirent. La couleur des uniformes les avait fait surnommer les compagnies rouge et grise.

304. Premier historien de la Restauration, Lacretelle Jeune (1766-1855), était un ami et un admirateur de Chateaubriand qu'il suivit lorsque celui-ci rompit avec Villèle, en 1824. La tentative d'histoire immédiate de ce premier historien de la Restauration, allie « une dose réduite d'information positive et un grand déploiement de rhétorique » (R. P. de Bertier de Sauvigny). C'est davantage un commentaire des débats des Chambres et de la presse qu'une histoire fondée sur le dépouillement de sources inédites. L'ouvrage connut dès sa sortie en 1829-1830 un vif succès qui justifia plusieurs rééditions. Ce qu'il dit de la Congrégation — dont il entretient le mythe — parlant d'un « club dévôt » qu'il compare au club des Jacobins, n'incite pas à le croire mieux informé que Mme de Chateaubriand.

305. « A Roye on tint conseil : M. de Talleyrand fit attacher deux haridelles à sa voiture et se rendit chez Sa Majesté [...]. » (*M.O.T.*, livre XXIII, chap. 20, p. 979.)

306. « A Senlis, nous nous présentâmes chez un chanoine : sa servante nous reçut comme des chiens; quant au chanoine, qui n'était pas saint Rieul, patron de la ville, il ne voulut seulement pas nous regarder. Sa bonne avait ordre de ne nous rendre d'autre service que de nous acheter de quoi manger, pour notre argent : le *Génie du Christianisme* me fut néant. » (*Ibid.*, p. 979.)

307. C'est à Gonesse que Chateaubriand et Beugnot s'opposeront à l'entrée de Fouché dans le gouvernement, considérée comme inévitable par un royaliste aussi ardent qu'Hyde de Neuville.

« Si je ne m'étais trouvé là, à mon grand détriment, pour me faire maître d'école de la constitutionnalité, dès les premiers jours les ultras et les jacobins auraient mis la Charte dans la poche de leur frac à fleurs de lis, ou de leur carmagnole à la Cassius. » (*Ibid.*, p. 982.)

308. Le duc d'Otrante « avait demandé que le Roi entrât dans Paris avec la cocarde tricolore en assurant que l'armée, tout à l'heure rebelle, reviendrait avec enthousiasme à un Roi qui lui donnerait ce gage de ralliement » (Lacretelle, *Histoire de la France depuis la Restauration*, 1829-1835, t. I, p. 325). Mais, désireux d'arriver au ministère, Fouché n'en fit pas une condition *sine qua non*, après que Wellington lui eut démontré l'impossibilité pour le souverain, de maintenir un insigne qui était devenu le « signal de la rébellion » et alors surtout qu'une partie de la France avait témoigné de son royalisme en arborant le drapeau blanc.

309. Fouché ne vit Louis XVIII qu'à Saint-Denis, et non pas à Arnouville. Toutefois c'est là que le roi, cédant aux sollicitations de toutes sortes, signa la nomination de Fouché comme ministre de la Police.

310. « M. de Talleyrand n'aimait pas M. Fouché; M. Fouché détestait et, ce qu'il y a de plus étrange, méprisait M. de Talleyrand [...] M. de Talleyrand, qui d'abord eût été content de n'être pas accouplé à M. Fouché, sentant que celui-ci était inévitable, donna les mains au projet... » (*M.O.T.*, livre XXIII, chap. 20, p. 983.)

311. « Le duc de Wellington arriva [...] il venait octroyer à la France M. Fouché et M. de Talleyrand, comme le double présent que la victoire de Waterloo faisait à notre patrie. Lorsqu'on lui représentait que le régicide de M. le duc d'Otrante était peut-être un inconvénient, il répondait : “ C'est une *frivolité* ” [...] L'ambition de Bonaparte nous avait réduits à cette misère. » (*M.O.T.*, livre XXIII, chap. 20, p. 982.)

312. A Arnouville, Chateaubriand n'était plus consulté : « Je rôdais à l'écart dans les jardins d'où le contrôleur-général Machault, à l'âge de quatre-vingt-treize ans, était allé s'éteindre aux Madelonnettes [...] le Roi se préparait à rentrer dans son palais, moi dans ma retraite. Le vide se reforme autour des monarques sitôt qu'ils retrouvent le pouvoir. » (*Ibid.*, p. 983.)

313. Frédéric Dubourg-Butler (1778-1850), combattit en Vendée, puis sous Bernadotte qu'il suivit en Suède. Blessé et fait prisonnier pendant la campagne de Russie, attaché à l'état-major du duc de Feltre (1815), il s'empara sans coup férir de Cambrai, Bapaume, Le Quesnoy, Arras. Nommé commandant de l'Artois, il fut disgracié peu après, à cause de ses opinions ultraroyalistes. Chateaubriand le retrouvera en juillet 1830, « chef improvisé de la partie militaire du gouvernement provisoire ». Pensionné en 1848 comme général de brigade, il se suicidera deux ans après.

314. « Le souvenir de Mme de Lévis est pour moi celui d'une silencieuse soirée d'automne. »

« Elle a passé en peu d'heures ; elle s'est mêlée à la mort comme à la source de tout repos. » (*Ibid.*, livre XXIII, chap. 9, p. 943.)

315. « M. le duc de Lévis, le fils, aujourd'hui attaché à M. le comte de Chambord s'est approché de moi ; mon affection héréditaire ne lui manquera pas plus que ma fidélité à son auguste maître. » (*M.O.T.*, livre XXIII, chap. 9, p. 943.)

316. « Je fais peut-être un galimatias pour les noms, le bon est le père d'Édouard Lagrange. » (Note du manuscrit A.) Il y avait en effet deux généraux Lagrange, mais Mme de Chateaubriand attribue au comte ce qui arriva au marquis. MacDonald rapporte en effet : « Nous vîmes le général Lagrange, le manchot, se débattant au milieu des gardes du corps, bleus et rouges, qui lui reprochaient de n'avoir pas suivi le Roi à Gand comme commandant l'une des compagnies de mousquetaires et lui arrachant les insignes de son grade. Nous nous précipitâmes à son secours, mais déjà le duc de Feltre l'avait tiré des mains de ces furieux... Le Roi, aussitôt qu'il fut instruit, envoya témoigner son mécontentement et dire qu'il ferait justice. » (*Souvenirs du maréchal MacDonald, duc de Tarente*, introduction C. Rousset, Paris, Plon, 1892, p. 398.)

317. *Cf. supra* p. 208, note 250.

318. « J'entrai d'abord dans l'église ; [...] Je fis ma prière à l'entrée du caveau où j'avais vu descendre Louis XVI : plein de crainte sur l'avenir, je ne sais si je n'ai jamais eu le cœur noyé d'une tristesse plus profonde et plus religieuse. » (*M.O.T.*, livre XXIII, chap. 20, p. 984.)

319. La marquise de Talaru avait épousé en premières noces le comte de Clermont-Tonnerre qui fut massacré le 10 août 1792. « Nous avions une grand-mère commune », dit Chateaubriand, en parlant d'elle, « et elle voulait m'appeler son cousin ».

Sur Mme de Talaru, cette anecdote de 1819 : « Nous allons aujourd'hui dîner à Montrouge, où madame de Talaru se trouve de nouveau embarrassée par un maître d'hôtel qui lui a volé du vin, un laquais qui, pour n'être pas chassé, s'est donné la jaunisse, en se frottant le visage avec des graines d'asperges et une femme de chambre qui tombe d'épilepsie. » (Mme de Chateaubriand à Joubert, in *Les Correspondants de Joubert, op. cit.*, pp. 258-259.)

320. Bailli de Crussol (1743-1815), député de la noblesse de Paris aux États Généraux, pair de France en 1814, se mêla activement aux préliminaires de la seconde Restauration. A Beugnot, qui s'étonnait « de voir un des hommes les plus droits de son époque » soutenir Fouché, il répondait : « Que voulez-vous ? Fouché nous a protégés depuis le départ du Roi [...] et au fond, quels sont en France, les ennemis de la famille royale ? Les Jacobins ? Eh bien, il les tient dans sa main et, dès qu'il sera Roi, nous dormirons sur les deux oreilles [...] Nous sommes vieux dans le faubourg Saint-Germain, nous avons trop souffert, il nous faut du repos. » (Beugnot, *Mémoires*, t. II, Paris, Dentu, 1866, p. 287.)

321. « Tout à coup une porte s'ouvre : entre silencieusement le vice appuyé sur le bras du crime, M. de Talleyrand marchant, soutenu par M. Fouché ; la vision infernale passe lentement devant moi, pénètre dans le cabinet du Roi et disparaît. » (*M.O.T.*, livre XXIII, chap. 20, p. 985.)

Il est possible que la phrase de Mme de Chateaubriand ait inspiré à l'écrivain les lignes qu'on vient de lire et dont le génie transfigure les termes sans en altérer le fond.

322. « Les plus chauds royalistes accouraient pour vous dire, de la meilleure foi du monde, que si le Roi entrait dans Paris avec sa Maison militaire, cette Maison

serait massacrée; que si l'on ne prenait la cocarde tricolore, il y aurait une insurrection générale [...] la faction avait fermé les barrières, pour empêcher le peuple de voler au-devant du Souverain [...] L'aveuglement était miraculeux. » (*La Monarchie selon la Charte*, éd. orig., p. 38.)

323. Chateaubriand raconte cette entrevue célèbre :

« — Eh bien! me dit Louis XVIII, ouvrant le dialogue par cette exclamation.

« — Eh bien, sire, vous prenez le duc d'Otrante?

« — Il l'a bien fallu : depuis mon frère jusqu'au bailli de Crussol (et celui-là n'est pas suspect), tous disaient que nous ne pouvions pas faire autrement : qu'en pensez-vous?

« — Sire, la chose est faite : je demande à Votre Majesté la permission de me taire.

« — Non, non, dites : vous savez comme j'ai résisté depuis Gand.

« — Sire, je ne fais qu'obéir à vos ordres; pardonnez à ma fidélité, je crois la monarchie finie.

« Le Roi garda le silence; je commençais à trembler de ma hardiesse, quand Sa Majesté reprit :

« — Eh bien, monsieur de Chateaubriand, je suis de votre avis. » (*M.O.T.*, livre XXIII, chap. 20, pp. 985-986.)

324. Le ministère comprenait, outre Talleyrand aux Affaires étrangères et Fouché à la Police, Gouvion Saint-Cyr à la Guerre, Louis aux Finances, Jaucourt à la Marine, Pasquier à la Justice et par intérim à l'Intérieur, et Richelieu à la Maison du Roi (poste qu'il n'avait finalement pas accepté). Decazes était préfet de police. « C'était, estime Ph. Mansel, le ministère le plus anti-monarchique de tout le régime. » Mais il ne dura que deux mois!

325. La réception, lorsque le roi entra à Paris, le 8 juillet, par la rue Saint-Denis, en passant sous l'arc de triomphe construit par Louis XIV, fut beaucoup plus enthousiaste qu'en 1814. L'après-midi Louis XVIII descendit dans les jardins des Tuileries pour se mêler à la foule. On dansa en son honneur : nobles, commerçants, et même fermiers venus de la campagne. Chateaubriand remarque : « On entra paisiblement et, au grand ébahissement des dupes, jamais le Roi ne fut mieux reçu. » (*De la monarchie selon la Charte*, éd. originale, Paris, 1816, p. 39.)

Dans une « Note du manuscrit A », Mme de Chateaubriand estime que le roi fit bien de rester ferme sur ses positions, contrant ainsi Fouché qui « avait fait tout son possible pour empêcher les habitants de Paris de se porter en foule au-devant de lui. Il ne put ni empêcher ni réprimer les cris de joie que le Roi entendit sur toute sa route ».

LE CAHIER VERT

CHAPITRE PREMIER

326. « Les Jésuites prirent [sous Bonaparte] le titre de Pères de la Foi. Ils eurent d'abord pour supérieur, à Paris, le père Clorivière, de Saint-Malo, auquel succéda le père Barat, frère de la supérieure actuelle du Sacré-Cœur. » (Note de l'auteur.)

Sur la Congrégation, *cf. supra* p. 186, note 105.

327. La violence extrême du propos, voire l'anathème, n'épargne donc point Mathieu de Montmorency qui, s'il fut pair de France, ministre des Affaires étrangères, gouverneur du duc de Bordeaux, ne peut, en raison de l'ancienneté de sa race, être taxé d'arrivisme. Au moment de l'expédition d'Espagne, il était, en tant que ministre des Affaires étrangères, partisan d'une intervention concertée des États

membres de la Sainte-Alliance dans les affaires de l'Espagne, alors que Chateaubriand, représentant la France à Vérone négociait, en accord avec Alexandre Ier, une intervention séparée de la France. Désavoué, Montmorency se retira en demandant à ses amis de soutenir de leurs suffrages la politique de Chateaubriand.

328. La fondation du *Conservateur* marque une date importante — 1818 — dans l'histoire de la Restauration et dans la carrière politique de Chateaubriand. Désormais, les « royalistes purs » auront un organe officiel leur permettant d'exprimer leurs idées, d'établir un lien avec les autres royalistes dispersés à travers la France, et d'influer sur la politique du ministère et sur la cour. Autour de Chateaubriand se constitue une équipe disparate mais brillante où l'on trouve des publicistes comme Fiévée, l'auteur de *la Dot de Suzette*, Saint-Marcellin, le fils naturel de Fontanes, le jeune abbé de Lamennais, des hobereaux de province tels que Villèle ou Vitrolles, de grands seigneurs, Fitz-James, Mathieu de Montmorency, le cardinal de la Luzerne, Sosthène de la Rochefoucauld, ainsi que l'un des oracles du parti royaliste, Louis de Bonald.

Face aux libéraux regroupés dans *la Minerve* autour de Benjamin Constant, et aux doctrinaires des *Archives philosophiques* (Royer-Collard et Guizot), le parti royaliste s'affirme comme le « parti de l'intelligence » (René Rémond), rompant en visière avec les poncifs qui prenaient valeur de vérité, selon lesquels les ultras ne seraient que des « chevaliers de l'éteignoir », des « marquis de Carabas », étrangers à leur temps, à la tête un peu faible, ridiculisés par Béranger.

Dans la guerre sans merci que *le Conservateur* livrera aux ministères Richelieu-Decazes, puis Dessoles-Decazes, Chateaubriand et ses amis — le premier en toute sincérité, les seconds pour des raisons tactiques — vont se faire les plus ardents défenseurs de la prérogative parlementaire, fondant leur action sur le ralliement à la Charte, considérée comme l'« Arche sainte ». *Le Conservateur*, dès le premier numéro, se placera sous une triple invocation : « Le roi, la Charte et les honnêtes gens. »

Le succès fut considérable : trois mois après sa fondation, *le Conservateur* comptait près de quatre mille abonnés, et il atteindra huit mille au moment de sa plus haute gloire.

« La Révolution opérée par ce journal fut inouïe », écrira Chateaubriand dans les *Mémoires d'Outre-Tombe*, « en France il changea la majorité dans les chambres; à l'étranger, il transforma l'esprit des cabinets. « Son influence fut telle que son nom a survécu à son existence : les *Tories* ont pris le nom de Conservateurs, nom qui n'est pas dans la langue anglaise; l'anglais dit *Preserver*. » (*M.O.T.*, livre XXV, chap. 9, p. 10.)

329. Des journaux anglais, subventionnés en sous-main par le gouvernement français comme le *Times*, le *Sun*, le *Morning Chronicle*, publiaient dans leurs colonnes des lettres sur la situation politique en France, prétendument émanées de leurs correspondants particuliers à Paris, mais qui, pour la plupart, avaient été rédigées par des employés de la police de Decazes. Chateaubriand était une de leurs cibles habituelles. Chateaubriand en fut profondément mortifié et la création du *Conservateur* s'explique en partie par le désir de riposter aux attaques de la *Correspondance privée*.

330. Les manuscrits de Mme de Chateaubriand étant reproduits intégralement ici, les passages laissés en blanc indiquent non pas des suppressions du fait de l'éditeur, mais les lacunes mêmes du texte.

331. Il s'agit sans aucun doute de Casimir Périer (1777-1832). Issu d'une famille de grands bourgeois libéraux, imbus de l'esprit de 1789, d'ailleurs foncièrement autoritaires en même tant que libéraux, Casimir Périer, député libéral sous la Restauration devint le chef du parti de la « résistance » après 1830. Il réprima les émeutes par la manière forte et fut un Premier ministre à l'anglaise dans toute la vigueur du terme. Il

mourut du choléra en 1832. Chateaubriand l'avait sans doute mieux jugé que sa femme, quand, à plusieurs reprises, il avait conseillé à Charles X de confier à Casimir Périer un portefeuille, notamment après la première dissolution de la Chambre en 1830.

332. On serait tenté de prolonger la pensée de Mme de Chateaubriand par celle de son mari : « Il y a deux moyens de produire des révolutions : c'est de trop abonder dans le sens d'une institution nouvelle, ou de trop résister. En cédant à l'impulsion populaire, on arrive à l'anarchie, aux crimes qui en sont la suite, au despotisme qui en est le châtiment. En voulant trop se raidir contre l'esprit du siècle, on peut également tout briser, marcher par une autre voie à la confusion, et puis à la tyrannie [...] » (*Le Conservateur*, 30 mars 1820.)

333. Ce paragraphe est écrit sur une feuille libre, au revers de laquelle on lit : « Notes Vaublanc et Pastoret. »

334. Vaublanc (Vincent-Marie Vienot, comte de) (1756-1845), élu à la Législative en 1791 par la Seine-et-Marne, il se range parmi les modérés et, après le 10 août, doit se cacher. Il se trouve au nombre des organisateurs du 13 vendémiaire : condamné à mort par contumace, le département de la Seine-et-Marne le choisit néanmoins pour siéger aux Cinq-Cents. Sa condamnation déclarée nulle, il prend place au milieu des clichyens. Le 18 fructidor l'oblige à fuir en Suisse puis en Italie. Rentré après le 18 brumaire il finit par adhérer à l'Empire, alors que le consulat à vie l'a laissé sceptique. Il accepte donc la préfecture de la Moselle qu'il administre avec compétence pendant dix années; il s'impose comme un préfet attentif et disponible, n'hésitant pas à parcourir son département à cheval, conscient de l'importance de l'observation sur le terrain.

En avril 1814, il se rallie aux Bourbons, conserve son poste et suit, aux Cent-Jours, Louis XVIII à Gand. Revenu à son royalisme des premières années de la Révolution, il ne faillira plus à sa fidélité. Plus proche de Monsieur que du roi, il représente les ultras au sein du premier gouvernement Richelieu; mais, lorsque le président du Conseil veut « recentrer » son gouvernement, il se sépare de ce ministre de l'Intérieur trop enclin à favoriser les ultraroyalistes les plus fervents — il tentera en vain de réunir chez lui les « impatients » (La Bourdonnaye, Delalot, Donnadieu, Castelbajac...). Ministre de l'Intérieur du 26 septembre 1815 au 7 mai 1816, il reste ministre d'État, devient même député du Calvados de 1820 à 1824. Selon le R. P. de Bertier, il peut fort bien avoir été Chevalier de la Foi après 1816.

335. Dudon (1778-1857), intendant général de l'armée d'Espagne (1809) fut chargé en 1814 de faire rentrer le trésor, l'argent, et les bijoux de Marie-Louise. Conseiller d'État, député de l'Ain, (1820-1827), son opposition violente aux libéraux l'avait fait surnommer le « Cosaque du Don ». Exclu du Conseil par Martignac, réélu député en 1830 il se retira sous la monarchie de Juillet.

L'épithète dont Mme de Chateaubriand affuble son nom vise la manière dont il aurait rempli ses fonctions de membre de la commission chargée d'allouer et de vérifier les sommes payées aux Alliés en 1815, ce qui lui valut d'être remplacé par Édouard Mounier en 1817 sur l'ordre de Richelieu. La presse libérale continua de se déchaîner contre lui après 1830. On pouvait lire dans le *Figaro* du 13 juin : « Qu'ils sont heureux les pigeons, disait M. Dudon, on ne les voit pas voler. »

336. Pierre Riberette résume ainsi les événements : « Lors du Conseil des ministres du 25 décembre présidé par Louis XVIII, Villèle et Montmorency exposèrent chacun leur point de vue sur les affaires d'Espagne, en jetant dans la balance leur démission. Quoique la plupart des ministres se fussent rangés à l'avis de Montmorency, lequel jugeait son honneur engagé à la ratification de l'accord conclu

à Vérone par la France avec ses autres partenaires, le roi finit par donner raison à Villèle. Le soir même, Mathieu de Montmorency remettait sa démission. Chateaubriand de son côté était sur le point de partir pour Londres lorsqu'il reçut le billet de Villèle lui offrant le portefeuille de ministre des Affaires étrangères. » (*Cf. Correspondance générale*, t. V, p. 559.) Dans sa réponse, Chateaubriand, tout en déclinant l'offre de Villèle, y énumérait tous les arguments qui rendaient sa nomination souhaitable. Dans le même temps, Mme de Duras poussait la candidature de Chateaubriand auprès de Villèle : « J'ai blâmé le donquichottisme de M. de Chateaubriand, pour M. de Montmorency, écrivait-elle. Non pas que je désire de voir M. de Chat[eaubriand] devenir ministre... mais je crois que dans la circonstance actuelle [il] vous serait utile et voilà ce que je ne lui pardonnerais pas de refuser [...] » Elle ajoutait même, jouant au fin politique : « Il est placé de manière à désorganiser un parti qui, croyez-moi, est bien plus votre ennemi que les libéraux. » (*Ibid.*, p. 560.)

337. Joseph comte de Villèle (1773-1859), maire de Toulouse (1815), député, leader parlementaire des ultraroyalistes, ministre sans portefeuille (1820), collabora au *Conservateur*. Ministre des Finances, président du Conseil (1821-1828). « Avec l'étoffe d'un grand commis, il ne devait être qu'un petit homme d'État. » (Bertier de Sauvigny, *Histoire de la Restauration*, p. 180.) Cet administrateur habile, voire cauteleux, sera « débordé par l'ultracisme » et conduit à prendre des mesures maladroites, brutales dans le procédé, souvent inutiles et toujours exaspérantes pour l'opinion : rétablissement de la censure, renvoi de Chateaubriand, loi sur le sacrilège, dissolution de la garde nationale, *etc.* Lorsqu'il quitta le pouvoir, la majorité royaliste était défaite et profondément divisée. Chateaubriand trace de lui ce portrait : « [...] j'étais persuadé que M. le comte de Villèle ne comprenait pas la société qu'il conduisait [...] Sous la Restauration, toutes les facultés de l'âme étaient vivantes [...] On sentait sous ses pieds remuer dans la terre des armées ou des révolutions qui venaient s'offrir pour des destinées extraordinaires. [...] M. de Villèle voulait retenir cette nation sur le sol, l'attacher en bas, mais il n'en eut jamais la force. Je voulais, moi, occuper les Français à la gloire, les attacher en haut, essayer de les mener à la réalité par des songes : c'est ce qu'ils aiment ». (*M.O.T.*, livre XXVIII, chap. 17, p. 150).

338. Dans les *Mémoires d'Outre-Tombe*, Chateaubriand se défend d'avoir voulu le départ de Montmorency et publie pour preuve la lettre qu'il adressa à Villèle, au lendemain de la démission du ministre : « [...] il ne serait bon ni pour vous ni pour moi que j'acceptasse dans ce moment le portefeuille des Affaires étrangères... je n'ai pas toujours eu à me louer de M. de Montmorency, mais il passe pour mon ami; il y aurait quelque chose de déloyal à moi à prendre sa place, surtout après tous les bruits qui ont couru : on n'a cessé de dire que je voulais le renverser, que je cabalais contre lui etc., s'il était resté dans un coin du ministère, ou que le roi lui donnât une immense retraite, comme la place de *grand Veneur*, les choses changeraient de face ».

Là-dessus il faisait valoir tout le prix de son accession : fort de son influence, il ferait patienter ses amis du *Royalisme ardent*, hostiles au « système » politique du président du Conseil, jugé par eux trop pacifiste et timoré. En vérité, Chateaubriand souhaitait passionnément ce poste, et depuis longtemps; il avait été fort désappointé de ne pas entrer dans le ministère, dès 1821, après la démission de Richelieu.

Ce refus équivoque céda devant l'insistance du roi lui-même : « " Acceptez, je vous l'ordonne. " " J'obéis, mais avec un véritable regret... » (*M.O.T.*, 3e partie, 2e ép., livre V, chap. 1, Éd. Levaillant.) « J'ai obéi comme un homme qu'on conduit à la potence », ose-t-il écrire à Mme de Duras. Mais peut-être ambitionnait-il la place de Villèle lui-même?

« Le juge impartial », reconnaît Villemain, sera « choqué de cette dissimulation et de ces détours... nulle forme de gouvernement ne rend l'ambition irréprochable, mais du moins, ajoute-t-il, le plus habile arrivait au pouvoir; et par là, l'intérêt de la France était servi ». (Villemain, *M. de Chateaubriand*, Paris, 1858.)

339. Jules, prince de Polignac (1780-1847), fils de Yolande de Polastron, princesse de Polignac, amie intime de Marie-Antoinette et gouvernante des Enfants de France. Il s'attacha à la personne du comte d'Artois pendant l'émigration. Rentré en France en 1804 il trempa avec son frère Armand dans la conspiration de Cadoudal. Emprisonné de 1804 à 1813, il s'évada et rejoignit le comte d'Artois. Député (1815), pair de France (1816), ambassadeur à Londres (1823), il forma en août 1829 le ministère qui, en juillet 1830, promulgua les ordonnances. La Cour des pairs, devant laquelle il est traduit, le condamna à la prison perpétuelle. Il fut enfermé à Ham d'où le fit sortir l'amnistie de 1836.

C'est avec « une incrédulité complète » que Chateaubriand accueillera sa nomination en 1829. « Son esprit borné, fixe et ardent, son nom fatal et impopulaire, son entêtement, ses opinions religieuses exaltées jusqu'au fanatisme, me paraissaient des causes d'une éternelle exclusion. » (*M.O.T.*, livre XXXII, chap. 1, p. 372.)

340. Villèle semble avoir cédé aux pressions conjuguées de Mme de Duras et de Mme Récamier. Quant à Adrien de Laval, Montmorency voulait le nommer non à Londres mais à Naples, alors que ses collègues mettaient en avant le nom de M. de Serre.

341. Chateaubriand avait envoyé à Paris son secrétaire Hyacinthe Pilorge, à la fois pour annoncer la mort de lord Londonderry, ministre anglais des Affaires étrangères et pour pressentir les ministres sur son envoi comme ministre plénipotentiaire au futur congrès de Vérone. Le secrétaire devait revenir ne « rapportant que des refus déguisés sous des termes obscurs ». Impatient, il mandait à Mme de Duras : « Dites-lui [Villèle] que je suis en ce moment de toute inutilité ici, et que je serais capital au congrès. Il n'y a que moi en France qui connaisse la politique anglaise et ses rapports avec celle de l'Autriche. » (20 août 1822.) Montmorency avait cédé de mauvaise grâce. Si Chateaubriand était nommé, Mathieu lui-même, seul et sans attendre, était parti en avant le 29 août, pour Vienne, négocier directement avec Metternich.

A Vérone la compétition pour le *leadership* entre Montmorency et Chateaubriand reprit de plus belle, bien que dissimulée.

342. « Rue de l'Université, n° 18 » (note de l'auteur). Mme de Chateaubriand s'y installa vers le milieu de juillet. Elle en parle avec gentillesse et bonne humeur dans une lettre à Mme Joubert, le 28 du même mois : « [...] Où avez-vous pris que mon nouveau logement ne vaut pas l'ancien? Il est charmant, et surtout propre, car, depuis quinze jours que j'y suis, je n'ai pas souffert que mon maître jacques et mon page bossu fussent un moment sans le balai à la main. [...] le cabinet du Chat est magnifique, et pour la première fois de sa vie, Son Excellence aura une chambre, à la vérité la plus petite du monde, mais où il aura un lit de six pieds (ce qui ne lui était pas arrivé depuis longtemps), une table, et une chaise à lui. Pour moi je me trouve logée à ravir, dans une petite chambre, avec mon petit cabinet, là où on ne peut entrer, mais il y a une belle cheminée en marbre [...] » (lettre publiée dans la *Revue universelle* du 1er octobre 1921).

343. Étienne Tesseyre de Boisbertrand (1780-1858); député de 1824 à 1831 il soutint Villèle et Polignac. Il prêta serment à Louis-Philippe mais se retira de la vie politique. Chateaubriand l'avait protégé en 1821 lorsqu'il se plaignait d'avoir été destitué de l'École polytechnique.

344. Se place ici l'anecdote racontée par le chevalier de Cussy. Collaborateur de Chateaubriand à Berlin, Cussy est familièrement introduit par Pilorge dans l'hôtel du ministre, pour lors à sa toilette. Celui-ci, « absolument nu », oubliant l'état où il était, lui tend les bras « comme s'il retrouvait un frère ou un fils ». Convié à dîner, il arrive le premier : l'accueil de Mme de Chateaubriand est d'une tout autre nature.

Ne l'ayant jamais vu, elle le reçut « avec cet air glacial qui fait rentrer à cent pieds sous terre [...] Elle était seule dans son boudoir avec un ecclésiastique. Elle me fit signe de m'asseoir, sans m'adresser la parole. Du coup, malgré mon habitude du monde je *rentrai dans ma coquille*... A six heures trois quarts, M. de Chateaubriand n'étant point rentré [...] on passa à table. Je me plaçais donc, modestement, à un bout de table, baissant les yeux comme un séminariste, chacun des convives s'étant installé sur les sièges désignés par la maîtresse de maison. On était au milieu de repas, et personne ne m'avait adressé la parole, quand M. de Chateaubriand arriva enfin. Après avoir salué circulairement les convives, le maître de la maison s'installe en face de sa femme et, tout en avalant son potage, il promène les yeux autour de lui, me voit, et me dit alors : " Eh! quoi, mon cher Cussy, vous si loin de moi. " Je quittai ma place pour en prendre une vide à côté de M. de Chateaubriand, et je vis alors s'opérer un changement sur le visage et dans les manières de la maîtresse de maison, qui attendit, cependant, qu'on fût au salon, pour me parler ». (Chevalier de Cussy, *Souvenirs.*, t. I, pp. 313-316.)

345. Comte de Rougé (1782-1835), député de la Somme (1815 et 1824-1827), pair de France (1827); « villèliste » à tous crins. Sa femme avait fait de son salon l'un des pôles mondains de la Congrégation.

346. Comte de Corbière (1767-1853); ami de Villèle, il « ne le quittait pas, et l'on disait Villèle et Corbière comme on dit Oreste et Pylade », remarque ironiquement Chateaubriand. On les appelait par plaisanterie les « deux magots » de la cheminée gouvernementale.

Élu aux Cinq-Cents sous le Directoire, député ultra de 1815 à 1828, il fut ministre de l'Instruction publique puis de l'Intérieur (1821). Pair de France, il se retira après 1830.

Rien n'indique dans la biographie de Corbière qu'il se soit jamais coiffé du « bonnet rouge »; député de l'Ille-et-Vilaine en l'an V, il eut cependant affaire avec la Révolution de diverses manières : ainsi, chargé de débrouiller la succession du constituant Le Chapelier, il épousa sa veuve, Marie-Esther de la Marre — qui passait pour la plus belle femme de Rennes, et un très beau parti — en l'an VIII. Peut-être faut-il entendre les propos de Mme de Chateaubriand dans un sens métaphorique, voulant simplement signifier que Corbière n'était pas sans tache; peut-être était-elle d'ailleurs bien placée pour le savoir, la famille de son époux ayant eu à supporter à Rennes même, les tourments de la Révolution.

347. « Voir le pauvre Agier par bavardage et par intérêt; Sosthène de La Rochefoucauld par platitude, jalousie et méchanceté; un certain Dufougerais, député, Castelbajac, Talaru, Mathieu de Montmorency. » (Note de l'auteur.)

348. Pierre-Denis de Peyronnet (1778-1854), ministre de la Justice de 1821 à 1828, il soutint plusieurs projets de lois antilibéraux dont la fameuse loi dite ironiquement loi de justice et d'amour (1826). Chateaubriand l'avait combattue dans un article du *Journal des débats*, la qualifiant de « loi vandale ». Villèle retira le projet et Paris illumina. Peyronnet remplaça Montbel à l'Intérieur en 1830 et signa à ce titre les ordonnances de Juillet.

349. Marquis de Lauriston (1768-1848), petit-fils de Law, aide de camp de Napoléon, ambassadeur à Saint-Pétersbourg (1811), pair de France (1815), ministre de la Maison du Roi (1820), collègue de Chateaubriand dans le cabinet Villèle. Il était le seul survivant du cabinet Richelieu : « Il dut cette faveur, écrit Mme de Boigne, à la mansuétude avec laquelle il payait les sommes énormes que la faiblesse du Roi répandait sur ses royales amours. » (*Mémoires*, t. III, p. 110.)

350. Digeon (1771-1826), général de division, pair de France, ministre de la Guerre par intérim pendant le séjour du maréchal Victor dans le Midi (1823), il commanda en chef le corps d'occupation en Espagne (1824).

351. En désaccord avec le duc d'Angoulême, généralissime du corps expéditionnaire, à propos des approvisionnements de l'armée (« marchés Ouvrard »); ce différend, monté en épingle par les libéraux, provoqua la démission du ministre, au grand dam des ultras qui avaient apprécié sa conduite pendant les Cent-Jours et admiré la belle discipline de l'armée lors de la campagne d'Espagne.
Chateaubriand perdait un allié et gagnait un ennemi : le baron de Damas.

352. Ambitionnant de rendre à la France le rang qu'elle avait perdu après les défaites de l'Empire, Chateaubriand esquissa à Vérone une politique de rapprochement avec la Russie, nouant des liens personnels avec le tsar Alexandre Ier. Dans *le Congrès de Vérone — Guerre d'Espagne — Négociations à colonies espagnoles*, (Paris, Delloye, 1838) il écrit « [...] Nous ne nous fûmes pas plutôt vus face à face un quart d'heure, que nous nous plûmes. Nous nous associons trop familièrement à ce puissant de la terre, mais c'est une sorte de familiarité d'âme. » Dans une dépêche à La Ferronnays il se disait persuadé que : « La Russie doit désirer une France forte qui serve de boulevard naturel à l'Europe contre la puissance anglaise. » Le 11 décembre il mandait à Talaru : « Notre vraie politique est la politique russe par laquelle nous contrebalançons deux ennemis décidés : l'Angleterre et l'Autriche. »

353. Chateaubriand disait à Cussy en février 1821 : « M. de Polignac sera un jour, vous le verrez, le canal de toutes les faveurs et de tout pouvoir en France. Ce sera un grand malheur. C'est un esprit étroit et il ne connaît pas les Français. »

354. Les raisons du renvoi sont multiples. Villèle jalousait Chateaubriand, ministre indépendant, sûr de lui plus que jamais, après le succès de la « guerre d'Espagne » et Louis XVIII ne le prisait guère depuis l'épisode Decazes. Le prétexte de la rupture fut la position prise par Chateaubriand lors de la discussion du projet de conversion des rentes présenté par Villèle. Chateaubriand aurait pu le sauver à la Chambre des pairs, il s'en abstint, y étant personnellement contraire; le projet fut repoussé. « Villèle, écrit le R. P. de Bertier de Sauvigny, en conçut un violent dépit, et plus encore le roi qui entra dans un accès de fureur sénile : " Chateaubriand nous a trahi comme un gueux! Je ne veux plus le voir! " Sur-le-champ fut rédigée et signée l'ordonnance qui le destituait. » Chateaubriand, qui n'en savait encore rien, se rendit aux Tuileries le dimanche 6 juin au matin, pour faire sa cour, et c'est là que son secrétaire lui apporta le document avec une lettre de Villèle, « telle qu'on rougirait d'en adresser une semblable au valet coupable qu'on jetterait sur le pavé », dira l'écrivain dans ses *Mémoires*. Cette destitution s'avérera funeste : lui seul pouvait rallier les jeunes générations travaillées par le romantisme à la vieille monarchie des Bourbons. Quant à la politique étrangère de grand style qu'il avait inaugurée, elle retomba avec Villèle dans la nullité.

355. Garnier-Dufourgerais (1768-1843), commerçant à Saint-Malo, emprisonné en 1812 pour ses opinions royalistes; député d'Ille-et-Vilaine de 1815 à 1828. C'était l'une des créatures de Corbière.

356. Chateaubriand quitta très vite le ministère — l'hôtel Wagram —, « [...] Nous remontâmes dans notre voiture avec Hyacinthe [Pilorge]; nous étions fort gais, quoique au fond mortellement blessés du ton de la lettre et de la manière dont nous étions chassés. Deux heures après, notre déménagement était fini, nous étant toujours regardé en hôtel garni à l'hôtel des Affaires étrangères. » (*Congrès de Vérone*, chap. 21.) Dans les *Mémoires d'Outre-Tombe*, il précise que ce soir-là il avait un

« immense dîner prié ». Chateaubriand dut « replier dans [sa] petite cuisine à deux maîtres, trois grands services préparés pour quarante personnes. Montmirel et ses aides se mirent à l'ouvrage et, nichant casseroles, lèchefrites et bassines dans tous les coins, il mit son chef-d'œuvre réchauffé à l'abri ». (*M.O.T.*, livre XXVIII, chap. 1, p. 105.) A la place des ministres et des ambassadeurs il en sera quitte pour régaler sa femme et Le Moine, son vieil homme d'affaires et de confiance.

357. Énumération quelque peu injuste. Si Villèle et Corbière étaient devenus des adversaires dont Chateaubriand se jurait la perte, il est abusif de mettre sur le même plan Montmorency et Pasquier qui demeurèrent des amis loyaux et même secourables, dans certaines occasions. Polignac tentera, mais en vain, en 1829 de faire revenir Chateaubriand sur sa démission d'ambassadeur à Rome.

En revanche, Damas, d'obligé (Chateaubriand avait poussé la candidature de Damas en remplacement du maréchal Victor) s'était mué en ennemi de l'auteur, au point d'étonner Villèle lui-même : « Je dus convoquer mes collègues à une réunion du Conseil aussitôt après la messe des Tuileries et la réception chez le Roi. Grande fut notre surprise quand le baron de Damas, en entrant, commença à se féliciter hautement de ce qui venait d'avoir lieu déclarant que si le Roi n'avait pris ce parti, il avait pour sa part formé la résolution de signifier à M. de Chateaubriand, à la première réunion du Conseil, qu'il fallait que l'un ou l'autre en sortît, car il était bien décidé à ne pas siéger avec lui; aucun de nous ne songea à lui demander ses motifs. » (Villèle, *Mémoires et correspondance*, t. V, Paris, Librairie académique Perrin, 1904, p. 40.)

358. Sur proposition du maréchal Oudinot, commandant de garde municipale de Paris, Charles X avait décidé de passer en revue la milice de la capitale. Le 29 avril 1827, le roi se rendit au Champ-de-Mars pour recevoir les hommages de la Garde, chose qu'il n'avait pas faite depuis son avènement. Aux acclamations de « Vive le roi », se mêlèrent dans les rangs de quelques légions ceux de « Vive la Charte », « A bas les ministres », « Vive la liberté de la presse ». Les duchesses d'Angoulême et de Berry, dont les calèches se trouvaient devant l'École militaire furent conspuées par des « A bas les jésuitesses ». Enfin, une légion de la garde rentrant de la revue passa devant le ministère des Finances et hua vigoureusement Villèle. Le ministre exigea aussitôt, et obtint le soir même, la dissolution de toute la garde municipale de Paris. « Certes, remarque le R. P. de Bertier, on ne pouvait laisser passer sans réplique cette insolente manifestation, mais il était maladroit de frapper l'ensemble du corps pour punir quelques coupables — pas plus de 5 %. C'était signifier à la bourgeoisie parisienne qu'on la rangeait au nombre des ennemis du régime. » (*Cf. Histoire de la Restauration*, p. 392.)

359. Charles X lui-même avait une piètre idée de Linguay, attaché à la rédaction du *Moniteur* et du *Journal de Paris*. « C'est, disait-il à Villèle, un vrai drôle qui n'écrit pour mon gouvernement que pour ne pas perdre l'argent qu'on lui donne ! » (Comte de Villèle, *op. cit.*, t. V, p. 242.)

360. Louis Bénaben, professeur de rhétorique à Orléans, attaché à l'École normale, rédacteur à *la Minerve*, journal libéral, puis au *Journal de Paris*, enfin à *la Gazette de France*, où il défendait la politique de Villèle.

361. Vers la fin de 1823, à l'insu de Villèle, Sosthène de La Rochefoucauld se mit en tête d'acheter toute la presse pour supprimer l'opposition au gouvernement et diriger à son gré l'opinion. Pour ce faire, il avait fondé une caisse d'amortissement des journaux. Louis XVIII, affaibli par la maladie et tombé sous l'influence de Mme du Cayla, se laissa entraîner dans cette entreprise répréhensible en finançant la caisse sur les fonds de la liste civile. (Deux millions de francs.) *La Gazette de France*, *le*

Drapeau blanc, *la Foudre*, etc., furent rachetés, mais la combinaison échoua devant la résistance de Michaud, directeur de *la Quotidienne*, ce qui donna lieu à un procès retentissant. L'opération, vite éventée, ne fit que renforcer les journaux riches et indépendants, *le Constitutionnel* et le *Journal des débats*.

362. Ce fut une des grandes fiertés de Chateaubriand que d'avoir pu mener et réussir sa « guerre d'Espagne » sans recourir à la censure : « La presse [...] c'est l'électricité sociale. Il faut apprendre à s'en servir... Vous l'avez pris, Alger, malgré la liberté de la presse, de même que j'ai fait la guerre d'Espagne sous le feu le plus ardent de cette liberté. » (*M.O.T.*, livre XXXII, chap. 8, p. 393.)

363. Qu'on se souvienne que Chateaubriand avait mis en exergue du *Conservateur*, fondé en 1818 : « Le Roi, la Charte et les honnêtes gens. »

364. A propos des ordonnances de 1830, Chateaubriand remarque : « Charles X détestait intérieurement la Charte, et rien n'était plus naturel; toutefois il l'avait jurée, à son sacre, sans qu'on eût trouvé un moyen quelconque de détruire ses scrupules. La confidence particulière que le cardinal Latil demandait à faire au conclave, pour laquelle il fut renvoyé devant le grand pénitencier, était-elle relative à cet objet? Charles X, par la bouche de son ancien confesseur, s'accusa-t-il d'avoir prêté serment à une Charte qui reconnaissait la liberté des cultes, et fut-il relevé de ce serment? » (*M.O.T.*, 3e partie, 2e époque, livre V, chap. 10, éd. du Centenaire, M. Levaillant, 1948.)

365. Charles Delavaud (1788-1874), magistrat, il succéda au comte d'Anglès comme préfet de police (1820-1828). Un des membres les plus actifs de la Congrégation dont il devint préfet en 1816-1817.

CHAPITRE 2

366. Comte François-Régis de La Bourdonnaye, homme politique français (1767-1839) : issu de la petite noblesse d'Anjou, royaliste ardent, il émigra en 1791, servit dans l'armée des princes, puis, revenu en France, combattit avec les Vendéens. Député en 1815, il siégea à l'extrême droite. La violence de ses propos le fit surnommer « l'Ajax du côté droit », le « Jacobin blanc ». En 1816, lors de la discussion sur la loi d'amnistie, ses diatribes à la Saint-Just étonnèrent jusqu'à ses amis : « Il faut, disait-il, des fers, des bourreaux, des supplices. La mort, la mort seule peut effrayer leurs complices et mettre fin à leurs complots. » Ministre dans le cabinet Polignac, il démissionna peu après : « Un roseau peint en fer », dit de lui Vaulabelle. Opposé à tous les gouvernements de la Restauration jugés trop modérés, il devint, à son corps défendant, un fougueux et vigilant défenseur de la prérogative parlementaire et de la liberté de la presse... et donc un paradoxal mais presque constant allié de Chateaubriand : « Le comte de La Bourdonnaye, jadis mon ami, est bien le plus mauvais coucheur qui fut oncques : il vous lâche des ruades, sitôt que vous approchez de lui; il attaque les orateurs à la Chambre, comme ses voisins à la campagne; il chicane sur une parole, comme il fait un procès pour un fossé. Le matin même du jour où je fus nommé ministre des Affaires étrangères, il vint me déclarer qu'il rompait avec moi : j'étais ministre. Je ris et je laissai aller ma mégère masculine, qui, riant elle-même, avait l'air d'une chauve-souris contrariée. » (*M.O.T.*, livre XXII, chap. 6.)

367. Marquis de La Tour du Pin Gouvernet (1758-1837), aide de camp de La Fayette en Amérique, préfet d'Empire, rallié aux Bourbons, il représenta la France à La Haye puis à Turin où il eut quelque mal à déjouer les intrigues *carbonari*.

368. L'auteur fait allusion au péril anarchique dont Martignac avait parlé à la Chambre des députés lors de la discussion du budget de 1830, et à l'émotion suscitée en France par l'extradition du napolitain Galotti, accusé de complot politique et que le roi des Deux-Siciles réclamait comme criminel de droit commun pour se le faire livrer sans difficulté. L'explication avancée par Mme de Chateaubriand est discutable car trop commune. De fait, la menace carbonariste existait à l'état endémique en Italie et le péril révolutionnaire européen était brandi régulièrement à la tribune comme dans la presse.

369. La Sainte-Alliance des rois à laquelle le chansonnier républicain Béranger opposait plaisamment la Sainte-Alliance des peuples.

370. En 1828, Villèle, malgré sa défaite, avait conservé la confiance du roi; il quittait le ministère ainsi que Corbière et Peyronnet, mais ses amis, tous dévoués à leur ancien chef, garderaient le pouvoir : Saint-Cricq, le général De Caux et Martignac lui-même sortaient des seconds rangs de l'ancienne administration. Le roi prétendait continuer Villèle sans Villèle. Le nouveau cabinet se rendant compte très vite qu'il ne disposait d'aucune assise parlementaire, se résolut de mauvaise grâce et après de nombreuses tergiversations, à faire une ouverture à Chateaubriand. A deux reprises, et en dépit des démissions de Chabrol et de Frayssinoux, anciens ministres de Villèle, Chateaubriand refusa. Entrant seul à un poste secondaire, la Marine ou les Affaires ecclésiastiques, « dans un système d'hommes et de principes qui n'était pas le [sien] », il risquait de se compromettre et de perdre son prestige inutilement. Toutefois, deux représentants de la contre-opposition royaliste, Mgr Feutrier et Hyde de Neuville, entrèrent au gouvernement. La Ferronnays, ami et compatriote de Chateaubriand obtint les Affaires étrangères. Chateaubriand, un peu déçu, car sous les faux airs du renoncement il avait bien espéré succéder à Villèle, promit de ne pas faire au nouveau ministère une guerre systématique.

371. Martignac (1778-1832), secrétaire de Siéyès lorsque celui-ci était ambassadeur à Berlin, avocat, il dut sa fortune politique à la protection de la duchesse d'Angoulême; directeur de l'enregistrement, député en 1821, il soutint Villèle. Ministre de l'Intérieur en 1828, ses dons d'orateur en firent le porte-parole d'un cabinet où il fit bientôt figure de président du Conseil bien qu'il n'en eût pas le titre. « M. de Martignac d'un talent de parole agréable avait, écrit Chateaubriand, une voix douce et épuisée comme celle d'un homme à qui les femmes ont donné quelque chose de leur séduction et de leur faiblesse. » (*M.O.T.*, livre XXXII, chap. 1, p. 373.)

372. Roy (1764-1858), grand bourgeois enrichi par la Révolution, anobli par la Restauration, il fut ministre des Finances (1819-1821), pair de France; il combattit la conversion des rentes proposée par Villèle, et revint au pouvoir en 1828.

373. Joseph-Marie Portalis (1778-1858), fils du ministre des Cultes de Napoléon, il fut garde des Sceaux en 1828 puis ministre des Affaires étrangères en remplacement de La Ferronnays malade. Chateaubriand, ambassadeur à Rome méprisait son ministre qui « portait la cupidité sur son visage ».

374. Pour se concilier la bienveillance de la gauche le gouvernement fit prendre le 16 juin 1828, deux ordonnances. L'une, contresignée par Portalis, enlevait aux Jésuites la direction de huit séminaires et exigeait que tous les professeurs enseignant dans les établissements dépendant de l'Université, certifiassent par écrit qu'ils n'appartenaient à aucune congrégation non autorisée. Ainsi qu'on l'a vu (*cf. supra*, note 105), Mme de Chateaubriand reprochait aux Jésuites, théoriquement expulsés de France depuis Louis XV, de créer en marge de l'Université, et avec l'appui des

évêques, des petits séminaires qui étaient en fait de véritables collèges secondaires accueillant les enfants de la haute société (Saint-Acheul, près d'Amiens, par exemple).

L'autre ordonnance, contresignée par Feutrier, réglementait les petits séminaires et fixait le nombre des élèves à vingt mille. Les libéraux – dénomination forgée par Chateaubriand pour qualifier les opposants de gauche – exultèrent. *Les Débats* firent chorus. Curieusement, et à contre-courant, Mme de Chateaubriand se fait le défenseur inattendu des petits séminaires : son hostilité au cabinet Martignac l'emporte sur son anti-jésuitisme. On s'y perd quelque peu.

375. « MM. Chifflet, de Corbières, Duplessis de Grénédan avaient porté le bonnet rouge; les bonapartistes étaient du nombre. » (Note de l'auteur.)

376. « M. de Polignac me jurait qu'il aimait la Charte autant que moi; mais il l'aimait à sa manière, il l'aimait de trop près. Malheureusement, la tendresse que l'on montre à une fille que l'on a déshonorée lui sert peu. » (*M.O.T.*, livre XXXII, chap. 3, p. 382.)

377. Opinion contre laquelle son mari s'inscrit en faux : « Est-ce aux royalistes qu'il faut s'en prendre de la Restauration comme on l'avance aujourd'hui? Pas le moins du monde : ne dirait-on pas que trente millions d'hommes étaient consternés tandis qu'une poignée de légitimistes accomplissaient, contre la volonté de tous, une restauration détestée [...] L'immense majorité des Français était, il est vrai, dans la joie [...] cette majorité était une foule prise dans toutes les nuances des opinions, heureuse d'être délivrée, et violemment animée contre l'homme qu'elle accusait de tous les malheurs. » (*M.O.T.*, livre XXII, chap. 27, p. 901.)

378. Entre deux accès de fureur, un retour inattendu à la sagesse de Montesquieu!

379. C'est toute la philosophie de la brochure de Chateaubriand *De la monarchie selon la Charte* : le maintien d'une dynastie aussi vieille que la France, l'adoption franche et sans détours du régime représentatif, un usage long et ininterrompu des libertés et notamment de la liberté de la presse, la première de toutes, tous ces éléments auraient permis, s'ils avaient été savamment liés par une intelligence supérieure – comment ne pas songer à Chateaubriand lui-même – d'épargner à la France commotions et tyrannie.

380. Comte de La Ferronnays (1777-1842). Ce compatriote originaire de Saint-Malo n'a cessé d'entremêler ses destinées politiques à celles de Chateaubriand : ambassadeur en Russie quand Chateaubriand était ministre, ayant en charge à son tour les Affaires étrangères alors que notre auteur représentait la France auprès du Saint-Siège. A l'avènement de Polignac il remplaça Chateaubriand à Rome, d'où le courroux de Mme de Chateaubriand. Il refusa de servir Louis-Philippe. C'est à lui que Chateaubriand adressa son lumineux *Mémoire sur l'Orient*.

381. Mgr Feutrier (1783-1830), secrétaire du cardinal Fesch, évêque de Beauvais (1826), ministre des Affaires ecclésiastiques, signa l'ordonnance du 16 juin bien qu'il appartînt à la Congrégation, mais refusa de signer celle contre les Jésuites, pour laquelle il fut remplacé par Portalis.

382. Le journal, inspiré par Villèle, attaquait sans relâche Chateaubriand, l'accusant d'hérésie, montrant en lui « l'homme fatidique... l'homme de toutes les oppositions, des coalitions [...] et des palinodies [...] qui répand son fiel sur la royauté malheureuse. Il prétendait que son orgueil a causé « l'isolement complet du personnage et l'abandon où il a été, des hommes de toutes les opinions ». (*Gazette de France*, 24 et 25 mars 1829.)

Par ailleurs, la *Gazette*, dans son numéro du 30 septembre 1829 annonçait que les rédacteurs du *Constitutionnel*, du *Courrier français* et du *Journal des débats* complotaient ensemble une révolution : « C'est un coup monté par des charlatans ambitieux pour se donner un prestige, une consistance qui en impose à l'opinion [ceci visait Chateaubriand]. Qu'arriverait-il s'il était possible que la *Gazette* et la *Quotidienne* suivent l'exemple de l'infâme *Journal des débats*? » Bertin répondit le 2 octobre affirmant sur l'honneur la fausseté de cette allégation. « J'ajoute », écrivait-il à Martainville, directeur de la *Gazette*, « que vous le savez bien. Il n'y a d'infâme dans tout ceci que votre infâme mensonge ».

383. Blacas et La Ferronnays avaient épousé les deux filles de Mme de Montsoreau.

384. « Accablé d'éloges » par les journaux d'opposition, et traîné dans la boue par les feuilles ministérielles, après sa démission de l'ambassade de Rome, Chateaubriand observe l'inaction du ministère Polignac alors que l'opposition s'organise. Le 2 mars, lors de l'ouverture de la session de 1830, il se trouve une majorité de députés — les 221 — pour affirmer au roi, en réponse au discours du trône, que « le concours n'existe pas ». La Chambre est alors dissoute.

385. Phrase à laquelle répond superbement celle de Chateaubriand : « [Napoléon] est grand pour avoir créé un gouvernement puissant et régulier [...] pour avoir fait renaître en France l'ordre du sein du chaos, pour avoir relevé les autels, pour avoir réduit de furieux démagogues, d'orgueilleux savants, des littérateurs anarchiques, des athées voltairiens, des orateurs de carrefours, des égorgeurs de prisons et de rues, des claque-dents de tribune, de clubs et d'échafauds, pour les avoir réduits à servir sous lui. » (*M.O.T.*, livre XXIV, chap. 8, p. 1009.)

386. Après sa défection que La Bourdonnaye voulut couvrir en claironnant : « Quand je joue ma tête, j'aime à tenir les cartes », Chabrol et Courvoisier, rescapés du centre-gauche, s'étaient retirés. Du projet initial et quelque peu chimérique qui consistait à coaliser toutes les tendances de la droite (de l'amiral de Rigny, le vainqueur de Navarin et futur ministre de Louis-Philippe, jusqu'à La Bourdonnaye en passant par Chateaubriand), le gouvernement Polignac, raréfié tant par les refus qu'il avait essuyés que par hémorragie interne, ne rassemblait plus que des comparses obscurs et inexpérimentés, rehaussé de gloires contestables, telle celle de Bourmont.

387. Le comte de Montbel, ministre de Polignac, écrivait à son ancien patron Villèle, dans une lettre de novembre 1829 : « Le prince me disait hier : " Si Villèle veut la présidence, je la lui laisserai volontiers. " Tout le monde sent le besoin de votre action et on commence à la réclamer hautement là où on s'était montré le plus ennemi. Le roi souhaite vivement que vous ne retardiez pas votre arrivée. » (Villèle, *op. cit.,* t. V, p. 396.)

388. Le désaccord entre les ministres, qui avait déjà produit un premier changement, en amena bientôt un second par la démission de MM. de Chabrol et de Courvoisier. Le Conseil se scindait, en effet, en partisans du prince de Polignac, c'est-à-dire des mesures violentes — Bourmont, d'Haussez, Montbel — et en adversaires des moyens extra-légaux : Chabrol, Guernon-Ranville. Enfin M. de Peyronnet, intriguait en secret pour former, avec le concours de Villèle, un ministère dont serait exclu le prince de Polignac. (Castellane, t. II, pp. 313, 318, 342.)

389. Les journaux satiriques de l'époque mettaient souvent en scène les personnages anciens pour mieux stigmatiser les hommes du jour. L'auteur donne ici un exemple de ces compositions.

390. Chantelauze (1787-1859) faisait partie de cette « bande ignorée » des ministres de Charles X. Procureur général à Douai, président de la Cour royale de Grenoble, il fut nommé garde des Sceaux en remplacement de Courvoisier, à la suite d'une démarche personnelle du duc d'Angoulême. Il rédigea le « Rapport au Roi », « servant de prolégomènes » aux ordonnances, qui montrait, dit Chateaubriand, « une ignorance complète de la société ».

391. Du comte de Bourmont (1773-1846), ce portrait dressé par Chateaubriand : « Le 17 juin 1815, étant à Gand [...] je rencontrai au bas de l'escalier un homme en redingote et en bottes crottées, qui montait chez Sa Majesté. A sa physionomie spirituelle, à son nez fin, à ses beaux yeux doux de couleuvres, je reconnus le général de Bourmont; il avait déserté l'armée de Bonaparte le 14. » (*M.O.T.*, livre XXXII, chap. 6, p. 386.)

Pair de France en 1823. Ministre de la Guerre en 1830, il sera l'homme de l'expédition d'Alger, opération que Chateaubriand avait appelée de ses vœux dans sa *Note sur la Grèce* de 1825. « Voulut-il se soustraire à la responsabilité du coup d'État » en prenant lui-même la tête de l'expédition? s'interroge Chateaubriand. Il lui sait gré toutefois d'avoir apporté « la liberté aux rives de Numidie » (l'Algérie).

392. Antoine de Chabrol-Crouzol (1771-1836), maître des requêtes au Conseil d'État (1805), préfet, il sera pair de France et ministre des Finances en 1829; appartenait au clan villèliste.

393. Courvoisier (1775-1835), ancien émigré, député de 1816 à 1824, cet orateur du centre-gauche « à l'imagination déréglée » fut ministre de la Justice en 1829, mais démissionna avant les ordonnances.

394. Comte de Montbel (1778-1854), ami et protégé de Villèle auquel il succéda comme maire de Toulouse. Il occupa dans le cabinet Polignac les postes de ministre de l'Instruction publique, de l'Intérieur et des Finances. En juillet 1830, il s'enfuit en Autriche. (*Cf. infra* p. 253, note 550.)

395. Dans un ouvrage intitulé *Moi*, publié en 1854, le baron d'Haussez (1778-1854) reconnaît être l'auteur de chansons satiriques : « Dans ma jeunesse, j'avais tenté de faire des vers; ils étaient mauvais, heureusement si mauvais que, si mal conseillé qu'il fût, mon amour-propre ne put me faire illusion sur ma complète inaptitude en matière de poésie. Je n'insistai donc pas. Une fois cependant, sous je ne sais quelle inspiration, il sortit de ma plume une centaine de rimes en forme de légende, non certes dans le style, mais, ce qui était plus facile, dans le genre de Voltaire. C'était assez gai, fort leste, passablement irréligieux; le genre admis, c'était passable. Dite dans des salons peu disposés à se scandaliser, ma légende eut du succès. Par une sorte de prévision qu'un jour je regretterais de l'avoir faite, qu'un jour elle ne serait plus en rapport avec des sentiments autres que ceux dont j'étais animé lorsque je l'avais composée, j'ai résisté aux instances employées pour me faire consentir à sa publicité. Au tort de l'avoir fait, de l'avoir récitée, de me la redire encore quelquefois, mais à moi seul, avec une sorte de satisfaction, je me suis gardé de joindre celui de la laisser se répandre. Elle est dans ma mémoire : on la chercherait vainement ailleurs. »

Compromis dans l'affaire Cadoudal, puis rallié à Napoléon, qui le nomma baron, il fut élu député en 1815 et 1827. Ministre de la Marine dans le cabinet Polignac, il organisa l'expédition d'Alger.

396. Comte de Guernon-Ranville (1787-1866), magistrat et orateur de talent il avait rejoint le roi à Gand et sera ministre de l'Instruction publique en 1830. Pour Chateaubriand « le plus courageux de la bande ignorée ».

Il avait composé en 1815 une chanson de marche que les satiristes libéraux du

Figaro avaient republiée en 1829; la verve en est simplette, mais la veine royaliste, sincère, témoins ces couplets :

Ma sœur fait mon bagage
Mes amis suivez-moi;
C'en est fait je m'engage
Dans les troupes du Roi,
Pour servir les Bourbons
Sous le brave d'Aumont

Bonaparte est en cage,
Et son règne est fini!
Qu'il en crève de rage!
Il ne tenait qu'à lui
De servir les Bourbons
Sous le brave d'Aumont

Quant à l'avilissement de la famille, on prétendait qu'il avait un frère, maître d'écriture, qu'il avait en vain essayé de faire entrer dans l'administration.

397. Au début d'octobre 1829 on apprit que le neveu d'Hyde de Neuville, le comte de Saint-Léger, avait obtenu du roi que cinquante orphelins grecs dont les parents avaient été massacrés à Missolonghi, fussent élevés en France. A leur arrivée à Toulon, ils reçurent l'ordre de rembarquer, les journaux prétendant qu'on devait les rendre à leurs familles. Au-delà de cet incident malheureux, il est injuste de parler « d'aversion du gouvernement pour la Grèce ». Dans un ambitieux mais chimérique projet diplomatique fondé sur une alliance étroite avec la Russie, Polignac prévoyait en Grèce, la création d'un grand État chrétien, préfiguration d'un empire byzantin à renaître.

398. « Le marquis de Chauvelin et M. Le Voyer d'Argenson, tous siégeant à gauche, démissionnèrent, non pas par découragement, mais parce qu'on " discutait trop et qu'on n'agissait point " ». (Baron de Barante, *la Vie de Royer-Collard*, t. II, Paris, Didier, 1878, p. 399.)

399. La Fayette s'était rendu en Auvergne, son pays natal; l'accueil chaleureux se changea en enthousiasme quand on apprit la nomination de Polignac.

400. En fait, l'amitié de Mme de Chateaubriand pour Hyde la conduit à lui donner plus d'importance qu'il n'en avait; la principale figure du gouvernement était Martignac.

401. Les portraits de Napoléon étaient considérés comme séditieux; toutefois on autorisait la vente de ceux de Bonaparte, général et Premier consul. Il est non moins vrai que les bonapartistes redoublèrent l'activité de leur propagande : c'est de cette époque que date le plus grand nombre d'objets usuels ornés de l'effigie de Napoléon et du duc de Reichstadt. La légende prend son essor. Chateaubriand le reconnaît : « Aucune puissance légitime ne peut plus le chasser [...] le soldat et le citoyen, le républicain et le monarchiste, le riche et le pauvre, placent également les bustes et les portraits de Napoléon à leurs foyers, dans leurs palais ou dans leurs chaumières. » (*M.O.T.*, livre XXIV, chap. 8, pp. 1008 et suiv.)

402. Louis-Marie Debelleyme (1787-1862), successeur de Delavaud comme préfet de police, il devint rapidement populaire grâce à une série de mesures : abolition de l'espionnage politique, organisation des sergents de ville, amélioration de la voirie. Démissionnaire à la chute de Martignac. Député sous la monarchie de Juillet.

CHAPITRE 3

403. Marquis de La Maisonfort (1778-1827), servit à l'armée de Condé; incarcéré à l'île d'Elbe, il s'évada et se réfugia à Rome où il rencontra Chateaubriand. Fit partie de la Chambre introuvable et devint ministre à Florence.

404. « Decazes, Capelle, etc. » (Note de l'auteur.)

405. Le chancelier Dambray disait, à propos de la Charte, que l'ancienne constitution de la monarchie aurait suffi au roi pour exercer l'autorité qu'il tient de Dieu et de ses pères, mais fidèle à ses engagements (c'est-à-dire la Déclaration de Saint-Ouen), Louis XVIII voulait en quelque sorte poser lui-même les bornes de ses pouvoirs. Tout en étant formellement « octroyée », la Charte selon l'analyse de Chateaubriand. « n'est donc point une plante exotique, un accident fortuit du moment : c'est le résultat de nos mœurs présentes; c'est un traité de paix signé entre les deux partis qui ont divisé les Français, traité où chacun des deux abandonne quelque chose de ses prétentions pour concourir à la gloire de la patrie ». (*Réflexions politiques* [1814], chap. 13.)

406. Ferrand, magistrat d'Ancien Régime, né en 1751, émigré dès décembre 1789, il a exprimé, dans plusieurs essais, des idées qui le placent parmi les premiers théoriciens de la contre-révolution. S'il souhaite un retour à l'ancienne constitution de la France, il en donne toutefois une interprétation qui doit beaucoup à Montesquieu. Ainsi Ferrand admet-il la séparation des pouvoirs, quitte à donner au roi tout l'exécutif, et une partie du législatif et du judiciaire. Ministre des Postes en 1814, il participera aussi à la rédaction de la Charte, où il pesa sans doute dans le sens d'un renforcement de la prérogative royale.

407. *Cf. supra* p. 200, note 199.

408. Même ironie chez Chateaubriand quand il fait le portrait de l'abbé-duc de Rohan-Chabot, qui, ordonné prêtre sur le tard après avoir été le chambellan de Pauline Bonaparte, devint archevêque et cardinal, en l'espace de huit ans, avec pour seul crédit l'ancienneté de sa race.
Mme de Chateaubriand devait se souvenir aussi du faste ostentatoire du cardinal-prince de Croï, reçu à l'ambassade de Rome, à l'occasion du conclave.

409. « Ou distingués assassins du duc d'Enghien. » (Note de l'auteur.)

410. Un édit royal de 1764 avait dissout la compagnie de Jésus que le pape Clément XIV supprima en 1773. Pie VII, en 1801, annula le bref puis rétablit l'institution le 7 août 1814. Tolérés en France, les Jésuites ne purent s'y établir légalement qu'à partir de 1822. Sous la Restauration, les Jésuites, alliés aux ultras, combattirent Chateaubriand, interdisant même de lire le *Génie* qui, pourtant, dans maints passages, rendait hommage à l'œuvre civilisatrice de la Compagnie de Jésus et déplorait la dissolution de l'ordre : « L'Europe savante a fait une perte irréparable dans les Jésuites. L'éducation ne s'est jamais bien relevée de leur chute. » (*Génie du Christianisme*, 4e partie, livre VI, p. 1047, éd. de la Pléiade.)
Mais il n'en partage pas moins les préjugés d'un anti-jésuite notoire comme Montlosier auquel il répond dans une lettre du 3 décembre 1825 : « Je veux la religion comme vous; je hais comme vous la Congrégation et ces associations d'hypocrites qui transforment mes domestiques en espions et qui ne cherchent à l'autel que le pouvoir. » (*Génie du Christianisme*, livre VI, éd. de la Pléiade, p. 1047.) La Congrégation « plante parasite » aux yeux de Chateaubriand, prive le régime constitutionnel qu'il veut fonder, de son soutien naturel : le clergé.

411. Hyacinthe-Louis, comte de Quélen (1778-1839), d'une ancienne famille de Bretagne, il fut d'abord secrétaire du cardinal Fesch, avant de devenir coadjuteur du cardinal de Talleyrand, archevêque de Paris, auquel il succéda en 1821.

L'attachement de Mgr de Quélen aux Bourbons lui attira l'hostilité des Parisiens : en 1831 l'archevêché fut mis à sac; la bibliothèque et tout le mobilier furent jetés à la Seine. Pendant l'épidémie de choléra de 1832, il montra un dévouement admirable.

C'est entre ses mains qu'en 1828, M. et Mme de Chateaubriand firent don de l'Infirmerie Marie-Thérèse. Ils devaient en conserver l'administration jusqu'à la mort du dernier d'entre eux. Mais en 1838, au moment où les Chateaubriand vendirent à l'archevêché leur propriété, contiguë à l'infirmerie, il semble que Mgr de Quélen ait exigé la démission de la fondatrice qui en conçut une vive amertume. Lorsque l'archevêque mourut, l'année suivante, elle écrivit à la comtesse Caffarelli : « [...] Michel-Ange a, dans son *Jugement dernier*, mis quelques cardinaux en enfer; moi je n'ai pas de scrupule de donner un peu de purgatoire à deux bons évêques qui, au mépris de la foi d'un traité, ont privé d'une gratuite et paisible retraite tant d'honorables infortunes. » Après le départ de Céleste, en effet, les femmes ne furent plus admises, contrairement aux actes de fondation de la Maison.

412. Pour combattre la « propagande sceptique qui s'exerçait par les pamphlets et les journaux », le père de Rauzan réunit sous le nom de Société des Missions de France un certain nombre de prêtres qui allaient prêcher à travers les provinces. Certains sermons donnèrent lieu à des manifestations dont les polémistes libéraux s'emparèrent comme d'une arme politique. Les Missions étrangères, fondées en 1663, supprimées en 1792, avaient été rétablies en 1809; elles formaient des missionnaires pour évangéliser les peuples lointains, particulièrement d'Extrême-Orient. Elles furent pillées en 1830. (*Cf. infra* p. 239, note 452.)

413. C'est aux filles de la Charité, fidèles à l'esprit de saint Vincent de Paul, que Mme de Chateaubriand confia la gestion de l'Infirmerie. Les trois sœurs s'appelaient, sœur Reine, la supérieure; les deux autres, sœur Sophie et sœur Marie.

414. Lelarge de Lourdoueix (1787-1860), rédacteur à la *Gazette de France*, il succéda à Genoude, en 1849.

415. Martainville (1776-1830) collabora à la *Gazette de France*, à la *Quotidienne* et fonda le *Drapeau blanc* où il soutint les points de vue « ultra » avec une extravagance confinant au ridicule.

L'auteur fait allusion à une chanson contre Marie-Antoinette que Martainville composa sous la Révolution et qu'il fit paraître en 1801, dans un recueil intitulé *Grivoisiana*.

Le couplet suivant, réédité par le *Corsaire* et composé par Martainville au moment de la naissance du roi de Rome, témoigne de la versatilité du fougueux pamphlétaire, en même temps que de la valeur littéraire de ses œuvres :

Ah! quel bonheur! Ah! quelle ivresse!
Français, chantons, dansons, buvons!
Que dans ce beau jour d'allégresse
Sautent les cœurs et les bouchons!
Le Ciel comble notre espérance,
L'air retentit des plus doux sons,
Pon, pon, pon, pon, pon!
Les cœurs ont, dans toute la France,
Compté cent coups de canons!
C'est un garçon.

416. Mutin (1765-1837); prêtre émigré, il rentra au 18 brumaire, et collabora au *Journal des débats*; à partir de 1816, il fut employé au ministère de l'Intérieur pour l'examen des écrits politiques.

417. Il est vrai que La Bourdonnaye s'était rallié à Napoléon et que Bourmont avait trahi à Waterloo pour porter ses hommages au roi de Gand.

En revanche, l'intégrité de Villèle est incontestable. Il se peut toutefois que Mme de Chateaubriand fasse allusion à l'affaire de Saint-Domingue : le gouvernement avait décidé par ordonnance, et sans en référer aux Chambres, de reconnaître l'indépendance de la portion française de l'île, moyennant des avantages commerciaux et cent cinquante millions pour indemniser les colons spoliés. Les premiers à en être instruits furent les habitués de la Bourse. Chateaubriand en tira matière pour une nouvelle diatribe contre Villèle : « On distinguait, dans M. le président du conseil, l'homme d'État de l'homme d'affaires : l'homme d'affaires s'est noyé à la Bourse, et l'homme d'État a fait naufrage à Saint-Domingue. » (*Journal des débats* des 14 et 16 août 1825.)

418. Beugnot riait lui-même de la multitude de fonctions diverses dont les régimes successifs l'avaient chargé. « Zélé jusqu'à l'obséquiosité, lâche au point de trembler comme une feuille lorsque Napoléon élevait le ton, il était de la race des hommes que l'on écoute et que l'on ne respecte point. » (J. Tulard, *Dictionnaire Napoléon*, Paris, 1987, p. 212.) C'était aussi un esprit railleur — « Il avait la malice d'un singe avec la stature d'un tambour-major », dit Sainte-Beuve — et fécond en formules bien frappées. Ainsi, pour le comte d'Artois, il inventa le célèbre : « Rien n'a changé en France, il n'y a qu'un Français de plus », et il offrit à Louis XVIII octroyant la Charte, cette belle phrase de propagande : « Nous devrions remercier la Providence de nous avoir pétri un roi d'une pâte composée de la plus fine farine constitutionnelle. »

En fait il n'exerça plus de responsabilités ministérielles à partir de la seconde Restauration. Il avait été ministre de la Marine en 1814.

419. Achille, comte de Salvandy (1795-1856), collaborateur au *Journal des débats*, maître des requêtes au Conseil d'État, démissionnaire en 1828, ce conservateur libéral de nuance doctrinaire s'était retrouvé avec Chateaubriand dans une commune opposition aux ministères Villèle puis Polignac. Mais ce n'étaient qu'escarmouches de jeunesse. Pour ce familier de Louis-Philippe le rôle politique ne commença qu'avec la monarchie de Juillet, où il fut député, ministre de l'Instruction publique (1837 et 1845), ambassadeur. Salvandy, disciple épisodique de Chateaubriand, se plaisait à pasticher le style du maître, faisant surgir de plaisants quiproquos. Ainsi, le 27 octobre 1824, à l'occasion des funérailles solennelles de Louis XVIII à Saint-Denis, le *Journal des débats* avait publié un compte rendu anonyme de la cérémonie, rédigé en des termes si nobles et éloquents, que tout le monde voulut y reconnaître la plume de l'auteur des *Martyrs.* Deux jours plus tard, le très officiel *Moniteur*, reproduisait l'article en l'attribuant formellement à Chateaubriand. Le lendemain, les *Débats* se firent un malin plaisir de donner un démenti à la gazette gouvernementale en livrant le véritable nom de l'auteur, Salvandy. Ce fut un éclat de rire que Chateaubriand semble avoir mal pris. Mme de Chateaubriand se fait ici comme ailleurs le fidèle écho des ressentiments de son mari. En 1841 encore, le simple rappel, en présence de Chateaubriand, de la confusion commise entre Salvandy et lui, suffisait à geler l'atmosphère du salon de Mme Récamier à l'Abbaye-aux-Bois. (*Cf.* P. Riberette, « Le sosie de Chateaubriand : Salvandy », *Bulletin de la Société Chateaubriand*, 1976.)

420. Les « fournées » de pairs furent une des spécialités de la Restauration. Au cours de son long ministère, Villèle retourna contre le parti modéré le système

appliqué pour la première fois par Decazes. Huit hommes d'Église devinrent pairs en 1822. Puis en 1823 et 1827, ce furent vingt-trois et soixante-seize pairs nouveaux qui furent créés, afin de renverser la majorité au profit de la droite. Chateaubriand s'insurgea contre de tels errements qui dénaturaient l'institution, conçue comme un contrepoids à la puissance souveraine.

421. « Propos de Clausel, organe du ministre. » (Note de l'auteur.)

422. Blondel d'Aubert (1765-1830), conseiller au parlement de Paris (1789), émigra. Député d'Arras (1815-1820).

423. Comte de Bourville (1757-1838), député aux États Généraux, émigra; député (1815 et de 1820 à 1827). « C'était un chat, dit Frénilly, faisant à tous patte de velours, insinuant et adroit. » (*Op. cit.*, p. 457.)

424. Talleyrand, malgré son effacement politique, avait conservé le titre de grand chambellan.

425. Decazes fut nommé préfet de police, par l'entremise de l'abbé Louis et de Talleyrand, sans intervention spéciale du comte d'Artois.

426. Marquis de Vibraye (1766-1843), émigré, aide de camp de Monsieur (1814); pair de France et maréchal de camp, il refusa de servir Louis-Philippe.

427. Principal artisan de la mort du duc d'Enghien, Savary, duc de Rovigo, tenta de se justifier et proposa même « son bras » à Louis XVIII. On refusa l'audience. A la fin de la Restauration il se retira effectivement à Rome. A sa mort, en 1833, il reçut les derniers sacrements du plus légitimiste des prélats, Mgr de Quélen.

428. Les fureurs bibliques de Mme de Chateaubriand contre la Congrégation sont assez étonnantes, et montrent, nourries par les vifs ressentiments de l'auteur, la puissance de la propagande libérale et républicaine jusque dans les milieux les plus pieux et les plus pratiquants.

429. Marquis de Vaulchier du Deschaux, ce haut fonctionnaire ultra fut accusé par les libéraux de violer le secret des lettres, alors qu'il était directeur des Postes.

430. « Qui prend-on pour défendre le budget de la Guerre? M. Carrion de Nisas [...] » Cette phrase ne manque pas de surprendre, surtout à la date de « mars 1830 ». En effet, cette expression semble entendre qu'il était alors mandataire ou bien encore, mandaté par le gouvernement, pour cette tâche. Or Carrion de Nisas ne fut pas député sous la Restauration ni même employé par un quelconque ministère — à ma connaissance. Il ne vécut pourtant pas dans une retraite complète, puisqu'il publia en 1824 un *Essai sur l'histoire générale de l'art militaire, de son origine, de ses progrès et de ses révolutions* (2 vol.). Pourtant, le même Carrion de Nisas a fait paraître, sorti des presses de l'imprimerie royale en 1827, une brochure intitulée *Du budget de l'État en général, et du budget du département de la Guerre en particulier* (B.N. Lf 156.97). Peut-être est-ce à cet écrit que songe Mme de Chateaubriand trois ans plus tard?
Dans tous les cas, il ne semble pas pouvoir s'agir de son fils, « littérateur distingué » si l'on en croit Michaud, mais peu versé dans la polémologie si l'on se réfère à la bibliographie de ses œuvres.

431. « Le gouvernement représentatif sans la liberté de la presse est le pire de tous : mieux vaudrait le Divan de Constantinople », écrivait Chateaubriand en 1824.

(*Œuvres complètes*, t. XXVIII, p. 69.) Dans un autre opuscule de 1827, il prenait un malin plaisir à mettre en épigraphe les discours de Villèle, Corbière, Herbouville et Bonald, prononcés alors qu'ils étaient dans l'opposition (séances des 27 et 28 janvier 1817) et favorables à la liberté de la presse. Il écrit : « [...] La liberté de la presse est devenue un des premiers intérêts de ma vie politique. J'ose dire que ma position sociale, les opinions royalistes et religieuses que je professe donne à mes paroles quelque crédit, lorsque je réclame cette liberté : on ne peut pas dire que je suis un révolutionnaire, un impie ; on le dit cependant, mais ce qui est curieux, c'est que ces obligeants propos sont tenus par des jacobins à la solde de ce prétendu parti religieux et royaliste, lequel j'ai poussé au pouvoir, en lui apprenant à bégayer contre nature la Charte et la liberté. » (*Du rétablissement de la censure par l'ordonnance du 24 juin 1827*, *Œuvres complètes*, t. XXVII, p. 69.)

432. C'est un des grands thèmes de Chateaubriand : les « impériaux », formés à l'école de Napoléon, ont communiqué le goût et les habitudes de l'absolutisme à des ministres royalistes qui n'y étaient que trop enclins.

433. S'exprime ici le gallicanisme très vibrant de Mme de Chateaubriand, hostile à toute ingérence du clergé dans les affaires de l'État. Ainsi dénonce-t-elle, à l'instar de son compatriote Lamennais, la campagne des mandements orchestrée par l'épiscopat, avec en flèche, Mgr de Clermont-Tonnerre, contre les ordonnances sur les séminaires de 1828. Charles X dut négocier avec Rome pour obtenir que les évêques cessent leur opposition.

434. Charles-Marie Dorimond de Féletz (1767-1850), ancien élève des oratoriens, il choisit la carrière ecclésiastique mais refusa de prêter serment à la Constitution civile du Clergé. Il connut les pontons de Rochefort, s'évada et ne reparut qu'au 18 Brumaire. Critique au *Mercure de France* il représente pour Sainte-Beuve, « en perfection le galant homme littéraire ». Inspecteur de l'académie de Paris (1820), rompant des lances avec le journal libéral *le Nain jaune*, il restait fidèle en pleine bourrasque romantique, à l'idéal classique et aux bonnes manières en usage dans les salons d'Ancien Régime.

435. Nompère de Champagny, duc de Cadore (1756-1834), député de la noblesse du Forez aux États Généraux, il est incarcéré sous la Terreur et libéré en thermidor. Protégé par Lebrun, il est nommé ambassadeur à Vienne (1801). Grand commis docile, il succède en 1807 à Talleyrand au poste de ministre des Affaires étrangères. C'est à ce titre qu'il mettra en forme l'entrevue de Bayonne. A la suite du soulèvement d'Aranjuez, le roi d'Espagne Charles IV avait dû congédier son favori, le tout-puissant et impopulaire Godoy, et renoncer à la couronne au profit de son fils Ferdinand. Mais Charles IV revint sur sa renonciation et en appela à l'arbitrage de Napoléon. A Bayonne (5 mai 1808), Napoléon, selon la vieille moralité de « L'huître et les plaideurs », confisquera la couronne à son profit. « Le rapt des Espagnes », estime Chateaubriand sera fatal à l'Empereur, car, en envahissant l'Espagne « l'esprit de la guerre changea ». Napoléon « se trouva en contact avec l'Angleterre, son génie funeste [...] » (*M.O.T.*, livre XX, chap. 7, p. 757.)

436. Les nouvelles les plus diverses étaient mises en circulation pour influencer les esprits; tantôt on prétendait avoir découvert dans la caisse d'une diligence près de Lyon, des cocardes tricolores qui n'étaient en réalité, au dire du *Figaro* (31 mai 1830), que des « ronds d'oranges confites de Portugal séparés par des pains à cacheter ». Tantôt on lançait le bruit d'une conspiration, fomentée par un comité directeur, en faveur du duc de Reichstadt et qui préparait un ministère composé de Chateaubriand, président du Conseil; Laffitte, aux Finances; Benjamin Constant, à l'Intérieur; Sébastiani, à la Guerre; Dupin, à la Justice; Hyde de Neuville, à la Marine. Malgré le

peu de fondement de ces nouvelles, on remarquera cependant que les personnages cités, à deux exceptions près, firent partie des premières combinaisons ministérielles de Louis-Philippe.

CHAPITRE 4

437. Le 26 juillet, le *Moniteur* publiait les quatre ordonnances qui déterminèrent la chute de Charles X : suppression de la liberté de la presse périodique, dissolution de la Chambre, institution d'un système électoral encore plus restreint, convocation des collèges électoraux pour le mois de septembre.

438. Charles-Louis Huguet, marquis de Sémonville, en tant que grand référendaire de la Chambre des pairs se rendit à Saint-Cloud le 29, accompagné de MM. d'Argout et de Vitrolles, et obtint le retrait des ordonnances, la dissolution du ministère et la nomination de M. de Mortemart comme président du Conseil; il était trop tard : « La branche aînée des Bourbons avait cessé de régner », selon le mot de Talleyrand.

439. Sans rien savoir des événements, Chateaubriand était parti le 26 juillet pour rejoindre Mme Récamier à Dieppe. Arrivé le 27, il remonta de suite en voiture pour regagner Paris à la nouvelle des ordonnances que lui apporta Ballanche : « Encore un gouvernement qui de propos délibéré se jetait du haut des tours de Notre-Dame! » s'exclame Chateaubriand. (*M.O.T.*, livre XXXII, chap. 8, p. 393.)

440. « Mon plan était arrêté : je voulais agir, mais je ne le voulais que sur ordre écrit de la main du Roi, et qui me donnât les pouvoirs nécessaires pour parler aux autorités du moment. [...] J'écrivis donc à Charles X à Saint-Cloud. [...] [le Roi] me fit répondre qu'il avait nommé M. de Mortemart, son premier ministre, et qu'il m'invitait à m'entendre avec lui. Le noble duc, où le trouver? Je le cherchai en vain le 29 au soir. » (*Ibid.*, livre XXXIII, chap. 7, p. 417.)

M. de Mortemart arrivé à grand-peine s'était rendu furtivement au Luxembourg et avait échoué dans sa mission, faute d'avoir eu le courage de s'en donner les moyens : « Quand je pense que la monarchie légitime a peut-être été renversée parce que le ministre chargé des pouvoirs du Roi n'a pu rencontrer dans Paris deux députés, et que, fatigué d'avoir fait trois lieues à pied, il s'est écorché le talon. L'ordonnance de nomination à l'ambassade de Saint-Pétersbourg a remplacé pour M. de Mortemart les ordonnances de son vieux maître. » (*Ibid.*, p. 421.)

Le duc de Mortemart, ambassadeur à Pétersbourg en 1828, retourna en Russie en 1833, après s'être rallié à Louis-Philippe. Il deviendra sénateur sous Napoléon III.

441. Antoine-Pierre Berryer (1790-1868), sans doute le plus grand avocat du XIXe siècle; ce fervent légitimiste sera l'avocat de tous les grands procès politiques de la monarchie de Juillet. Emprisonné à Nantes en 1832, à la suite de la malheureuse équipée de la duchesse de Berry, il sera cause de l'arrestation de Chateaubriand, d'Hyde de Neuville et de Fitz-James, sa correspondance ayant été interceptée.

442. Vicomte Cony de La Faye (1786-1850), agitateur royaliste, fut après 1830 compromis dans plusieurs conspirations contre Louis-Philippe et notamment lors de l'attentat de Fieschi.

443. Chateaubriand reprochera toujours à Louis-Philippe d'avoir « filouté » la monarchie. Charles X et le duc d'Angoulême avaient abdiqué en faveur du jeune duc de Bordeaux, devenu Henri V, et le roi avait désigné le duc d'Orléans, lieutenant-général du royaume, pour exercer la régence en attendant la majorité d'Henri V. Les

chambres ne disposaient d'aucun pouvoir constituant. Or, au moment où Charles X partait pour l'exil, les chefs libéraux, pour faire pièce aux républicains, proposèrent de réviser la Charte et de disposer du trône en faveur du duc d'Orléans; ce fut chose faite le 7 août « jour mémorable » où Chateaubriand montera à la tribune des pairs pour la dernière fois. Il s'agissait d'adopter une déclaration selon laquelle « l'intérêt universel et pressant du peuple français appelait au trône Louis-Philippe, lieutenant-général du royaume ».

Dans un admirable discours, Chateaubriand reconnaîtra « au malheur toutes les sortes de puissance, excepté celle de [le] délier de [ses] serments de fidélité ». Il refuse de prêter serment à Louis-Philippe et renonce à toutes ses charges publiques : « Mon domestique emporta la défroque de la pairie, écrit-il [...] Je restai nu comme un petit saint Jean » et, ajoute-t-il avec une ironie amère : « Mes broderies, mes dragonnes, franges, torsades, épaulettes, vendues à un juif, et par lui fondues, m'ont rapporté sept cents francs, produit net de toutes mes grandeurs. » (*M.O.T.*, livre XXX, chap. 7, p. 475.)

444. La déclaration sur la vacance du trône fut votée par quatre-vingt-neuf voix contre dix; il y eut quatorze billets blancs et un bulletin nul.

445. « Je me souviens d'avoir rencontré, sortant du cabinet de mon père, et s'emberlificotant, sur les marches de l'escalier, dans le flot de rubans tricolores qui pendaient à sa boutonnière, le très honorable comte de Pontécoulant, chevalier d'honneur de la duchesse d'Angoulême. Ni son courage personnel ni son attachement à la dynastie déchue ne sauraient être mis en doute; mais il s'agissait d'une sorte de consigne à laquelle on regardait de se dérober, crainte de ce qui pourrait advenir. » (Comte d'Haussonville, *Ma jeunesse. Souvenirs*, 1885.)

446. « Il est à remarquer que presque tous les mandements de ce genre étaient faits par les évêques de Bonaparte qui avaient des mandements de ce temps, faits dans un esprit détestable. » (Note de l'auteur.)

447. « Le but soi-disant de la Congrégation était de préparer de bons sujets pour les places; ensuite on répétait que tout ce qui n'était pas de cette Congrégation était des coquins, de sorte que tout le monde s'y mettait pour être placé. » (Note de l'auteur.)

On peut saisir l'importance de l'influence de la Congrégation à travers le témoignage de Louis de Carné, jeune homme à l'époque de la Restauration; le poste auquel il accède n'est sans doute pas bien élevé puisqu'il débute dans les bureaux du ministère des Affaires étrangères. Les récits de ce type sont d'ailleurs fort peu nombreux, et souvent sujets à caution; celui-là, cité par le R. P. de Bertier dans sa thèse : *le Comte Ferdinand de Bertier et l'énigme de la Congrégation* (1948), est tout à fait fiable. (L. de Carné, *op. cit.,* pp. 30-31.)

448. Ce périodique avait annoncé que, le 4 juin 1829, Chateaubriand avait rendu visite à deux journalistes libéraux, Dubois et Chatelain, emprisonnés à Sainte-Pélagie. Quelques jours après, *l'Ami de la religion* prenait prétexte de cette démarche pour dénoncer la compromission de l'écrivain avec les révolutionnaires.

449. Prince de Croï (1773-1844), évêque de Strasbourg (1817), grand aumônier (1821), archevêque de Rouen (1824), cardinal (1825).

450. *Supra* p. 233, note 411.

451. La prise d'Alger, le 5 juillet 1830, raffermit Charles X dans sa résolution de tenir tête à la volonté du pays légal. En cela il fut encouragé par Mgr de Quélen qui

écrivit alors dans le mandement par lequel il ordonnait un *Te Deum* d'actions de grâces : « Trois semaines ont suffi pour humilier et réduire à la faiblesse d'un enfant le musulman si superbe. Ainsi soient traités partout et toujours les ennemis de notre seigneur et roi; ainsi soient confondus tous ceux qui osent se soulever contre lui. »

452. Le pillage de la Société des Missions de France, œuvre créée par le père Rauzan, et située 68-70, rue d'Enfer, eut lieu le 29 juillet. Chateaubriand relate cet événement avec infiniment plus de sensibilité que son épouse : « En passant devant la communauté des missionnaires, située dans ma rue ils [" la banlieue et les carriers de Montrouge qui affluaient par la barrière d'Enfer "] y entrèrent : [...] le repaire de ces fanatiques fut philosophiquement pillé, leurs lits et leurs livres brûlés dans la rue. On n'a point parlé de cette misère [...] Je donnai l'hospitalité à sept ou huit fugitifs; ils restèrent plusieurs jours cachés sous mon toit. Je leur obtins des passeports par l'intermédiaire de M. Arago [...]. » (*M.O.T.*, livre XXXI, chap. 11, p. 356, *cf. supra* note 152.) Le célèbre astronome était directeur de l'Observatoire.

453. Talleyrand, qui avait préconisé l'instauration des Orléans sur le trône de France, fut récompensé par ce poste important où il fit prévaloir la politique de non-intervention de la France dans les affaires belges, pour le plus grand soulagement de l'Angleterre... et au grand dam de Chateaubriand qui reprocha au gouvernement de « refuser la Belgique malgré la nation ». Les Belges avaient offert la couronne au fils de Louis-Philippe, le duc de Nemours.

454. A ce propos, se vantant, lui, le poète, « de son entente des petites choses et du positif », Chateaubriand rappelle avec superbe qu'ayant eu à connaître de cette affaire lorsqu'il était à Rome, il avait aperçu « d'un regard d'aigle [...] que le traité de Trinité-des-Monts entre le Saint-Siège et les ambassadeurs Laval et Blacas, [était] abusif, et qu'aucune des deux parties n'avait le droit de le faire ». (*M.O.T.*, livre XXXI, chap. 11, p. 356, *cf. supra*, p. 193, note 152.)

455. Luiggi Lambruschini, nonce à Paris depuis 1823, *zelante* partisan de l'absolutisme, âme et écho de la coterie ultra, fort intrigant, très interventionniste dans les affaires intérieures françaises, avait tenté de faire obstacle à la nomination de Chateaubriand à Rome. Pour lui, l'auteur du *Génie* n'était point assez orthodoxe; « ses aberrations politiques » risquaient à ses yeux d'encourager « les novateurs, les mécontents, les libéraux italiens », qui croiront trouver « dans l'ambassadeur un appui pour leurs idées répréhensibles ». (M.-J. Durry, *l'Ambassade romaine de Chateaubriand*, Champion, 1927.)

456. Dans sa séance du 6 août 1830, la Chambre des députés décréta l'exclusion de tous les pairs nommés par Charles X. Par ailleurs, l'article 68 de la Charte amendée, rédigé le lendemain, établit que « toutes les nominations et créations nouvelles de pairs faites sous le règne du Roi Charles X sont déclarées nulles et non avenues ».

Il est à remarquer que cette mesure ne touche pas seulement la « fournée » de Villèle du 5 novembre 1827 mais les neuf autres « séries » du souverain déchu. Ce furent au total quatre-vingt-dix pairs qui perdirent leur dignité et leurs fonctions. Dupin, rapporteur du projet à la Chambre des députés motive ainsi sa proposition : « Il nous a paru qu'il était impossible de ne pas se rappeler que les promotions qui ont eu lieu sous le dernier règne avaient été faites en vue de préparer la ruine de nos libertés. [...] La Chambre des pairs, protectrice quand elle avait su repousser d'indignes lois, cessa de remplir cette destination quand, par un criminel abus de la prérogative, soixante-quinze pairs y furent ajoutés d'un seul jet. » (Sommain, *la Pairie en France au XIXe siècle; étude de la Chambre des pairs de la monarchie de Juillet*, 1935; Lucien Labes, *les Pairs de France sous la monarchie de Juillet*, 1938.)

457. Charles-Dominique Nicolle (1758-1835), préfet des études au collège Sainte-Barbe (1789), émigra, collabora avec le duc de Richelieu à la fondation du lycée d'Odessa qu'il dirigea. Aumônier honoraire de Louis XVIII, agent influent de la Congrégation.

458. L'abbé Guillon (1766-1847). Chateaubriand le connut à Rome en 1804, l'un et l'autre appartenant à la légation du cardinal Fesch; il le tenait en piètre estime : « [...] je ne rencontrais pour m'occuper que [...] les incroyables menteries du futur évêque de Maroc. L'abbé Guillon, [...] prétendait, après avoir échappé miraculeusement du massacre des Carmes, avoir donné l'absolution à Mme de Lamballe, à la Force. Il se vantait d'être l'auteur du discours de Robespierre à l'Être-Suprême ». (*M.O.T.*, livre XIV, chap. 7, p. 500.)

459. Par l'intermédiaire de Fitz-James, on demanda à Chateaubriand d'écrire en faveur du nouveau règne. Il accepta d'enthousiasme dans un esprit de réconciliation, oublieux du mal qu'on lui avait fait : « " Le roi est mort, vive le roi. " C'est le cri de la vieille monarchie, écrivait-il, un double principe est enfermé dans cette exclamation de la douleur et de la joie : l'hérédité de la famille royale, l'immortalité de l'État. » La brochure de trente-cinq pages, parut dans le *Moniteur* du 17 septembre 1824, le lendemain de la mort de Louis XVIII.

460. L'un des premiers actes du nouveau souverain fut de rapporter l'ordonnance de censure (29 septembre), nouant ainsi pour quelque temps, une idylle sans nuage avec son peuple. Dans une brochure intitulée *De l'abolition de la censure*, Chateaubriand célébrera de bon cœur cette mesure tant réclamée par lui, s'écriant : « Depuis un mois cette restauration a avancé d'un siècle : la monarchie a fait un pas de géant. » (*Œuvres complètes*, t. XXVII, p. 39.)

461. La Bouillerie (1764-1833), baron d'Empire, puis comte (1827). Caissier particulier du Premier consul, trésorier du Domaine Extraordinaire, il se rallia aux Bourbons. Intendant général de la liste civile (1814), nommé pair de France par Villèle en 1827, intendant de la maison du roi, il jouissait d'une grande influence auprès de Charles X dont il usa contre Chateaubriand. Son neveu fut à son tour intendant de la liste civile.
La Bouillerie était le fils d'un trésorier des Finances de la généralité de Tours, propriétaire foncier à La Flèche, et non celui d'un meunier, comme le prétend Mme de Chateaubriand.

462. Groupe d'une trentaine de députés qui suivait les inspirations de Chateaubriand et se reconnaissait pour chef de file, le député Agier. La « défection » contribua à la chute de Villèle et joua après les élections de 1827 un rôle d'arbitre dans la nouvelle Chambre, imposant par exemple Royer-Collard à la présidence de l'assemblée nouvellement élue.

463. Dans sa brochure *De la Restauration et de la monarchie élective* (1831), Chateaubriand s'irritait contre « ce vieux parti royaliste... toujours dupe des hypocrites, des intrigants, des escrocs et des espions », qui « passe sa vie dans de petites manigances, qu'il prend pour de grandes conspirations ».

464. Le comte de La Celle (1779-1841), né en Belgique, officier d'ordonnance de Napoléon, préfet du Zuydersee, conseiller d'État. Lors de la création des Pays-Bas, il fut ambassadeur à Rome, où il négocia le concordat qui réglait les rapports de la Belgique et de la Hollande. Séparatiste en 1830, il soutint la candidature du duc de Nemours au trône belge, puis se retira en France. Parlant de ses collègues en poste à Rome en 1828, Chateaubriand écrit : « M. de La Celle est resté préfet, parce qu'il l'a

été; caractère mêlé du loquace, du tyranneau, du recruteur et de l'intendant, qu'on ne perd jamais. » (*M.O.T.*, livre XXX, chap. 5, p. 238.)

465. Les traités de Vienne avaient réuni la Belgique et la Hollande sous le nom de royaume des Pays-Bas. Le 25 août 1830, le pays wallon, Bruxelles, Gand, Anvers, à l'imitation des Parisiens se soulevèrent, aux cris de : « A bas les Nassau ! » Bruxelles reprise par les Hollandais dut être évacuée, et le 3 octobre, un gouvernement proclama l'indépendance de la Belgique.

466. L'association de Saint-Joseph, la première œuvre spécifiquement ouvrière fut fondée au XIXe siècle à l'initiative de la Congrégation. « Émus de pitié à la vue de cette infortunée jeunesse, les missionnaires, écrit Lamennais, ont conçu le désir et l'espérance de la sauver de la corruption de Paris. » (*Le Drapeau blanc*, 20 novembre 1822.) L'association créée par l'abbé Lowenbruck prit très vite son essor. Elle offrait aux jeunes gens, munis de « bons certificats » de leur maire ou de leur curé, et qui arrivaient à Paris de toutes les campagnes françaises, le gîte, une table peu coûteuse, et des distractions innocentes le dimanche. Elle se chargeait de les placer chez les adhérents de l'œuvre, industriels et commerçants (près de mille en 1830). Elle organisait aussi des cours pour adultes, gratuits. Comblée de dons par la famille royale, placée sous le patronage du duc de Bordeaux, chantée par Lamartine alors légitimiste, elle eut en 1828 pour président, le baron de Damas, ce qui explique peut-être l'animosité de Mme de Chateaubriand. Par une ordonnance de mai 1826, les bâtiments du grand-commun, à Versailles, furent affectés au logement des ouvriers. L'abbé de Bervanger, un jeune prêtre né en 1795, en fut le directeur.

L'association fut dissoute en juillet 1830, comme filiale de la Congrégation, mais l'infatigable abbé de Bervanger, avec le soutien de Lamennais et grâce aux dons grandioses de Victor de Noailles, relança une autre association, l'Œuvre de Saint-Nicolas, premier établissement d'enseignement professionnel créé à Paris.

Il est étonnant que Mme de Chateaubriand, fondatrice de bonnes œuvres, soit à ce point hostile à l'action de royalistes sincères, lucides et éclairés. (*Cf.* J.-B. Duroselle, *les Débuts du catholicisme social*, Paris, P.U.F., 1951, pp. 28 et suiv.) L'œuvre cumulait le désavantage, il est vrai, d'avoir été fondée par des congréganistes et de s'adresser à une classe de la population pour laquelle Mme de Chateaubriand partage les préjugés de son milieu.

467. Cette réponse fut faite au général Belliard qui était venu à Vienne annoncer à l'empereur François l'avènement de Louis-Philippe. (*Cf.* Castellane, *Mémoires*, t. II, p. 392.) En fait, l'Europe ne bougea point. La Sainte-Alliance était morte. Chateaubriand rappelle vainement que « les Bourbons ne pouvaient être dépossédés violemment sans mettre en péril le nouveau droit politique de l'Europe ». (*M.O.T.*, livre XXXIV, chap. 1, p. 446).

468. Le bruit s'était répandu dans Paris que les blessés de juillet, recueillis à l'Hôtel-Dieu, étaient mal soignés, et que les religieuses mettaient des substances toxiques dans leurs aliments. Le préfet de la Seine, Odilon Barrot, se rendit à l'hôpital, qu'il inspecta sans trouver la preuve de ces allégations. (*Journal des débats*, 2 septembre 1830.)

469. Que Martainville ait été un ultra excessif n'est pas niable; il écrivait encore dans le *Drapeau blanc* du mardi 27 juillet 1830 : « Ces ordonnances marquent l'époque d'une nouvelle ère pour la monarchie. L'Europe entière applaudira à cette autre restauration. » Cet article, intitulé « Vive le Roi! Vive le Roi! » est le dernier signé par Martainville dans son journal, qui cessa de paraître dès le lendemain. Décédé à la fin du mois d'août 1830 il eut peu de temps pour passer à l'ennemi. Toutefois le journal dont parle Mme de Chateaubriand existe bien : *le Patriote* qui parut

de juillet à décembre 1830. Nulle part, parmi les numéros qui couvrent les derniers moments de la vie de Martainville n'apparaît sa signature; et à aucun moment, à la période de sa mort il n'est fait allusion au célèbre folliculaire. Il convient donc de conclure à une confusion de Mme de Chateaubriand ou bien au colportage d'un ragot.

470. Écho de la superbe philippique de son mari :
« Il y a des seigneurs de l'Empire unis à leurs pensions par des liens sacrés et indissolubles, quelle que soit la main dont elle tombe, une pension est à leurs yeux un sacrement; elle imprime caractère comme la prêtrise et le mariage; toute tête pensionnée ne peut cesser de l'être [...]. » (Chateaubriand, *De la Restauration et de la monarchie élective*.)

471. Maret, duc de Bassano (1763-1839), avocat au parlement de Bourgogne; protégé de Lebrun, il fut ambassadeur à Naples en 1793. Enlevé en Piémont, retenu en captivité il sera finalement échangé, avec d'autres captifs, contre la fille de Louis XVI. Après Brumaire il devint secrétaire général des consuls. Ministre des Affaires étrangères de 1811 à 1813, exilé en 1815, il rentra en France en 1820. Il sera pair de France sous Louis-Philippe et un moment président du Conseil des ministres.
Charles de Damas avait demandé en 1827 à Maret, son compatriote et ami personnel, un mémoire sur la marche à suivre par le nouveau ministère. En 1830 on prétendit que Maret avait préconisé le coup de force, ce dont il se défendit énergiquement.

472. Le 30 juillet 1830, alors que la « solution orléaniste » gagne du terrain, le grand référendaire M. de Sémonville « rassemble chez lui les pairs : sa lettre, soit négligence soit politique, m'arriva trop tard. Je me hâtai de courir au rendez-vous [...] je n'y trouvai personne », écrit Chateaubriand.
Dans l'esprit de son épouse, il n'y a aucun doute.

473. Augustin-Marie de Cossé-Brissac (1775-1848), chambellan de Madame Mère, préfet d'Empire, il sera pair de France en 1814; rallié à Louis-Philippe. C'est son frère, et non lui qui fut chevalier d'honneur de la duchesse de Berry.

474. Mme Bail était la femme d'un inspecteur aux revues que Chateaubriand recommanda au duc de Feltre alors qu'il avait été destitué pour avoir servi Napoléon. C'était un personnage énigmatique et équivoque, que M.-J. Durry, dans *la Vieillesse de Chateaubriand*, classe parmi les femmes qui ont compté dans la vie privée de l'auteur. Une contemporaine témoigne : « [...] Ma mère l'avait connue chez M. de Chateaubriand. [...] Mme de Chateaubriand semblait la craindre et ne la supportait qu'avec impatience évidente. Il existait entre elle et M. de Chateaubriand une intimité inexplicable. [...] Elle entrait à toute heure dans son cabinet qui était fermé pour tout le monde et pour Mme de Chateaubriand elle-même [...] Elle n'avait rien de séduisant au physique, bien au contraire, mais c'était une femme d'infiniment d'esprit. Elle était implacable pour ceux qu'elle n'aimait pas et la pauvre Mme de Chateaubriand était de ce nombre ». (*Mémoires inédits* de Mlle Trénery.)

475. Compagnon de La Fayette, élu député de la noblesse aux États Généraux, à vingt-deux ans, il fut l'un des premiers de son ordre qui se réunirent au tiers état. La transformation des États Généraux en Assemblée nationale, en l'absence du clergé et de la noblesse, mais en quelque sorte légitimée par l'adhésion des « nobles libéraux », marque une rupture; c'est un coup d'État. La fin de l'Ancien Régime a sonné. Mathieu de Montmorency fut le cinquième à prêter le fameux serment du Jeu de paume. Le 4 août, c'est lui qui proposa l'abolition des droits féodaux et des privilèges. Il se prononça ensuite contre le principe des deux chambres, ruinant l'effort

des « monarchiens » pour introduire en France un système à l'anglaise, pondéré par l'aristocratie. Il appuya le décret d'abolition de la noblesse (17 juin 1790), et compta parmi les quinze membres chargés d'assister à la translation des cendres de Voltaire au Panthéon. A partir de 1814, cet ami de Mme de Staël, « patriote de 89, oublié depuis trente ans [devint] dans la retraite le repentir et le modèle de toutes les vertus douces et chrétiennes ». (Baron de Frénilly, *op. cit.*, p. 452, et *supra* note 133.)

476. Chateaubriand cessa de collaborer aux *Débats* à partir de 1828.

477. Chateaubriand donna sa démission d'ambassadeur à Berlin en juillet 1821 lorsque Villèle et Corbière quittèrent le ministère Richelieu, entraînant sa chute. Lorsqu'une nouvelle équipe se constitua dont Villèle était le pivot : « J'exerçais une trop grande influence sur l'opinion, écrit Chateaubriand, pour qu'on me pût laisser de côté. Il fut résolu que je remplacerais M. Decazes à l'ambassade de Londres : Louis XVIII consentait toujours à m'éloigner. » (*M.O.T.*, livre XXVI, chap. 11, p. 68.)

478. Mme de Chateaubriand écrit par erreur 250 000.

479. Chateaubriand était plutôt défavorable au projet de conversion des rentes discuté par les Chambres en 1824. Villèle, en financier novateur, voulait ajuster l'intérêt des créances sur l'État, sur le taux réel de l'argent tel qu'il résultait de la loi de l'offre et de la demande : les titres nouveaux porteraient intérêt à 3 % au lieu de 5 % antérieurement servi. Il en résultait pour l'État une économie de trente millions. Chateaubriand n'avait qu'une connaissance partielle du projet et craignait que l'Angleterre ne saisisse cette occasion « pour faire baisser nos fonds par quelque démonstration hostile ».

480. Biffé par Chateaubriand.

481. Chateaubriand donna sa démission à la chute du ministère Martignac.

482. « Perdit » (Mme de Chateaubriand).

483. Mme de Chateaubriand écrit encore ici 200 000, chiffre que son mari a rectifié.

484. « Un ministère » (Mme de Chateaubriand).

485. « Il croyait » (Mme de Chateaubriand).

486. « Dont il n'a ressenti que les coups, le seul moyen d'existence qui lui restait [consistait dans les] 12 000 francs comme pair » (Mme de Chateaubriand). « Les chutes me sont des ruines, écrit son mari, car je ne possède rien que des dettes, dettes que je contracte dans des places où je ne demeure pas assez longtemps pour les payer [...] » (*M.O.T.*, livre XXXII, chap. 2, p. 377.)

487. Allusion à la visite que l'écrivain rendit au républicain Armand Carrel, enfermé à Sainte-Pélagie.

488. Tout ce paragraphe est biffé par Chateaubriand.

489. Sans doute M. de Blacas.

490. Biffé par Chateaubriand.

491. Biffé par Chateaubriand.

492. Au Portugal le conflit faisait rage entre « absolutistes » et « constitutionnels », incarnés d'un côté par dom Miguel, régent du Portugal, qui en 1828 abolira la Charte octroyée deux ans auparavant par son père Jean VI et se fera proclamer roi absolu par les *Cortès*, et de l'autre, par Pedro Ier, empereur du Brésil qui, en 1831, reviendra au Portugal, et avec l'appui de l'Angleterre, forcera dom Miguel à abdiquer.

Que le libéral Pedro Ier confie sa fille aux Dames du Sacré-Cœur, que Mme de Chateaubriand soupçonne d'être proche des « blancs » du Portugal prouve l'excellence de l'enseignement qui était dispensé dans cette pension.

493. Ferdinand de Bertier, fondateur des Chevaliers de la Foi, et agent influent de Charles X, suggérait un mariage entre Henri V et une grande-duchesse russe, comme moyen pour obtenir l'aide militaire du tsar. Il s'imaginait qu'on pourrait le convaincre que le siège de la révolution n'était pas à Varsovie, en pleine insurrection, mais à Paris! En février 1831 les troupes russes devaient être sur le Rhin prêtes à rétablir Charles X sur son trône. De telles idées scandalisaient Chateaubriand. « Le jour où les Bourbons d'Holyrood ourdiraient quelques complots contre la France ou menaceraient sa tranquillité il retournerait à Paris, et servirait contre la légitimité », laissait-il publier dans le *Journal de Genève*, du 28 juillet 1831.

494. Sur les trois cent soixante-cinq pairs que comptait la Chambre haute, cent soixante-quinze avaient été exclus (élimination des pairs nommés en 1827, et refus de serment).

Au lendemain des journées de Juillet, la Chambre des pairs, cédant à la pression du public, dut juger les ministres de Charles X qui furent reconnus coupables par cent trente-six voix contre vingt. Polignac fut condamné par cent vingt-huit voix à la prison à vie.

La méthode envisagée par Chateaubriand dans les *Mémoires d'Outre-Tombe* n'aurait guère été meilleure : « Si mon ami le prince de Polignac m'eût choisi pour son second, de quel œil j'aurais regardé ces parjures s'érigeant en juges d'un parjure : “ Quoi! C'est vous qui tout souillé de vos serments, osez lui faire crime d'avoir perdu son maître? ” »

495. Clarke s'était marié une première fois, sous la Révolution; bientôt divorcé, il avait contracté dans la suite un « mariage de spéculation », selon l'expression d'un satiriste.

496. Mme de Chateaubriand évoque le sort des « demi-solde ». Des mesures avaient été prises en 1814 pour réduire le nombre trop important d'officiers et faire place aux émigrés et aux vendéens. « Le zèle du ministre de la Guerre, Clarke, les restrictions budgétaires et le souvenir cuisant des Cent-Jours se conjuguèrent pour accroître la sévérité du tri, et on peut estimer qu'en 1816, 5000 officiers avaient été conservés dans les cadres et 20 000 placés en demi-solde. » (J. Tulard, *Dictionnaire Napoléon*, p. 589.) Le « demi-solde » devint une figure socialement bien typée, que la littérature de l'époque fit entrer dans la légende. Il fut naturellement utilisé par la propagande anti-bourbonnienne et pro-bonapartiste.

497. Chateaubriand croit en la souveraineté de l'opinion. « Sans coterie, sans appui [...] marchant isolé dans la Restauration » il va donner toute la mesure de son talent et tenir enfin le rôle magistral qu'on lui dénie dans les affaires gouvernementales : la plupart de ses articles et brochures connurent un retentissement immense. Son *Mémoire sur la captivité de Berry* atteignit soixante-dix mille exemplaires, « on le dévorait jusque dans les omnibus ».

498. Chateaubriand écrivait en 1825 : « Tout est bien dans les affaires humaines quand les gouvernements se mettent à la tête du peuple et les devancent dans la carrière que ces peuples sont appelés à parcourir [...] Quand l'intelligence supérieure se trouve dans celui qui obéit au lieu d'être dans celui qui commande, il y a perturbation dans l'État. » (*Note sur la Grèce*, éd. orig., p. 88.)

499. Famille de vieille souche dauphinoise, les Chantelauze ne méritent sans doute pas ces critiques qui tiennent plus du ragot que de l'information.

500. Mme de Chateaubriand ne décolère pas, mais comment s'en étonner quand Chateaubriand s'exclamait à la tribune des pairs : « Provocateurs de coups d'État, [...] vous vous cachez dans la boue du fond de laquelle vous vous leviez vaillamment pour calomnier les vrais serviteurs du Roi; [...] » Discours du 7 août 1830. (*M.O.T.*, livre XXXIV, chap. 7, pp. 466 et suiv.)

501. « Fille de nos malheurs et esclave de notre gloire, la liberté de la presse ne vit en sûreté qu'avec un gouvernement dont les racines sont déjà profondes. Une monarchie, bâtarde d'une nuit sanglante, n'aurait-elle rien à redouter de l'indépendance des opinions? » (*Ibid.*, p. 469.)

502. Horace Vernet (1789-1853). La nomination de Vernet, fervent bonapartiste et intime du duc d'Orléans, bohême dont « le cigare et le costume rappelaient trop le bivouac » avait vivement ému le Vatican. Chateaubriand, qui avait reçu à Londres Carle et Horace Vernet — « ces deux enragés libéraux paraissaient très contents de moi », écrivait-il à Mme Récamier — se montra secourable, et se porta garant du nouveau directeur de l'École de Rome auprès du nonce à Paris. Vernet resta à Rome de 1827 à 1833.

503. Chateaubriand s'intéressa aux artistes; il commanda une stèle à la mémoire de Nicolas Poussin qu'il admirait fort, à de jeunes élèves de la Villa Médicis : Vaudoyer, L. Després et Lemoine. Il « choya à l'ambassade le père Boguet, doyen des peintres à Rome » et se rendit à la villa Médicis pour « voir travailler séparément les artistes »; il les cite dans les *Mémoires*, (Schnetz, L. Robert, Guérin, Queck), en parle avec clairvoyance et les traita volontiers à sa table.

CHAPITRE 5

504. Le pape Léon XII avait tenté d'endiguer l'action des sociétés secrètes et de gouverner avec rigueur (rétablissement de la juridiction ecclésiastique en matière civile, poursuite active des *carbonari*). A l'avènement de Grégoire XVI (1831-1846), la Romagne et la Marche d'Ancône étaient en pleine insurrection; pour rétablir l'ordre il dut faire appel à l'Autriche et à la France. Ses soucis de souverain temporel l'amenèrent à prendre comme chef de l'Église, une position anti-libérale.

505. Les exemples que donne Mme de Chateaubriand illustrent à distance cette réflexion du jeune Chateaubriand dans l'*Essai sur les révolutions* (1797) (éd. de la Pléiade, 1re partie, chap. 4) : « Ce sont toujours les nobles qui, en proportion de leur force et de leurs richesses, ont attaqué les premiers la puissance souveraine : soit que le cœur humain s'ouvre plus aisément à l'envie dans les grands que dans les petits, ou qu'il soit plus corrompu dans la première classe que dans la dernière, ou que le partage du pouvoir ne serve qu'à en irriter la soif; soit enfin que le sort se plaise à aveugler les victimes qu'il a une fois marquées. »

506. Mgr de Latil (1761-1839), aumônier du comte d'Artois pendant l'émigration : « L'abbé de Latil, écrit Chateaubriand, a été un confident intime; la remembrance de madame de Polastron s'attache au surplis du confesseur. » (*M.O.T.*, livre XLVIII, chap. 5, p. 679.) Évêques de Chartres, pair de France, archevêque de Reims, il sacra Charles X. Cardinal-duc (1826), il s'exila après 1830 et fit partie de ce que Chateaubriand appelle le « triumvirat », avec Damas et Blacas, qui dirigeait l'éducation du duc de Bordeaux dans un sens « antipathique à la France ».

507. Capelle fut préfet du Léman de 1810 à 1814. « Ses rapports avec les Genevois étaient mauvais », écrit Jean Tulard, « et faute de troupes, il ne put résister à l'avance des Alliés ». Genève ayant capitulé, Capelle en fut tenu pour responsable. Une commission d'enquête le disculpa, mais il n'en fut pas moins maintenu en prison sur ordre de Napoléon. (J. Tulard, *Dictionnaire Napoléon*, p. 369.)

508. Toutes ces remarques sont écrites à l'emporte-pièce, dans la colère, et n'ont guère de fondement; elles sont injustes pour Mme de Polastron, maîtresse du comte d'Artois, sorte de La Vallière de l'émigration, qui mourut à Londres en 1804, de façon édifiante : « Jurez-moi, dit Mme de Polastron à son amant, que je serai votre dernière faute et votre dernier amour sur la terre, et qu'après moi vous n'aimerez que le seul objet dont je ne puisse être jalouse. » Le prince jura du cœur et des lèvres et, ajoute le confesseur, garda ce serment à travers une longue vie, jusqu'au tombeau. (Vicomte de Reiset, *Louise d'Esparbès, comtesse de Polastron*, Paris, 1907.)

509. Ouvrard (1770-1846), munitionnaire de la marine et banquier; en 1823, il fournit des vivres pour un prix très élevé aux troupes françaises en Espagne. Ces marchés donnèrent lieu à un procès, qui valut au financier cinq ans de prison. Le scandale en rejaillit jusque sur le duc d'Angoulême, son protecteur. L'auteur fait ici allusion à des faits dont on trouve l'explication dans les *Mémoires* de Mme de Boigne. Selon cette mémorialiste, Ouvrard, de concert avec Mme du Cayla, aurait négocié le mariage du comte Lucchesi Palli avec la duchesse de Berry.

La comtesse de Boigne ne croit pas à ce mariage secret et raconte que le munitionnaire Ouvrard et l'ancienne favorite de Louis XVIII, Mme du Cayla, mêlés à toutes les intrigues légitimistes, inventèrent un « mari postiche » pour sauver l'honneur de la princesse. Mme du Cayla « mit la main » sur un attaché de la légation de Naples à La Haye et Ouvrard « avec les arguments irrésistibles de don Basile et cent mille écus, décidèrent le comte de Lucchesi-Palli, fils du prince de Campoforte, à mettre son nom à la merci des intrigants [...] » (Mme de Boigne, *op. cit.,* t. IV, p. 199.)

510. Sous la monarchie de Juillet, certaines convergences se produisirent entre les républicains et les légitimistes (que Mme de Chateaubriand désigne tout comme les libéraux sous le terme quelque peu péjoratif de carlistes), unis dans l'exécration du « régime pansu » et des « avortons de Juillet ». Certains troubles et des machinations, parfois un peu puériles, telles que la conspiration de la rue des Prouvaires (1832), mettent en lumière cette alliance quelque peu paradoxale. Une image illustre à merveille ce phénomène : Chateaubriand dînant au Café de Paris en compagnie d'Armand Carrel, de Béranger et d'Arago, tous républicains. En son honneur, Béranger avait interprété « l'admirable chanson » : « Chateaubriand, pourquoi fuir ta patrie, fuir son amour, notre encens et nos soins? » Dans sa brochure intitulée *De la Restauration et de la monarchie élective*, ne se proclamait-il pas : « républicain par nature, monarchiste par raison et bourboniste par honneur »?

511. Mme de Chateaubriand dit vrai : il existait en effet en Pologne, à la veille de la Révolution de 1830, une opposition libérale et nationale, à l'origine de sociétés

secrètes. Les « Rouges », animés par une haine intransigeante des Russes, souhaitaient la reconstitution de la Pologne traditionnelle, les « Blancs », plus modérés, qui se recrutaient dans la partie aristocratique de la société, parmi les hauts fonctionnaires ou dans le clergé, étaient partisans d'attendre et de maintenir la constitution polonaise pour ne pas donner prétexte à la Russie de détruire les institutions libérales. Lorsque les régiments mobilisés pour lutter contre la révolution belge se soulevèrent en novembre 1830, aboutissant à la formation d'un gouvernement provisoire, les Blancs essaieront de canaliser le mouvement en en prenant la tête et leur chef, le général Chlopicki, négociera avec le tsar. Mais ils seront débordés par les Rouges un mois plus tard [...] La répression russe fut terrible : terreur politique, suppression de l'Université, du système d'enseignement national, des associations, etc.

512. De même en Russie, c'est un groupe d'officiers appartenant à la Cour qui tentera, en 1825, de renverser le régime autocratique en profitant de la mort d'Alexandre Ier. Privé de tout soutien populaire, ce mouvement sera noyé dans le sang.

513. Aux Cent-Jours, le comte Alexandre de Girardin « qui commandait dans le département du Nord pour l'Empereur avait présidé un conseil de guerre qui condamna le colonel Pothier et une douzaine d'officiers à mort pour désertion à l'étranger », écrit Mme de Boigne dans ses *Mémoires*. Or le colonel avait échappé à l'exécution! Scandale! M. de Girardin en sortit victorieux car, dit la mémorialiste : « Il devait à son talent incontestable pour organiser les équipages de chasse une existence toute de faveur, et inébranlable par aucune circonstance politique, auprès des princes de la Restauration [...] Il se vantait de n'avoir repris du service auprès de l'Empereur, pendant les Cent-Jours, que pour le trahir et d'avoir conservé une correspondance active avec monsieur le duc de Berry, espèce d'excuse qui m'a toujours paru beaucoup plus odieuse que la faute dont on l'accusait. » (*Op. cit.,* pp. 191-192.)

514. Chifflet d'Orchamps (1766-1835), conseiller au parlement de Besançon (1786), député (1815 et de 1820 à 1827), pair de France en 1827.

515. Comte du Plessis de Grénédan (1767-1842), maire de Rennes (1792), conseiller à la cour impériale de Rennes (1811), député ultra particulièrement exalté (1815 et de 1820 à 1830).

516. Ludovic de Rosanbo, dont le père était le tuteur des enfants de Jean-Baptiste de Chateaubriand « fut marié par la duchesse de Berry à la fille, point jolie et éminemment médiocre de son écuyer, M. de Mesnard ». (Baron de Frénilly, *op. cit.,* p. 514.)

517. Amédée Pastoret, fils du chancelier Pastoret, fut mêlé après 1830 à toutes les intrigues du parti légitimiste. Le comte de Chambord, dont Amédée était l'un des conseillers, lui confia l'administration de ses biens en France, après la mort de son père. De l'avis de tous ses contemporains, Amédée était loin de valoir ses parents. Dans une nouvelle intitulée *les Espagnols en Danemark* (1825), Mérimée vise Amédée Pastoret en donnant à son personnage de résident français ridicule, le nom de « baron Amédée de Pacaret », avec pour caractéristiques la sottise, la vanité et le libertinage. Viel-Castel note sans preuve (8 octobre 1853) : « Le marquis de Pastoret, administrateur des biens de Mgr le duc de Bordeaux, appliquait depuis longtemps à la satisfaction des caprices de ses maîtresses, les revenus des dits biens. Le prince lui demande des comptes et constatant un déficit de 600 000 fr. rompt avec lui. Alors Pastoret se rallie à Napoléon III qui le fait sénateur. »

518. Dans ce pamphlet paru chez Le Normant, le 24 mars 1831, Chateaubriand s'explique sur ses raisons de ne pas servir le nouveau régime. Le sombre prophétisme qui sourd au travers de ces pages et annonce la conclusion des *Mémoires d'Outre-Tombe*, avait peu de chance d'être entendu des exilés d'Holyrood, « ancien château des Stuarts, asile de mauvais augure ».

« Nous marchons à une révolution générale, écrivait-il [...] Il ne peut résulter des journées de Juillet, que des républiques permanentes ou des gouvernements militaires passagers, que remplacerait le chaos. Les Rois pourraient encore sauver l'ordre et la monarchie en faisant les concessions nécessaires : les feront-ils? Point ne le pense. »

519. O'Mahony collabora au *Conservateur* puis au *Drapeau blanc*, organe au sein du parti ultra de la tendance intransigeante (Nodier, Bonald, Lamennais, Haller, etc.), celle qui rompt avec Villèle parce qu'elle refuse tout compromis. Après 1830 il anima de Suisse où il habitait, *la Gazette du Lyonnais*, proche de Blacas.

520. « Le général de la Fayette venait quelquefois chez Madame Récamier; je me moquais un peu de *sa meilleure des républiques* : je lui demandais s'il n'aurait pas mieux fait de proclamer Henri V et d'être le véritable président de la France pendant la minorité du royal enfant. Il en convenait et prenait bien la plaisanterie, car il était homme de bonne compagnie. » (*M.O.T.*, livre XXXV, chap. 13.)

521. Chateaubriand écrivait à sa sœur, Mme de Marigny, le 30 janvier 1832 : « [...] On reconnaît que je ne suis pas un renégat. On a besoin de moi; on me caresse. Que le bonheur revienne, et l'on oubliera mes derniers services, comme on avait oublié les premiers. L'ingratitude est le caractère dominant de cette race, et de cette troupe d'imbéciles courtisans qui l'ont perdue. »

522. Il s'agit des *Mémoires* de Victoire de Donissan qui, après avoir épousé le marquis de Lescure, le « saint du Poitou », devint marquise de La Rochejacquelein par son second mariage avec Louis de La Rochejacquelein, frère du jeune généralissime de vingt ans dont l'action est au cœur de ses *Mémoires*. De 1798 à 1803, l'auteur rédigea ses souvenirs, puis en confia le manuscrit à Prosper de Barante, ami de Mme de Staël et de Mme Récamier, alors sous-préfet de Bressuire. Il serait sans doute excessif, comme le fit Guizot, de lui attribuer l'entière paternité de ce livre qui connut à sa sortie, en 1814, un immense succès.

523. Image très différente de celle qu'en donne Chateaubriand dans son article sur la Vendée, où il fait de La Rochejacquelein un portrait en médaille : « Le général Turreau a peint Larochejacquelein dans une seule ligne : " J'ai ordonné au général Cordelier, écrit-il, de faire déterrer Larochejacquelein, et de tâcher d'acquérir des preuves de sa mort. " Quel est donc cet étrange jeune homme dont il faut déterrer le cadavre pour tranquilliser une république qui comptait dans ses camps un million de soldats victorieux? Quel est donc ce héros de vingt et un ans qui causait aux ennemis des rois la même frayeur qu'inspirait aux Romains le vieil Annibal exilé, désarmé et trahi? » (« De la Vendée » [1819], *le Conservateur*, t. IV.)

524. « Charette, qui s'était toujours maintenu dans la Basse-Vendée, se faisait admirer même des républicains, par ses retraites autant que par ses attaques, par ses revers autant que par ses succès. [...] Quand un homme extraordinaire disparaît, il se fait dans le monde une sorte de silence, comme si celui qui emplissait la terre de son nom avait emporté tout le bruit. Trois années de paix suivirent dans la Vendée la mort de Charette. » *(Ibid.)*

525. Antoine-Philippe de La Trémoille, prince de Talmont (1765-1794), servit dans les rangs des émigrés comme aide de camp du comte d'Artois, puis vint en

Vendée dont il fut l'un des principaux chefs. Après la défaite de Granville il continua le combat avec les débris de la grande armée catholique. Arrêté à Fougères, il fut décapité à Laval devant son château, et sa tête brandie sur une pique.

526. Céleste de Chateaubriand pouvait être bien informée des dessous de la guerre de Vendée. En septembre 1792, fuyant la tourmente révolutionnaire, elle s'installa à Fougères dans l'hôtel de sa belle-sœur, Mme de Farcy. Elle y sera arrêtée le 17 octobre 1793. Vingt jours plus tard, les autorités révolutionnaires de Fougères, inquiètes de l'avance des forces de l'armée catholique et royale, décideront de transférer les prisonniers à Rennes. Libérée le 5 novembre 1794, elle reviendra s'établir à Fougères. Mme de Marigny, autre belle-sœur de Céleste, entretenait quant à elle, des liens très étroits avec la chouannerie.

527. Armand Malitourne (1797-1866), collabora à *la Quotidienne* et, après 1830, aux journaux ministériels orléanistes.

528. On retrouve ce même ton âpre et virulent dans les *Études ou discours historiques*, publiés par Chateaubriand en 1831. Ces quelques lignes permettront d'en juger : « Tous ceux qui ont sauté de la loge du portier dans l'antichambre, qui se sont glissés de l'antichambre dans le salon, qui ont rampé du salon dans le cabinet du ministre; tous ceux qui ont écouté aux portes, ont à dire comment ils ont reçu dans l'estomac l'outrage qui avait un autre but. Les admirations à la suite, les mendicités dorées, les vertueuses trahisons, les égalités portant Plaque, Ordres ou Couleurs de laquais, les libertés attachées au cordon de la sonnette, ont à faire resplendir leur loyauté, leur honneur, leur indépendance. Celui-ci se croit obligé de raconter comment tout pénétré des dernières marques de la confiance de son maître, tout chaud de ses embrassements, il a juré obéissance à un autre maître; il vous fera entendre qu'il n'a trahi que pour trahir mieux; celui-là vous expliquera comment il approuvait tout haut ce qu'il détestait tout bas, ou comment il poussait aux ruines sous lesquelles il n'a pas eu le courage de se faire écraser. »

529. La *Gazette du Lyonnais* était sous l'influence de Blacas et des Jésuites par l'entremise de O'Mahony qui habitait la Suisse. Ce journal se faisait l'écho de toutes les inimitiés de ses inspirateurs.

530. Comte de Kergorlay (1769-1840), député ultra, surnommé par les siens « la voix rigide »; il protesta contre la révolution de Juillet et fut arrêté puis acquitté en même temps que Chateaubriand, en 1832.

531. Considérée par Frénilly comme la plus ingénue des femmes d'esprit, la belle Mme de Pastoret, née Adélaïde Piscatory, tint l'un des plus brillants salons de Paris, dans le magnifique hôtel que son oncle, le richissime M. Rouillé de l'Étang, s'était fait construire place Louis-XV. A la veille de la Révolution elle reçut Sieyès et Condorcet. Sous la Restauration elle saura gagner la confiance de la duchesse d'Angoulême : ne sera-t-elle pas autorisée, faveur insigne, à prier dans l'oratoire de la princesse, le jour anniversaire de la mort de Louis XVI? De 1801 à 1803, Mme Pastoret fit partie de la petite société de Pauline de Beaumont, rue Neuve-du-Luxembourg où elle rencontrera Chateaubriand, Molé, Chênedollé et Joubert qui cultivera pour elle, « toutes ces petites illusions qui viennent du cœur » et dont se plaît-il à reconnaître « on recueille un fruit solide, des plaisirs qui sont très réels »

532 Initialement proposée par le député Baude en mars 1831, reprise en septembre par le député Briqueville, la loi bannissant Charles X du royaume fut définitivement adoptée le 25 mars 1832. A ces propositions Chateaubriand réplique par deux brochures : *De la Restauration et de la monarchie élective* (mars 1831), et *De la*

nouvelle proposition relative au bannissement de Charles X et de sa famille (novembre 1831). Il voulait prouver que la proscription des membres de l'ancienne famille royale serait impie, la condamnation qu'on prétend y ajouter, criminelle, et démontrer qu'Henri V est, à l'exclusion de tout autre, le seul souverain capable du bonheur de la France.

533. En 1816, Chateaubriand avait proposé d'élever sur la place de la Concorde une statue à la gloire de Louis XVI, une chapelle sur le terrain du cimetière de la Madeleine et de créer à Saint-Denis une fondation où des évêques et des prêtres infirmes veilleraient aux cendres des rois. Autres temps!

534. Pour les partisans de la « résistance » (Casimir Périer, Royer-Collard, Guizot), la Charte est un point d'arrivée qui doit être défendu contre toute tentative de subversion, qu'elle vienne de droite ou de gauche. Pour A. Thiers, O. Barrot, la Charte est un point de départ. Le « mouvement » souhaite une monarchie intégralement parlementaire et pousse à la réforme électorale.

535. Le Panthéon venait en effet d'être de nouveau sécularisé; une cérémonie a peut-être eu lieu cet hiver 1832, durant laquelle on chanta la Marseillaise. Mais enfin, Louis-Philippe la chantait bien lui-même sur le balcon du Palais-Royal et des Tuileries, pourquoi pas le président du Conseil?

536. « Henri déteste à présent le baron de Damas dont la mine, le caractère, les idées lui sont antipathiques. Il entre contre lui dans de fréquentes colères. A la suite de ces emportements, force est de mettre le prince en pénitence; on le condamne quelquefois à rester au lit : bête de châtiment. Survient un abbé Moligny, qui confesse le rebelle et tâche de lui faire peur du diable. L'obstiné n'écoute rien et refuse de manger. Alors madame la dauphine donne raison à Henri qui mange et se moque du baron. L'éducation parcourt ce cercle vicieux », observait Chateaubriand lors de son premier voyage à Prague, en 1833. On comprend que le baron de Damas n'ait pu se maintenir longtemps dans cette tâche qui dépassait ses capacités. (*M.O.T.*, livre XXXVIII, chap. 4, p. 677.)

537. Marcel-Victor de La Tour-Maubourg (1756-1835), général de division en 1807, il fit la campagne d'Espagne et de Russie, il se couvrit de gloire à Leipzig où il eut une jambe emportée. Rallié aux Bourbons il remplaça Gouvion-Saint-Cyr à la Guerre dans le cabinet Decazes lors du remaniement de 1820, où sa nomination rassura la droite. Gouverneur des Invalides de 1821 à 1830, chef du parti royaliste en France après l'avènement de Louis-Philippe, « il jouissait d'une si haute considération que toutes les sommités du parti [légitimiste] n'hésitaient pas à se rallier à lui » (général d'Hautpoul, *Souvenirs*, Paris, 1902, p. 78). Charles X quand il eut éloigné les Jésuites et Damas de l'éducation de son petit-fils, nomma le « respectable marquis » gouverneur du duc de Bordeaux (22 août 1833). Il hésita longtemps, son état de santé étant fort précaire. La méfiance du vieux roi et l'hostilité du tout-puissant Blacas avaient ainsi eu raison de la « candidature » officieuse mais flamboyante de Chateaubriand au préceptorat du prince.

538. Mgr Frayssinous était en effet paralysé; il se fit aider dans sa mission par l'abbé Trébuquet.

539. Ni M. ni Mme de Chateaubriand n'aiment l'Ancien Régime qu'en bretons volontiers frondeurs ils identifient à Versailles, à la Cour et aux « bureaux ». Dans l'*Essai sur les révolutions* publié à Londres en 1797, Chateaubriand donnait sa vision de l'Ancien Régime, traitée à la manière d'un roman noir : « Un monarque faible et amateur de son peuple, était aisément trompé par des ministres incapables ou

méchants. L'intrigue faisait et défaisait chaque jour des hommes d'État; et ces ministres éphémères, qui apportaient dans le gouvernement leur ineptie et leurs cœurs, y apportaient la haine de ceux qui les avaient précédés. De là ce changement continuel de systèmes, de projets, de vues; ces nains politiques étaient suivis d'une nuée famélique de commis, de laquais, de flatteurs, de comédiens, de maîtresses; tous ces êtres d'un instant se hâtaient de sucer le sang du misérable, et s'abîmaient bientôt devant une autre génération d'insectes, aussi fugitive et dévorante que la première. » (*Essai*, 1re partie, chap. 70, p. 264, éd. de la Pléiade.) Ce passage sera repris sans changement dans *les Études historiques*, publiées en 1831, témoignant ainsi de la permanence de son opinion.

540. Charles X et la famille royale étaient les hôtes de l'empereur d'Autriche à Prague depuis octobre 1832. À la suite de l'article du *Moniteur*, du 26 février 1833, qui avait révélé que la duchesse de Berry, veuve depuis douze ans, était enceinte, Chateaubriand avait reçu mission de la princesse d'aller en Bohême expliquer à la famille royale qu'elle était secrètement mariée avec le comte de Lucchesi-Palli, mais désirait conserver son rang, la régence et la tutelle de ses enfants. « Le cher Fénelon », ainsi qu'elle l'appelle, accepta, non qu'il eût au fond une grande estime pour « la danseuse de corde d'Italie », mais il pensait à travers elle sauver la légitimité en soustrayant le duc de Bordeaux à l'influence et à l'entourage néfaste de Charles X. Chateaubriand, arrivé à Prague le 23 mai, ne put rien obtenir du roi qui se montra très sévère pour sa belle-fille. Quelque temps après eut lieu la déclaration de majorité du duc de Bordeaux. En complet accord avec Metternich, on procéda dans la plus grande discrétion. Bien qu'il ait abdiqué en faveur de son petit-fils, le duc de Bordeaux, Charles X se considérait toujours comme roi de France.

541. Chateaubriand, bien sûr.

542. *Le Rénovateur*, fondé en 1832 par Laurentie avec le concours des ducs de Noailles et de Fitz-James, de Bonald et de Cony, était un organe légitimiste dont le but était « de montrer à la nation que, s'il restait quelque part une défense libre et hardie de ses vieux droits, c'était dans les rangs de ceux qui avaient défendu la monarchie de dix siècles, non dans ses faiblesses et ses erreurs, mais dans son principe de conservation, de gloire et de liberté ». Balzac y collabora.

543. « Un revenu de 25 000 francs et le chapeau éventuel de cardinal étaient attachés à cette magistrature. La catastrophe de 1830 survint et l'abbé de Retz immola sa fortune et son avenir à ses principes. » (Mqs de Villeneuve, *Charles X et Louis XIX en exil*, Paris, Plon, 1889, p. 280.)

544. Cette note a sans doute été écrite au moment où Chateaubriand se rendit à Londres pour y saluer le comte de Chambord (1843). Mme de Chateaubriand, dans l'établissement de son petit pense-bête destiné au voyageur, ravive les braises d'un ressentiment toujours vif et que nourrit une mémoire infaillible.

545. En août 1842, le comte de Chambord avait envoyé son buste à l'écrivain et lui avait offert une pension de pair de douze mille francs. L'année suivante il l'invitait à Londres pour un grand rassemblement « carliste ». L'invitation du comte de Chambord fut si chaleureuse et convaincante que Chateaubriand aurait dit qu'après une telle lettre « il fallait y aller vivant, et mort s'y faire porter dans sa bière ».

Marie-Jeanne Durry remarque : « On résiste mal à ce spectacle de fidélité, offert par un contemporain qui, pour la plupart, est un ancêtre, à cette vue d'une constance qui l'emporte sur les infirmités d'un invalide recru de gloire, vide d'illusions, allant apporter son salut et ses derniers conseils à un banni dont les illusions sont au contraire la plus grande force. » (*Op. cit.*, p. 289.) C'est un triomphe pour Chateaubriand à qui s'adressent tous les hommages, chacun reconnaissant en lui « la royauté de l'intelligence ». Belgravia-Square est le théâtre de scènes attendrissantes entre le prince et son vieux Mentor. Henri V « a caressé cette impérissable vanité du poète et de l'écrivain », persiflent les ennemis. En tout cas, il s'est dit « en parfaite communion d'opinions et de sentiments » avec lui. Les légitimistes ont-ils été sincères en plaçant le prétendant « sous le patronage de ce vieillard aux généreuses pensées »? Ballanche en doute : le parti est incorrigible, on a revu Coblentz, commente-t-il. Mme de Chateaubriand partage certainement cette opinion.

546. Chateaubriand avait supprimé, de mauvaise grâce, la valeur de deux volumes sur quatre de son manuscrit primitif du *Congrès de Vérone*, à la prière de La Ferronays et Marcellus « alarmés du danger public et privé de toutes les indiscrétions qu'il n'avait pu étouffer ». Ainsi expurgé, le livre aurait dû plaire aux proscrits de Goritz en ce qu'il était un ardent essai pour réhabiliter la politique extérieure de la Restauration. Il n'en fut rien, bien au contraire! Un passage avait vivement choqué la Dauphine. Chateaubriand rapportait que : « Le duc d'Angoulême visitant la ligne d'attaque contre l'île de Léon, s'exposa pendant un long espace de onze cents toises au feu des batteries espagnoles; un boulet l'ayant couvert de débris, il dit : " Vous conviendrez, Messieurs, que si je suis tué, je finirai en bonne compagnie et à la française. " Pourquoi ce boulet le manqua-t-il? » (*Congrès de Vérone*, t. II, p. 418.) L'écrivain, par cette phrase quelque peu elliptique, voulait signifier qu'il eût été préférable pour le prince de mourir en pleine gloire, plutôt que de finir sa vie dans la tristesse de l'expatriation. La Dauphine vit dans ce boulet, l'arme d'un régicide d'intention. Lorsque Mme Bayard, ex-nourrice du duc de Bordeaux, toute dévouée aux Chateaubriand, et royaliste exaltée, se rendit en Allemagne pour plaider la cause, la duchesse d'Angoulême s'écria : « M. de Chateaubriand », et de grosses larmes roulaient dans ses yeux, « [...] impossible! le boulet de son *Congrès de Vérone* est encore là, trop pesant sur mon cœur ». En apprenant cela, Chateaubriand pleura à son tour, promit d'ôter le boulet à la prochaine édition, écrivit. Rien n'y fit. On ignore généralement — car les *Mémoires* n'en soufflent mot — que Mme de Chateaubriand et Mme Bayard firent le voyage de Brunnsee, en août 1841, pour solliciter les bons offices de la duchesse de Berry et obtenir le pardon de l'intraitable Dauphine. Il vint, hautain et glacé, porté par les soins du duc de Lévis.

547. François-Édouard Kellermann, duc de Valmy (1802-1868), resta fidèle aux Bourbons alors que sa famille s'était ralliée à Louis-Philippe. La raison de cette mise en cause par Mme de Chateaubriand demeure obscure. En 1841, quand se forma un comité pour la défense des chrétiens en Orient, c'est le duc de Valmy, au premier rang des légitimistes, qui offrit la présidence à Chateaubriand.

548. Vicomte de Bruges (1764-1820), un des familiers du comte d'Artois et l'un des piliers du pavillon de Marsan.

549. Le 30 juillet 1830, quai du Louvre, Chateaubriand fut reconnu par des jeunes gens : « Tout à coup je me sens pressé; un cri part : " Vive le défenseur de la liberté de la presse! " » Porté en triomphe aux cris de « Vive la Charte », « Vive Chateaubriand » il arrivera au palais du Luxembourg où siégeaient les pairs dans l'enivrement de ce bain de foule généreux, spontané et flatteur, pour le héraut de la liberté de la presse. Chateaubriand écrira dans les *Mémoires* : « J'avais crié : " Vive le Roi! " au milieu d'elle [« cette noble jeunesse »], tout aussi en sûreté que si j'eusse été enfermé tout seul dans ma maison. Elle connaissait mes opinions, elle m'amenait d'elle-même à la Chambre des pairs où elle savait que j'allais parler et rester fidèle à mon Roi. » (*M.O.T.*, livre XXXIII, chap. 9, p. 424.)

550. Le comte de Montbel réussit à s'enfuir et gagna Vienne où Metternich lui offrit l'hospitalité. Il publia en 1832 un livre sur le duc de Reichstadt puis, en 1835, rejoignit la cour de Charles X, à Prague. Il suivit la famille royale à Goritz et rédigea en 1844, à la mort du duc d'Angoulême (qui avait pris en exil le nom de comte de Marnes) *le Comte de Marnes; notice sur son exil; son caractère; sa mort; ses funérailles.* Après la mort de la duchesse d'Angoulême il resta fidèle au comte de Chambord et s'installa auprès de lui à Frohsdorf où il s'éteignit en 1861. Bien qu'amnistié en 1840, il ne revint jamais en France.

551. Comte de Loc-Maria (1791-1881), fidèle compagnon du comte de Chambord qu'il accompagna dans ses voyages.

BIBLIOGRAPHIE

BONA F. DE, *Vie de Madame Chateaubriand*, Lille-Paris, Librairie Lefort, 1887.

BOUCHARDY F., *Monsieur et Madame de Chateaubriand et les Genevois*, Genève, A. Jullien, 1931.

CHATEAUBRIAND MME DE, *les Cahiers*, publiés intégralement avec introduction et notes, par J. Ladreit de Lacharrière, E. Paul, Paris, 1909.
Mémoires et lettres, préface et notes par J. Le Gras, Paris, Jadis et naguère, H. Jonquières, 1929.

CHATEAUBRIAND F.-R. DE, *Œuvres complètes*, Éd. Ladvocat, Paris, 1826-1831; *Mémoires d'outre-tombe*, éd. établie par M. Levaillant et G. Moulinier, éd. de la Pléiade.
M.O.T., t. XXII, « Supplément à mes mémoires », Paris E. et V. Penaud, 1850.
Correspondance générale, textes établis et annotés par P. Riberette, Paris, Gallimard, t. I à V (jusqu'à 1822).

DURRY M.-J., *la Vieillesse de Chateaubriand, 1830-1848*, Paris, Le Divan, 1933.

MARIGNY Mme de, *Journal inédit*. Préface de H. Houssaye, Paris, 1907.

PAILHÈS G., *Chateaubriand, sa femme et ses amis*, Paris, Bordeaux, Féret et fils, libraires associés, 1896.
Madame de Chateaubriand — Lettres inédites à M. Clausel de Coussergues, Féret et fils, Bordeaux — Champion, Paris, 1888.

PAILLERON M. L., *la Vicomtesse de Chateaubriand*, Paris, éd. des Portiques, Paris, 1934.

RAYNAL Paul de, *les Correspondants de Joubert*, Paris, 1862.

RICHARD N., *Chateaubriand, le paradis de la rue d'Enfer*, publié par souscription, Toulouse, 1985.

Ouvrages généraux

BEAU DE LOMÉNIE, *la Carrière politique de Chateaubriand de 1814 à 1830*, Paris, Plon, 1929.

BERTIER DE SAUVIGNY G. DE, *Au soir de la Monarchie, la Restauration*, Paris, Flammarion, 1974.

BIBLIOTHÈQUE NATIONALE, *Chateaubriand, le voyageur et l'homme politique*, Paris, 1969.

CHEVALLIER J. J., *Histoire des institutions et des régimes politiques de la France de 1789 à nos jours*, Paris, Dalloz, 1981.

CLÉMENT J. P., *Chateaubriand politique*, Paris, coll. Pluriel, Hachette, 1987.

GARNIER J. P., *Charles X*, Paris, Fayard, 1967.

GRANDMAISON G. de, *la Congrégation, 1801-1830*,Paris, Plon, 1889.

PAINTER G., *Chateaubriand, une biographie. Les orages désirés*, Paris, Gallimard, 1977.

INDEX

N'apparaissent pas dans l'index les noms de Charles X, M. et Mme de Chateaubriand, Louis XVIII, Napoléon Bonaparte, qui reviennent tout au long de l'ouvrage.

A

B

C

D

E

F

P

Q

R

S

T

V

TABLE

DEUXIÈME PARTIE

LE CAHIER VERT

1. 1815-1827

2. 1829-1830

3. L'année 1830

4. La révolution de Juillet

Achevé d'imprimer en octobre 1990
sur presse CAMERON
dans les ateliers de la S.E.P.C.
à Saint-Amand-Montrond (Cher)

N° d'Édition : 908. N° d'Impression : 2317.
Dépôt légal : février 1990.
Imprimé en France